UNE AMITIÉ ABSOLUE

JOHN le CARRÉ

UNE AMITIÉ ABSOLUE

roman

TRADUIT DE L'ANGLAIS
PAR MIMI ET ISABELLE PERRIN

ÉDITIONS DU SEUIL
27, rue Jacob, Paris VIe

Ce livre est édité par Anne Freyer-Mauthner

Titre original : *Absolute Friends*
Éditeur original : Hodder & Stoughton, Londres

ISBN original : 0-340-83287-8

ISBN 2-02-063343-4

www.seuil.com

Chapitre 1

Le jour où son destin le rattrapa, Ted Mundy, perché sur une caisse à savon dans l'un des châteaux bavarois du roi Ludwig le fou, arborait un chapeau melon. Pas un melon classique, mais façon Laurel et Hardy plutôt que Savile Row. Pas un chapeau anglais, malgré le drapeau britannique brodé en soie orientale sur la poche-poitrine de son antique veste en tweed. La griffe graisseuse à l'intérieur de la calotte en attribuait la paternité à MM. Steinmatzky et fils, Vienne.

Et puisqu'il ne lui appartenait pas en propre (comme il se hâtait de l'expliquer aux malheureuses victimes, préférentiellement féminines, de son infinie sociabilité), il ne constituait pas non plus un instrument d'autoflagellation. « C'est un chapeau de fonction, madame, insistait-il, s'en excusant profusément dans un discours bien ciselé. Un petit bijou historique, que m'ont temporairement confié les générations m'ayant précédé à ce poste – érudits errants, poètes, rêveurs, hommes de robe –, et tous autant que nous sommes, de fidèles serviteurs de feu le roi Ludwig, *hah !* lançait-il, peut-être en une réminiscence inconsciente de son enfance militaire. De toute façon, à mon humble avis, le choix est restreint. On ne peut guère demander à un Anglais bon teint d'agiter un parapluie comme les guides japonais, n'est-ce pas ? Pas ici en Bavière, grands dieux, non. Pas à soixante-quinze kilomètres de l'endroit où notre cher Neville Chamberlain a conclu un pacte avec le diable. N'est-ce pas, madame ? »

Et s'il s'avère, comme souvent, que son public a de trop jolis minois pour avoir jamais entendu parler de Neville Chamberlain ni savoir à quel diable il est fait allusion, l'Anglais bon teint prodigue sa version pour débutants des honteux accords de Munich de 1938, par lesquels, ne craint-il pas d'affirmer, même notre bien-aimée monarchie anglaise, sans parler de notre aristocratie et du parti conservateur d'ici-bas, consentit à presque tous les compromis avec Hitler plutôt que de risquer la guerre.

« L'*establishment* britannique… absolument terrifié par le bolchevisme, voyez, lâche-t-il dans ce style télégraphique sophistiqué qui, tout comme *hah !*, s'impose à lui quand il est lancé. Pareil côté gouvernement américain. La seule chose qu'ils voulaient, tous, c'était lâcher Hitler sur le péril rouge. » Or donc, pour les Allemands, le parapluie roulé de Neville Chamberlain reste *encore à ce jour, madame*, le honteux emblème des accommodements anglais avec *notre cher Führer*, son surnom consacré pour Adolf Hitler. « Moi, franchement, dans ce pays, en tant qu'Anglais, j'aime autant être pris sous une averse sans parapluie. Enfin, ce n'est pas pour cela que vous êtes là, n'est-ce pas ? Vous êtes venue voir le château préféré de Ludwig le fou, et non écouter un vieux radoteur fulminer contre Neville Chamberlain, hein ? Ce fut un plaisir, madame, dit-il, soulevant son melon clownesque en un geste d'autodérision qui libère comme un diable de sa boîte une mèche rebelle de cheveux poivre et sel. Ted Mundy, bouffon à la cour du roi Ludwig, pour vous servir. »

Qui croient-ils avoir rencontré, ces clients – ces cochons de payants, comme les voyagistes anglais aiment à les appeler –, pour peu qu'ils se posent même la question ? Qui est Ted Mundy, dans leurs vagues souvenirs ? Un comique, à l'évidence. Un genre de raté, un fieffé crétin d'Anglais, coiffé d'un chapeau melon, arborant l'Union Jack, attentif aux autres et jamais à lui-même, la cinquantaine à vue de nez, un brave type, mais je ne lui confierais pas forcément ma fille. Et ces rides verticales au-dessus des sourcils telles de fines entailles au scalpel, peut-être dues à la colère ou aux cauchemars : Ted Mundy, guide touristique.

*

Il est 16 h 57, la dernière visite de cette journée de la fin mai va commencer. L'air fraîchit, et un soleil printanier rougeoyant s'abîme dans les jeunes hêtres. Accroupi sur le balcon telle une sauterelle géante, son melon le protégeant des rayons crépusculaires, Ted Mundy lit attentivement un *Süddeutsche Zeitung* froissé qu'il range roulé dans une poche intérieure de sa veste, comme un os à ronger pendant ses pauses entre deux visites. Voici à peine plus d'un mois que la guerre en Irak, à laquelle Mundy est farouchement opposé, a officiellement pris fin. Il épluche les titres des brèves : le Premier ministre Tony Blair va se rendre au Koweït pour remercier le peuple koweïtien de sa coopération dans ce conflit victorieux.

« Pff », siffle Mundy, sourcils froncés.

Lors de son voyage, M. Blair fera un bref déplacement en Irak, où il prônera la reconstruction au-delà de tout triomphalisme.

« Ben, j'espère bien, encore ! » grommelle Mundy, sa rage croissant.

M. Blair s'est déclaré convaincu que la découverte des armes de destruction massive irakiennes est imminente. Selon Donald Rumsfeld, secrétaire américain à la Défense, les Irakiens auraient bien pu les détruire avant le début de la guerre.

« Vous pourriez pas vous mettre d'accord, bande d'abrutis ? » s'irrite Mundy.

Sa journée a suivi jusqu'ici son cours habituel, complexe et atypique. A 6 heures pile, il quitte le lit qu'il partage avec Zara, sa jeune compagne turque. Traversant le couloir sur la pointe des pieds, il va réveiller le fils de celle-ci, Mustafa, âgé de onze ans, en temps et heure pour qu'il fasse sa toilette, se brosse les dents, dise ses prières matinales, puis avale le petit déjeuner composé de pain, d'olives, de thé et de pâte à tartiner au chocolat que Mundy lui a entre-temps préparé. Tout ceci dans une absolue discrétion, car Zara travaille très tard dans un restaurant à kebab près de la gare principale de Munich et ne doit être réveillée sous aucun prétexte. Depuis qu'elle a pris ce travail de nuit, elle rentre à la maison vers les 3 heures du matin, raccompagnée par un aimable chauffeur de taxi kurde qui habite le même immeuble. Selon le rite musulman, elle devrait alors pouvoir dire une rapide prière avant le lever du soleil et jouir des huit bonnes heures de sommeil dont elle a grand besoin, mais la journée de Mustafa commence à 7 heures et lui aussi doit prier. Il a fallu tous les dons de persuasion de Mundy et de Mustafa pour convaincre Zara que Mundy pouvait présider aux dévotions de son fils et lui permettre ainsi de récupérer. Mustafa est un enfant calme comme un chat, avec une tignasse brune, des yeux marron apeurés, une voix rauque et chantante.

Une fois sortis de leur immeuble miteux, un cube de béton au revêtement suintant hérissé de câbles, l'homme et l'enfant se fraient un chemin à travers un terrain vague jusqu'à un Abribus couvert de graffitis, la plupart insultants. Le bâtiment est ce que l'on appelle de nos jours un village ethnique, où s'entassent Kurdes, Yéménites et Turcs. D'autres enfants sont déjà là, certains avec leur mère ou leur père. Mundy pourrait raisonnablement leur confier Mustafa, mais il préfère l'accompagner jusqu'à l'école et lui serrer la main devant la grille, voire l'embrasser solennellement sur les deux joues. Ayant connu l'humiliation et la peur durant l'ère nébuleuse qui a précédé l'irruption de Mundy dans sa vie, Mustafa a besoin de se reconstruire.

A grandes enjambées, Mundy parcourt le chemin du retour en vingt minutes, et arrive partagé entre le désir que Zara dorme toujours et celui qu'elle vienne de s'éveiller, auquel cas elle fera l'amour avec lui, d'abord somnolente puis de plus en plus passionnée, avant qu'il saute dans sa vieille Coccinelle Volkswagen et se joigne au trafic en direction du sud pour les soixante-dix minutes de route jusqu'à son travail à Linderhof.

Le trajet est pénible, mais nécessaire. Voici un an, les trois membres de la famille vivaient chacun dans le désespoir. Aujourd'hui, ils forment une unité de combat résolue à améliorer leur vie commune. L'histoire de ce petit miracle, Mundy se la raconte chaque fois que la circulation menace de le rendre fou :

Il est sur la paille.

Une fois de plus.

Il est presque en cavale.

Son associé Egon, codirecteur de leur « École d'anglais commercial » en difficulté, s'est enfui avec les derniers actifs, obligeant Mundy à quitter Heidelberg en pleine nuit à la cloche de bois avec tout ce qu'il a pu caser dans sa Volkswagen, plus 704 euros en liquide qu'Egon a négligé de voler dans le coffre.

Arrivant à Munich avec l'aube, Mundy laisse sa Volkswagen immatriculée à Heidelberg dans un coin discret d'un parking à étages, au cas où ses créanciers l'auraient mise sous le coup d'une saisie. Puis il fait ce qu'il fait systématiquement quand l'étau de la vie se resserre sur lui : il marche.

Et parce que depuis toujours, pour des raisons qui remontent à sa petite enfance, il éprouve une attirance pour la diversité ethnique, ses pieds le conduisent presque de leur propre chef vers une rue pleine de boutiques et de cafés turcs qui s'éveillent à peine. Le soleil brille, Mundy a faim, il choisit un café au hasard, pose son imposante carcasse sur une chaise en plastique qui refuse de se caler sur le trottoir inégal, et commande un grand café turc pas trop sucré et deux petits pains aux graines de pavot avec beurre et confiture. A peine a-t-il entamé son petit déjeuner qu'une jeune femme s'installe sur la chaise voisine et, la main à moitié devant la bouche, lui propose avec un accent turco-bavarois hésitant de coucher avec elle pour de l'argent.

Bientôt la trentaine, d'une beauté inouïe et inconsolable, Zara porte un fin chemisier bleu sur un soutien-gorge noir, et une jupe noire assez courte pour révéler ses cuisses nues. Elle est dangereusement maigre. Mundy la prend à tort pour une droguée et, autre motif de honte ultérieure, il est presque tenté, l'espace d'un instant bien trop long, d'accepter son offre. Il est en manque de sommeil, de travail, de compagne et d'argent.

Mais, en observant de plus près la jeune femme avec laquelle il se propose de coucher, il découvre un tel désespoir dans son regard, une telle intelligence dans ses yeux et un tel manque de confiance dans son attitude qu'il se ressaisit bien vite et lui offre un petit déjeuner, qu'elle accepte avec réticence à condition de pouvoir en emporter la moitié chez elle pour sa mère malade. Tout reconnaissant qu'il est de cette rencontre avec un autre être dans le creux de la vague, Mundy a une meilleure suggestion : elle va avaler tout le petit déjeuner, et ensemble ils achèteront à manger pour sa mère dans l'un des magasins halal de la rue.

Elle l'écoute les yeux baissés, impassible. Au comble de l'empathie, Mundy la soupçonne de se demander s'il est juste fou ou carrément pervers, et fait son possible pour ne sembler ni l'un ni l'autre, visiblement en vain. D'un geste qui va droit au cœur de Mundy, elle tire la nourriture à deux mains de son côté de la table, au cas où il se raviserait.

Ce faisant, elle révèle sa bouche et ses quatre incisives cassées à la racine. Tandis qu'elle se sustente, Mundy cherche des yeux un maquereau dans la rue. Elle ne semble pas en avoir. Peut-être appartient-elle au café ? Il l'ignore, mais éprouve déjà des instincts protecteurs. Quand ils se lèvent de table, Zara s'aperçoit que sa tête arrive à peine à l'épaule de Mundy et elle a un mouvement de recul inquiet. Il a beau se voûter, Zara garde ses distances. Elle est devenue l'unique sujet de préoccupation de Mundy, qui trouve ses propres soucis négligeables en comparaison. Dans le magasin halal, sous sa pression insistante, elle achète de l'agneau, du thé à la pomme, de la semoule, des fruits, du miel, des légumes, des halvas et une barre géante de Toblerone en promotion.

« Vous avez combien de mères, en tout ? » lance-t-il gaiement sans lui arracher un sourire.

Pendant ses emplettes, elle reste tendue, lèvres pincées, marchandant en turc derrière sa main, tâtant chaque fruit du doigt – pas celui-ci, celui-là –, faisant des calculs mentaux à une vitesse très impressionnante. Malgré les multiples facettes de sa personnalité, Mundy n'a rien d'un négociateur, et Zara finit par lui arracher violemment les deux gros sacs de provisions qu'il se proposait de porter.

« Vous voulez coucher avec moi ? » redemande-t-elle avec impatience, une fois les deux sacs bien en main.

Son message est clair : vous avez payé pour moi, alors prenez-moi et laissez-moi tranquille.

« Non, réplique-t-il.

– Vous voulez quoi ?

– Vous raccompagner chez vous.

– Pas chez moi, corrige-t-elle en secouant la tête. Hôtel. »

Il tente de lui expliquer que ses intentions sont amicales plutôt que sexuelles, mais, trop lasse pour l'écouter, elle se met à pleurer sans changer d'expression.

Il choisit un autre café, où ils s'installent. Elle laisse les larmes rouler sur ses joues. Il la pousse à parler d'elle, et elle s'exécute sans intérêt particulier pour son sujet, comme si toutes ses barrières de protection étaient tombées. Elle est campagnarde, originaire des plaines d'Adana, fille aînée d'une famille d'agriculteurs, lui raconte-t-elle dans son argot bavarois hésitant, les yeux rivés sur la table. Son père l'a promise au fils d'un paysan voisin, prétendument un as de l'informatique gagnant bien sa vie en Allemagne. Quand il est rentré à Adana rendre visite à sa famille, un repas de noces a été organisé selon la tradition, les deux fermes ont été déclarées unies, et Zara est partie à Munich avec son mari pour s'apercevoir que, loin d'être un génie de l'informatique, c'était un criminel à plein temps. Il avait vingt-quatre ans, elle dix-sept, et elle attendait un enfant de lui.

« Un gang, déclare-t-elle simplement. Tous de méchants escrocs. Ils sont fous. Ils volent voitures, vendent la drogue, ouvrent des clubs, contrôlent prostituées. Que des mauvaises choses. Maintenant il est en prison. S'il serait pas en prison, mes frères le tueraient. »

Avant d'être incarcéré voici neuf mois, son mari avait trouvé le temps de terroriser son fils et de démolir le portrait de sa femme. Une peine de sept ans, plus d'autres affaires en instance. Un des membres du gang est devenu témoin à charge. Tandis qu'ils arpentent la ville, Zara débite son histoire en un flot monotone, avec des bribes de turc quand son allemand se révèle défaillant. Mundy se demande parfois si elle a conscience de sa présence à son côté. *Mustafa*, répond-elle quand il s'enquiert du nom de son fils. Elle ne lui a posé aucune question personnelle. Il ne réitère pas sa tentative de la décharger des sacs de provisions. Elle porte un collier de perles bleues qui, pour les musulmans superstitieux, sont censées chasser le mauvais œil, se rappelle Mundy de son lointain passé. Elle renifle toujours, mais ses larmes se sont taries. Il devine qu'elle prend sur elle avant de rencontrer quelqu'un qui ne doit pas savoir qu'elle a pleuré. Ils se trouvent dans les quartiers ouest de Munich, loin d'être aussi chic que leur équivalent londonien : immeubles d'avant guerre miteux aux gris et bruns passés, linge séchant aux fenêtres, gamins jouant sur un carré d'herbe pelée. Les voyant approcher, un garçon s'éloigne de ses amis, ramasse une pierre et marche vers eux l'air menaçant. Zara lui crie quelque chose en turc.

« Qu'est-ce que vous voulez ? lance-t-il.

– Un morceau de ton Toblerone, s'il te plaît, Mustafa », répond Mundy.

Le garçon le dévisage, parle de nouveau à sa mère, puis s'avance un peu, la pierre toujours dans la main droite, pour aller fouiller de la main gauche dans les sacs. Comme sa mère, il est émacié et a les yeux cernés. Comme sa mère, il semble ne plus éprouver aucune émotion.

« Et une tasse de thé à la pomme, ajoute Mundy. Avec toi et tous tes amis. »

Conduit par Mustafa, qui s'est chargé des sacs, et escorté par trois robustes garçons aux yeux sombres, Mundy monte derrière Zara quelques volées de marches en pierre crasseuse jusqu'à une porte blindée. Mustafa plonge la main sous sa chemise et, avec un air de propriétaire, en sort une clé pendue à une chaîne. Il entre avec ses amis avant Zara, et Mundy attend d'y être invité.

« Vous entrez, s'il vous plaît, annonce Mustafa avec un bon accent bavarois. Vous serez le bienvenu. Mais si vous touchez à ma mère, on vous tue. »

*

Pendant les dix semaines suivantes, Mundy couche dans le salon sur le canapé-lit trop court de Mustafa, qui, lui, dort avec sa mère, une batte de base-ball à portée de main au cas où Mundy tenterait quoi que ce soit. Au début, Mustafa refusant d'aller à l'école, Mundy l'emmène au zoo et joue au ballon avec lui sur le carré d'herbe pelée tandis que Zara reste à la maison et se remet peu à peu, selon les espoirs de Mundy, qui endosse progressivement le rôle de père séculier d'un enfant musulman et de gardien platonique d'une femme traumatisée et contrite. D'abord soupçonneux vis-à-vis de cet envahisseur anglais dégingandé au rire facile, les voisins commencent à le tolérer, et Mundy, de son côté, fait tout son possible pour se démarquer de la vilaine réputation colonialiste de son pays. La survie est assurée par le reste de ses 700 euros, la pitance que Zara reçoit de sa famille turque et de la sécurité sociale allemande. Zara aimant se mettre aux fourneaux le soir, Mundy joue les marmitons, ce qu'elle désapprouve avant de l'y autoriser à contrecœur, alors cuisiner à deux devient l'événement de la journée. Ses rares éclats de rire sont un don de Dieu pour Mundy, dents cassées ou pas. Elle chérit l'ambition de devenir infirmière, apprend-il.

Un beau matin, Mustafa annonce son intention d'aller à l'école. Mundy l'y escorte, pour s'entendre fièrement présenté par Mustafa comme étant son nouveau père. La même semaine, tous trois font leur première apparition commune à la mosquée. S'attendant à un dôme doré et à un minaret, Mundy découvre avec stupéfaction une pièce carrelée en étage dans une maison délabrée coincée entre des boutiques de robes de mariée, des épiceries halal et des magasins d'électroménager d'occasion. De son lointain passé, il se rappelle qu'il ne faut pas pointer les pieds vers quelqu'un, ni serrer la main des femmes, mais placer la main droite sur le cœur et pencher respectueusement la tête. Zara étant consignée à la pièce réservée aux femmes, Mustafa prend la main de Mundy, le guide vers la ligne de prière des hommes et lui indique quand se lever, s'incliner, s'agenouiller ou se prosterner sur la natte en jonc tenant lieu de sol.

La reconnaissance de Mustafa envers Mundy est immense. Jusqu'à présent cantonné en haut avec sa mère et les jeunes enfants, il accède grâce à lui à la salle des hommes et, une fois le rituel terminé, peut avec lui serrer la main de tous, chacun exprimant l'espoir que les prières de l'autre ont été bien reçues au paradis.

« Étudie et Dieu te rendra sage, conseille le jeune imam éclairé à Mundy quand celui-ci prend congé. Sinon, tu seras la victime d'idéologies dangereuses. Tu es marié à Zara, si j'ai bien compris ? »

Mundy a la grâce de rougir, et murmure que, enfin, oui, il espère que ça arrivera.

« La formalité ne compte pas, l'assure le jeune imam. C'est la responsabilité qui compte. Sois responsable et Dieu te récompensera. »

Une semaine plus tard, Zara décroche un travail de nuit au kebab près de la gare. Après avoir tenté en vain de la séduire, le gérant décide bientôt de se reposer sur elle. Coiffée du foulard, elle devient son employée vedette, autorisée à manipuler l'argent liquide et protégée par un très grand Anglais. Deux semaines plus tard, Mundy se trouve lui aussi une place dans le monde : guide touristique anglophone à Linderhof. Le lendemain, Zara rend visite au jeune imam éclairé et à son épouse, puis s'enferme pendant une heure avec Mustafa à son retour. Le soir même, Mustafa et Mundy changent de lit.

Mundy a connu des épisodes plus étranges dans sa vie, mais aucun ne l'a jamais empli d'un tel contentement. Son amour pour Zara est infini, tout autant que son amour pour Mustafa, sublimé par l'amour que celui-ci voue à sa mère.

*

La foire aux bestiaux anglophones est ouverte, et l'habituel troupeau multiculturel de touristes s'avance à petits pas. Canadiens au sac à dos orné de feuilles d'érable rouges, Finlandais en anorak et casquette à carreaux, Indiennes en sari, éleveurs de moutons australiens aux épouses ébouriffées, vieux Japonais étrangement grimaçants… Mundy les connaît tous par cœur, des couleurs de leurs bus aux prénoms de leurs accompagnateurs rapaces ne visant qu'à les attirer dans les boutiques de souvenirs pour toucher leur commission. Seules manquent à l'appel ce soir les hordes d'adolescents du Midwest aux dents hérissées de fils de fer barbelés, mais, au grand dam de l'industrie touristique allemande, l'Amérique célèbre chez elle sa victoire contre le Mal.

Otant son chapeau melon pour le brandir au-dessus de sa tête, Mundy se place devant ses ouailles et ouvre la marche jusqu'à l'entrée principale. De l'autre main, il tient une caisse à savon en contreplaqué marine assemblée par ses soins dans le local technique au sous-sol de son immeuble. D'autres guides utilisent l'escalier comme estrade. Mais pas Ted Mundy, notre orateur façon Hyde Park Corner. Lâchant sa caisse à ses pieds, il se juche élégamment dessus pour dépasser son auditoire de quarante-cinq centimètres, chapeau à nouveau en l'air.

« Les personnes qui parlent anglais, par ici, je vous prie, merci. Enfin, je devrais dire les personnes qui *entendent* l'anglais. Quoique, à cette heure de la journée, j'aimerais bien que ce soit vous qui parliez. Hah ! Non, je plaisante, je ne suis pas encore à bout de souffle, rassurez-vous, dit-il d'une voix délibérément faible à ce stade, pour les obliger à faire silence. Mesdames et messieurs, les appareils photo sont autorisés, mais pas les caméras, je vous prie – ça vaut pour vous aussi, monsieur, merci –, ne me demandez pas pourquoi. A en croire mes supérieurs, la moindre suspicion de caméra nous vaudrait des poursuites pour violation de propriété intellectuelle. La peine encourue est une pendaison publique. »

Aucun rire, mais il n'en attend pas encore d'un auditoire qui vient de passer quatre heures coincé dans un bus, plus une heure à faire la queue sous un soleil brûlant.

« Veuillez former un cercle autour de moi, je vous prie, mesdames et messieurs, un peu plus près, s'il vous plaît. Il y a plein de place là devant moi, mesdames, dit-il à un groupe d'institutrices suédoises fort sérieuses. Vous m'entendez, là-bas, jeunes gens ? demande-t-il à une bande d'adolescents osseux ayant franchi la frontière invisible avec la Saxe pour venir s'égarer dans la mauvaise étable, mais qui ont décidé de rester et de profiter d'une leçon d'anglais gratis. Oui ? Parfait. Et vous, monsieur, vous arrivez à me voir ? lance-t-il à un petit monsieur chinois. Oui ? Une requête personnelle, mesdames et messieurs, si je puis me permettre. Les *handys*, comme on dit ici en Allemagne, autrement connus sous le nom de téléphones portables… veuillez vous assurer qu'ils sont éteints. C'est fait ? Alors dans ce cas, peut-être que le dernier entré pourrait fermer la porte derrière lui, monsieur, et je vais commencer. Merci. »

La lumière du soleil laisse place à un crépuscule artificiel éclairé par des myriades d'ampoules flammes se reflétant dans les miroirs dorés. L'heure de gloire de Mundy – l'une de ses huit heures de gloire quotidiennes – est sur le point de débuter.

« Comme les plus observateurs parmi vous l'auront remarqué, nous sommes ici dans le hall d'entrée assez modeste de Linderhof. Attention, pas du *palais* Linderhof, parce que *Hof* veut dire *ferme*, et que le palais où nous nous trouvons fut construit sur l'emplacement de l'ancienne ferme Linder. Mais pourquoi *Linder*, me demanderez-vous ? Y a-t-il un philologue dans l'assistance ? Un maître des mots ? Un expert en sémantique historique ? »

Il n'y en a pas, et c'est tant mieux, parce que Mundy s'apprête à se lancer dans une de ses improvisations illicites. Pour des raisons qui lui échappent, il semble incapable de s'en tenir au script. Ou bien est-ce une propension naturelle. Il lui arrive de se surprendre lui-même, dans le cadre de sa thérapie pour se libérer de pensées plus pressantes, comme l'Irak ou une lettre comminatoire de sa banque à Heidelberg, arrivée ce matin en même temps qu'une relance de la compagnie d'assurances.

« Eh bien, il y a le mot allemand *Linde* qui veut dire tilleul. Mais cela explique-t-il le *R*, me demandé-je ? ajoute-t-il sur sa lancée. Attention, il se pourrait que la fameuse ferme ait tout bonnement appartenu à M. Linder, point. Mais je préfère une autre explication, à savoir le verbe *lindern*, soulager, alléger, calmer, tranquilliser. Et j'aime à voir là ce qui séduisit notre pauvre roi Ludwig, ne fût-ce qu'inconsciemment. Linderhof était son *espace de réconfort*. Ah ça, nous avons tous besoin d'un peu de réconfort, n'est-ce pas, surtout de nos jours ! Ludwig n'avait pas été gâté par la vie, ne l'oublions pas. Il était monté sur le trône à dix-neuf ans, avait été tyrannisé par son père, persécuté par ses précepteurs, manipulé par Bismarck, trompé par ses courtisans, malmené par des politiciens corrompus, privé de sa dignité de roi, et il avait à peine connu sa mère. »

Mundy a-t-il subi semblables injustices ? Au trémolo dans sa voix, on pourrait le croire.

« Alors que fait-il, ce beau jeune homme trop grand, sensible, maltraité et fier, qui croit avoir été désigné par Dieu pour régner ? demande-t-il avec toute l'autorité blessée d'un homme trop grand en pleine empathie avec un autre. Que fait-il quand il se voit systématiquement privé de tout le pouvoir que lui avait conféré sa naissance ? Réponse : il se fait construire une kyrielle de châteaux fabuleux. Et qui pourrait le lui reprocher ? s'échauffe-t-il. Des palaces pleins de classe. Des illusions de pouvoir. Moins il a de pouvoir, plus il échafaude de grandes illusions – un peu comme mon fringant Premier ministre, M. Blair, si vous voulez mon avis, mais ne le répétez pas, ajoute-t-il dans un silence médusé. Et c'est pourquoi, personnellement, j'évite de qualifier Ludwig de *fou*. Le Roi des Rêveurs, c'est ainsi que je préfère l'appeler. Le Roi de l'Évasion, en quelque sorte. Un visionnaire solitaire dans un monde pourri. Il vivait la nuit, comme vous le savez sans doute. N'aimait pas trop les gens, dans l'ensemble, et surtout pas les dames. Ça non ! »

Les rires fusent, cette fois, dans un groupe de Russes faisant tourner une bouteille entre eux, mais Mundy préfère ne pas les entendre. Perché sur sa caisse à savon faite maison, chapeau melon légèrement incliné sur sa mèche rebelle frontale, façon Garde royale, il est entré dans une sphère aussi éthérée que celle du roi Ludwig. Très rarement accorde-t-il un regard aux visages levés vers lui ou s'interrompt-il pour laisser un enfant crier, un groupe d'Italiens régler un désaccord interne.

« Quand Ludwig avait toute sa tête, il était le maître de l'univers. Il ne recevait d'ordres de personne, mais alors *personne*. Ici, à Linderhof, il était la réincarnation du Roi-Soleil, dont vous pouvez voir le bronze équestre sur cette table : Louis est l'équivalent français du prénom Ludwig. Et à Herrenchiemsee, à quelques kilomètres d'ici, il s'est construit son Versailles. A Neuschwanstein, un peu plus loin, il était Siegfried, l'illustre roi-guerrier médiéval allemand immortalisé dans l'opéra composé par l'idole de Ludwig, Richard Wagner. Et tout là-haut sur la montagne, si vous êtes d'humeur athlétique, il a bâti le palais de Schachen, où il s'est dûment fait couronner roi du Maroc. Il aurait été Michael Jackson s'il avait pu, mais heureusement il n'avait jamais entendu parler de lui. »

Éclat de rire général, à présent, mais de nouveau Mundy l'ignore.

« Et Sa Majesté avait ses *petites manies*. Pour que personne ne le voie manger, il faisait déposer ses repas sur une table en or qu'on lui montait par une trappe aménagée dans le plancher, que je vais vous montrer dans un instant. Il privait ses serviteurs de sommeil, et il les faisait fouetter à la moindre contrariété. Quand il était d'humeur asociale, il vous parlait derrière un paravent. Et n'oubliez pas que tout ceci se passe au XIXe siècle, pas au Moyen Age. Dans le vrai monde, on construit des voies ferrées, des navires en fer, des machines à vapeur, des mitrailleuses, des appareils photo. Alors, ne nous y trompons pas : ce n'était pas “il était une fois jadis”. Sauf pour Ludwig, évidemment. Lui vivait sa vie en marche arrière, il remontait l'histoire aussi vite que le lui permettait son argent. Et voilà le nœud du problème, parce que c'était aussi l'argent de la Bavière. »

Rapide coup d'œil à sa montre-bracelet : trois minutes et demie de passées. Il devrait maintenant monter l'escalier, suivi par son public. Il le fait donc. A travers les cloisons lui parviennent les voix de ses collègues, forcées comme la sienne : l'exubérante Frau Doktor Blankenheim, institutrice à la retraite récemment convertie au bouddhisme et doyenne du cercle de lecture ; le falot Herr Stettler, cycliste érotomane ; l'Alsacien Michel Delarge, prêtre défroqué. Gravissant les marches à sa suite, vague après vague de l'invincible infanterie japonaise menée à petits pas par une reine de beauté nippone brandissant un parapluie puce qui n'a pas grand-chose à voir avec celui de Neville Chamberlain.

Et quelque part à son côté, et pas pour la première fois de sa vie, le fantôme de Sasha.

*

Est-ce là, dans l'escalier, que Mundy prend conscience du picotement familier dans le dos ? Ou dans la salle du trône ? Dans la chambre du roi ? Dans la Galerie des Glaces ? Où se forme donc ce pressentiment, cette prémonition à l'antique ? Une galerie des glaces est un bastion aménagé contre la réalité, où les images démultipliées perdent tout impact en s'évanouissant dans l'infini. Une silhouette qui, face à face, pourrait instiller une peur bleue ou un plaisir absolu devient, dans ses innombrables reflets, une simple prémisse, une forme putative.

Or il se trouve que, par nécessité et par entraînement, Mundy est toujours en alerte. Ici, à Linderhof, il ne fait pas un mouvement sans guetter de toutes parts d'inopportunes résurgences de ses vies passées ou les fâcheux de sa vie présente : voleurs d'objets d'art, vandales, pickpockets, créanciers, huissiers de Heidelberg, touristes séniles terrassés par une crise cardiaque, enfants vomissant sur des tapis inestimables, dames à roquet caché dans le sac à main et, depuis peu, à la demande pressante de la direction, terroristes à penchants suicidaires. Sans exclure de ce tableau d'honneur l'apparition bienvenue, même pour un homme aussi heureux en ménage, d'une fille sculpturale dont les attributs s'apprécient à distance.

Pour l'assister dans sa surveillance, Mundy a secrètement sélectionné certains points d'observation ou accessoires fixes : ici un tableau sombre dont le vernis a l'heur de réfléchir l'escalier derrière lui, là une urne en bronze fournissant une image grand angle de quiconque se trouve à son côté, et en l'occurrence la Galerie des Glaces, où de multiples reflets de Sasha hantent des kilomètres de couloir doré.

Ou pas.

Ne serait-ce qu'un Sasha de l'esprit, un mirage du vendredi soir ? Mundy a vu sa part de presque-Sashas au fil de toutes ces années de séparation, comme il est prompt à se le rappeler : Sashas réduits à leur dernier euro qui le repèrent du trottoir d'en face et, fondant sur lui telle une araignée affamée, traversent la rue en boitillant pour l'étreindre ; Sashas élégants et prospères en manteau à col de fourrure, qui se dissimulent sous un porche pour mieux le surprendre ou dévalent des escaliers publics en hurlant : *Teddy, Teddy, c'est ton vieil ami, Sasha !* Mais à peine Mundy s'arrête-t-il pour se retourner en affichant un sourire de commande que l'apparition a disparu ou, se métamorphosant en une tout autre personne, s'est mêlée à la foule.

Par souci de corroboration, Mundy modifie donc son point de vue l'air de rien, d'abord en étendant le bras pour l'effet rhétorique, puis en pivotant sur sa caisse pour indiquer à son public la vue, la splendide, la magnifique vue, qu'on a depuis le chevet royal, suivez mon bras, mesdames et messieurs, sur la cascade à l'italienne qui descend les pentes nord du Hennenkopf.

« Imaginez-vous allongé là avec un être aimé ! exhorte-t-il son public avec une exubérance inspirée par le spectaculaire torrent. Enfin, sans doute pas dans le cas de Ludwig ! ajoute-t-il sous les rires hystériques des Russes. Mais en tout cas, allongé là parmi tout cet or et ce bleu royal bavarois ! Vous vous réveillez un beau matin ensoleillé, vous ouvrez les yeux, vous regardez par la fenêtre et pan ! »

Et sur le mot *pan !* il le coince – *Bon Dieu, Sasha, où diable étais-tu passé, mon vieux ?* Sauf que Mundy n'en dit rien, pas plus qu'il ne se trahit par un regard, parce que Sasha, fidèle à l'esprit wagnérien des lieux, porte son chapeau d'invisibilité, son *Tarnkappe* comme il l'appelait, l'austère béret basque noir enfoncé sur le front en un signal requérant une discrétion absolue, notamment en temps de guerre.

En outre, au cas où Mundy aurait oublié ses manières clandestines, Sasha a replié un index pensif sur ses lèvres, moins en avertissement que dans la pose rêveuse d'un homme savourant par procuration l'expérience de se réveiller un beau matin pour regarder par la fenêtre la cascade du Hennenkopf. Geste superflu, car l'observateur le plus attentif au monde, la caméra de surveillance la plus sophistiquée n'auraient pu capter une ombre de ces retrouvailles.

Mais c'est bien Sasha. Sasha la sentinelle nabote, dynamique même au repos, posté un tantinet à l'écart de ses voisins pour éviter toute comparaison de taille, les coudes levés comme s'il prenait son envol, les yeux marron ardents rivés juste au-dessus des vôtres – même si, comme Mundy, vous faites une tête et demie de plus –, des yeux implacables, accusateurs, inquisiteurs, provocateurs, visant à vous irriter, vous interroger, vous déstabiliser. Sasha, aussi vrai que je respire.

La visite touche à sa fin. Les règles de la maison interdisent aux guides de quémander, mais leur permettent de se poster devant la sortie pour diriger leur public vers la lumière du soleil d'un signe de tête en lui souhaitant d'*excellentes* vacances. La recette a toujours été variable, mais la guerre l'a réduite à une misère. Il arrive que Mundy finisse les mains vides, son chapeau melon niché sur un buste accueillant de peur qu'on ne le confonde avec quelque chose d'aussi vulgaire qu'une sébile. Parfois, un couple admiratif d'âge mûr ou une institutrice aux bambins désobéissants s'avancent d'un pas timide pour lui glisser un billet avant de rejoindre aussitôt la foule. Ce soir, c'est un affable entrepreneur en bâtiment de Melbourne et son épouse Darlene qui éprouvent le besoin d'expliquer à Mundy que leur fille Tracey a fait *cette même visite* l'hiver dernier, en passant par *la même agence de voyages*, incroyable, non ? et qu'elle en avait *adoré* chaque instant, peut-être Mundy se souvenait-il d'elle, parce qu'elle, un peu qu'elle s'en souvenait, du grand Rosbif en chapeau melon ! une blonde, avec des taches de rousseur et une queue-de-cheval, son petit ami est étudiant en médecine, originaire de Perth, il joue au rugby dans l'équipe de son université ? Et, alors que Mundy fait mine de rechercher Tracey dans sa mémoire – il s'appelait Keith, son petit copain, lui confie l'entrepreneur, ça vous aidera peut-être à situer –, il sent une petite main ferme lui enserrer le poignet, lui tourner la main paume en l'air, y glisser un billet et lui refermer les doigts dessus. Au même instant, du coin de l'œil, il aperçoit le béret de Sasha qui disparaît dans la foule.

« Surtout, si vous passez par Melbourne, n'hésitez pas ! crie l'entrepreneur australien en fourrant une carte dans la poche aux couleurs de l'Union Jack.

– Promis ! » acquiesce Mundy avec un rire enjoué, tout en empochant prestement le billet.

*

Il est sage de s'asseoir avant un départ en voyage, de préférence sur sa valise. Cette superstition est russe, mais la maxime lui vient de Nick Amory, longtemps son conseiller en matière de survie : s'il se prépare un gros coup et que vous en êtes, Edward, pour l'amour de Dieu, bridez votre impétuosité naturelle et accordez-vous une pause avant de plonger.

La journée de Linderhof étant terminée, employés et touristes se hâtent vers le parking. En hôte attentionné, Mundy s'attarde sur le perron pour adresser des bénédictions multilingues à ses collègues en partance. *Auf Wiedersehen, Frau Meierhof! Ils ne les ont toujours pas trouvées, hein !* Allusion aux insaisissables armes de destruction massive irakiennes. *Fritz, Tschüss ! Amitiés à votre charmante dame ! Très beau discours qu'elle a fait l'autre soir, au Poltergeist !* Notre cercle culturel et associatif local, où Mundy se rend à l'occasion pour laisser libre cours à ses opinions politiques. Et à ses collègues français et espagnol, un couple homosexuel marié : *Pablo, Marcel, on noiera notre chagrin ensemble la semaine prochaine. Buenas noches, bonsoir à vous deux !* Les derniers traînards disparaissent dans le crépuscule tandis que Mundy se retire dans les ombres de la perspective ouest du palais pour descendre en silence un escalier enténébré.

Il a découvert l'endroit par hasard peu après la prise de ses fonctions.

Explorant le château un soir où doit se tenir dans le parc un concert au clair de lune qu'il a l'intention de rester écouter s'il peut faire garder Mustafa, il découvre un modeste escalier ne menant nulle part. Il le descend, tombe sur une porte en fer rouillé avec une clé dans la serrure, frappe puis, n'entendant rien, tourne la clé et entre. Pour tout autre, l'endroit n'est qu'une remise de jardinier crasseuse, une décharge pour arrosoirs, vieux tuyaux d'arrosage et plantes agonisantes, sans ouverture hormis une grille en hauteur dans le mur de pierre, empestant la jacinthe putride et résonnant des gargouillis d'une chaudière dans la pièce voisine ; mais pour Mundy l'endroit incarne tout ce que recherchait Ludwig le fou quand il fit construire Linderhof : un sanctuaire, un refuge où se réfugier de ses autres refuges. Il ressort, referme la porte, empoche la clé et passe sept jours ouvrés à effectuer des reconnaissances systématiques de sa cible. Quand le château accueille les visiteurs à 10 heures, toutes les plantes saines des salles accessibles au public ont été arrosées, et toutes les plantes malades en ont été retirées. Le véhicule du pépiniériste, un minibus décoré de fleurs peintes, quitte le parc à 10 h 30 au plus tard, une fois les plantes malades consignées à la remise ou au minibus pour hospitalisation. La disparition de la clé n'a causé aucun émoi. La serrure n'a pas été changée. D'où il suit qu'à partir de 11 heures chaque matin la remise est le domaine privé de Mundy.

Elle est à lui ce soir.

Debout de toute sa hauteur sous le plafonnier rudimentaire, Mundy sort de sa poche un stylo-torche, déplie le billet jusqu'à tenir un rectangle de papier blanc et y découvre ce qu'il s'attendait à y voir : l'écriture de Sasha, pareille à elle-même, avec ses *E* et *R* gothiques pointus, ses pleins vigoureux si révélateurs. L'expression affichée sur son visage pendant sa lecture est difficile à décrypter : résignation, inquiétude et plaisir mêlés, avec une dominante de fébrilité nostalgique. Ça fait trente-quatre ans, bon Dieu ! songe-t-il. On est des amis de trente ans. On se rencontre, on prend part à une guerre, on se perd de vue pendant dix ans, on se retrouve, on devient indispensable à l'autre tout en le combattant pendant dix ans, on se sépare à jamais, et dix ans plus tard tu resurgis.

Il fouille ses poches de veste pour en sortir une pochette d'allumettes éraflée du kebab de Zara, en déchire une, l'allume et tient le message au-dessus de la flamme jusqu'à ce qu'il n'en reste plus qu'un tortillon de cendres, qu'il laisse tomber sur le dallage où il l'écrase sous son talon, règle nécessaire. Il consulte sa montre et calcule le temps qui lui reste. Une heure vingt à tuer. Pas la peine de téléphoner à Zara si tôt, elle vient de prendre son service et son patron enrage quand les employés reçoivent des appels personnels pendant le coup de feu. Mustafa doit être chez Dina avec Kamal, son meilleur ami, tous deux les vedettes de la ligue nationale de cricket turque des quartiers ouest, président : M. Edward Mundy. Dina est la cousine et l'amie de Zara. Faisant défiler les numéros sur son portable rouillé, il sélectionne celui de Dina et le compose.

« Bonjour, Dina. Ces salauds de la direction ont convoqué les guides pour une réunion, ce soir. J'avais complètement oublié. Mustafa peut rester dormir chez toi au cas où je rentrerais trop tard ?

– Ted ? lance la voix rauque de Mustafa.

– *Bonsoir à toi, Mustafa ! Comment te portes-tu ?* s'enquiert Mundy le professeur d'anglais en détachant bien toutes les syllabes.

– Je - me - porte - très - très - bien, Ted !

– Qui est Don Bradman ?

– Don - Bradman - est - plus - grand - batteur - de - tous - les - temps, Ted !

– Ce soir, tu dors chez Dina, d'accord ?

– Ted ?

– Tu as compris ? J'ai une réunion ce soir. Je vais rentrer tard.

– Et - je - couche - chez - Dina.

– Exact. Bravo. Tu dors chez Dina.

– Ted ?

– Quoi ?

– Toi - très - vilain, Ted ! dit Mustafa à grand-peine tant il s'esclaffe.

– Pourquoi je suis vilain ?

– Tu - aimes - autre - femme ! Moi - le - dire - à - Zara !

– Comment as-tu deviné mon sombre secret ? dit-il, avant de devoir répéter.

– Je - le - sais ! J'ai - grands - grands - yeux !

– Tu veux une description de cette autre femme que j'aime ? Pour pouvoir rapporter à Zara ?

– Pardon ?

– Mon autre femme, tu veux que je te dise à quoi elle ressemble ?

– Oui - oui ! Dis - moi ! Vilain - homme ! s'exclame-t-il en riant de plus belle.

– Elle a de très jolies jambes…

– Oui - oui !

– Elle a *quatre* jolies jambes, pour être exact. Des jambes *très poilues*. Et une longue queue dorée. Et elle s'appelle ?

– Mo ! C'est Mo que tu aimes ! Moi dire à Zara que tu aimes plus Mo ! »

Mo le chien errant, une femelle labrador, ainsi baptisée par Mustafa en l'honneur de lui-même. Elle a rejoint leur foyer à Noël, à l'horreur initiale d'une Zara élevée dans la croyance que toucher un chien rend trop impur pour prier. Mais, sous la pression conjuguée de ses deux hommes, Zara s'est laissé attendrir et Mo est à présent la perfection incarnée.

Mundy téléphone à l'appartement et entend sa propre voix sur le répondeur. Zara adore la voix de Mundy. Parfois, quand il lui manque dans la journée, dit-elle, elle passe la cassette pour avoir sa compagnie. *Je risque d'être en retard, ma chérie*, annonce-t-il au répondeur dans l'allemand qu'ils partagent. *Il y a une réunion du personnel ce soir, j'avais complètement oublié*. De tels mensonges, quand on les dit avec sincérité pour protéger l'autre, ont leur propre intégrité, songe-t-il en se demandant si le jeune imam éclairé en conviendrait. *Et je t'aime tout autant que je t'aimais ce matin*, ajoute-t-il d'un ton sévère. *Alors ne va pas croire le contraire*.

Il consulte sa montre : encore une heure dix minutes. Il se rapproche d'une chaise dorée vermoulue et la place devant une armoire Biedermeier délabrée. Il grimpe sur la chaise, tâtonne derrière la corniche de l'armoire et en extrait une antique musette kaki couverte de poussière, qu'il chasse en tapotant dessus. Il s'assoit sur la chaise, pose la musette sur ses genoux, extirpe les sangles de leurs boucles ternies, soulève le rabat et jette un œil méfiant à l'intérieur, comme s'il ne savait pas à quoi s'attendre.

Précautionneusement, il vide le contenu sur une table en bambou : une vieille photographie de groupe d'une famille anglaise des Indes avec ses nombreux domestiques autochtones posant sur le perron d'une grandiose maison coloniale, une chemise chamois estampillée DOSSIER en capitales d'une main agressive, une liasse de lettres mal écrites datant de la même époque, une boucle de cheveux de femme, châtain foncé, retenue par une brindille de bruyère séchée.

Ces objets attirent à peine son attention. Ce qu'il cherche, et qu'il a peut-être délibérément gardé pour la fin, est une chemise en plastique dans laquelle flottent une bonne vingtaine de lettres scellées adressées à M. Teddy Mundy aux bons soins de sa banque de Heidelberg, tracées avec la même encre noire de la même main pointue que le message qu'il vient de brûler. Pas de nom d'expéditeur, mais il n'y en a pas besoin.

Des enveloppes bleues par avion toutes fines.

Des enveloppes à gros grain du tiers-monde renforcées par de l'adhésif et ornées de timbres aussi bariolés que des oiseaux tropicaux, postées d'endroits aussi distants les uns des autres que Damas, Djakarta ou La Havane.

Après les avoir classées par ordre chronologique selon le cachet de la poste, il les ouvre une par une avec un vieux canif en fer-blanc également sorti de la musette. Il se met à lire. Pourquoi ? *Quand vous lisez, monsieur Mundy, demandez-vous d'abord* pourquoi *vous lisez.* Il entend l'accent de son vieux professeur allemand d'il y a quarante ans, le Doktor Mandelbaum. *Lisez-vous pour avoir des* informations *? C'est une première raison. Ou bien lisez-vous pour la* connaissance *? L'information n'est que le chemin vers le but ultime qu'est la* connaissance, *monsieur Mundy.*

La connaissance, je m'en accommoderai, songe-t-il. Et je promets de ne pas me laisser séduire par une idéologie dangereuse, ajoute-t-il avec un coup de chapeau mental à l'imam. Je m'accommoderai de savoir ce que je ne voulais pas savoir et que je ne suis toujours pas sûr de vouloir savoir. Comment m'as-tu retrouvé, Sasha ? Pourquoi dois-je éviter tout signe de reconnaissance ? A qui veux-tu échapper, cette fois, et pourquoi ?

Pliées dans les lettres, des coupures de presse déchirées à la va-vite dans des journaux et signées par Sasha. Les passages essentiels surlignés ou signalés par des points d'exclamation.

Mundy lit pendant une heure, range les lettres et les coupures de presse dans la musette et la musette dans sa cachette. Le cocktail habituel, se dit-il en silence. Pas de quartier. La guerre d'un homme qui continue selon les plans. L'âge n'est pas une excuse, pas plus aujourd'hui qu'hier ni demain.

Il remet la chaise dorée où il l'a trouvée, se rassoit dessus et se souvient qu'il porte toujours son melon. Il l'ôte, le retourne et regarde à l'intérieur, selon son habitude dans des moments de réflexion. Le chapelier Steinmatzky se prénomme Joseph. Il reconnaît des fils, pas de filles. L'adresse de son échoppe viennoise est *n° 19, Dürerstrasse, au-dessus de la boulangerie*. Ou plutôt l'était, car le vieux Joseph Steinmatzky aimait dater ses créations et cette pièce arbore une année millésime : 1938.

Scrutant son chapeau, il voit la scène s'animer. L'allée pavée, la petite boutique au-dessus de la boulangerie. Le verre brisé, le sang entre les pavés tandis que Joseph Steinmatzky, son épouse et leurs nombreux fils sont emmenés de force sous les vivats des passants proverbialement innocents de Vienne.

Mundy se lève, redresse les épaules, les abaisse et agite les mains pour se détendre. Il passe dans l'escalier, referme la porte et monte les marches en pierre. Des écharpes de rosée drapent les pelouses du palais. L'air frais sent l'herbe tondue et le terrain de cricket humide. Sasha, pauvre enfoiré, qu'est-ce que tu me veux, ce coup-ci ?

*

Faisant passer sa Coccinelle sur le ralentisseur aménagé entre les grilles d'or de Ludwig le fou, Mundy prend à gauche la route de Murnau. Comme son propriétaire, la voiture n'est plus de prime jeunesse. Son moteur halète, ses essuie-glaces fatigués ont tracé des demi-lunes sur le pare-brise. Un autocollant fait maison par Mundy déclare en allemand : *Le conducteur de cette voiture n'a plus d'ambitions territoriales en Arabie.* Il traverse sans heurts deux petits carrefours et, comme promis, voit une Audi bleue immatriculée à Munich sortir de l'aire de repos devant lui, avec la silhouette de Sasha en béret tapie au volant.

Sur quinze kilomètres selon le compteur peu fiable de sa Volkswagen, Mundy colle au train de l'Audi. La route plonge, pénètre dans une forêt et se divise. Sans mettre son clignotant, Sasha prend la voie de gauche, et Mundy le suit tant bien que mal. Des avenues d'arbres noirs mènent vers un lac en contrebas. Quel lac ? Selon Sasha, le seul point commun entre Mundy et Léon Trotski est ce que cet homme illustre appelait le crétinisme topographique. A un panneau de parking, l'Audi descend une rampe d'accès et s'arrête en dérapant. Mundy l'imite, jetant un coup d'œil au rétroviseur pour voir si quelque chose le suit ou l'a dépassé sans ralentir. Rien. Un sac en plastique à la main, Sasha dévale clopin-clopant une volée de marches pavées.

Sasha est convaincu qu'il a manqué d'oxygène *in utero*.

Du chemin s'élèvent les flonflons d'un champ de foire. Des guirlandes électriques scintillent entre les branchages. C'est une fête de village vers laquelle se dirige Sasha. Par peur de le perdre, Mundy resserre l'écart. A quinze mètres devant lui, Sasha l'entraîne dans un enfer d'humanité noceuse. Un manège crache ses rengaines de bastringue, un matador perché sur une charrette à foin se trémousse devant un taureau de carton en chantant l'*amor* avec un fort accent silésien. Des fêtards imbibés de bière, oubliant la guerre, soufflent dans des mirlitons. Personne n'est déplacé ici, ni Sasha, ni moi.

Tout le monde est citoyen d'un jour et Sasha n'a pas oublié son entraînement, lui non plus.

Dans un haut-parleur, le *Grossadmiral* d'un vapeur décoré de drapeaux ordonne aux retardataires d'oublier leurs soucis et de se présenter *sur-le-champ* pour la croisière romantique. Une fusée d'artifice éclate au-dessus du lac et des étoiles colorées pleuvent dans l'eau. Tir ennemi ou ami ? Demandez donc à Bush et Blair, nos deux grands chefs de guerre qui ne sont jamais allés au feu.

Sasha a disparu. Mundy lève les yeux et, soulagé, le voit monter au ciel avec son sac en plastique grâce à un colimaçon en fer fixé sur une villa 1900 zébrée de rayures horizontales colorées. Il a le pas irrégulier, comme toujours. C'est sa façon de baisser la tête chaque fois qu'il lance la jambe droite. Le sac est-il lourd ? Non, mais Sasha le berce dans ses bras pour négocier les tournants. Serait-ce une bombe ? Pas Sasha, jamais.

Après un nouveau regard détaché alentour pour repérer d'éventuels importuns, Mundy monte à sa suite. LOCATION À LA SEMAINE, l'avertit un panonceau. *Une semaine ?* Qui a besoin d'une semaine ? Ces petits jeux ont pris fin il y a quatorze ans. Mundy jette un coup d'œil en bas. Personne derrière. La porte de chacun des appartements est peinte en mauve et éclairée par un néon. A un demi-palier, une femme au visage hâve portant un manteau en peau de mouton retournée et des gants fouille dans son sac à main. Mundy lui adresse un *grüss Gott* essoufflé. Elle l'ignore ou bien elle est sourde. Enlève donc tes gants, tu finiras peut-être par la trouver ! Sans s'arrêter, il se retourne pour la regarder d'un œil nostalgique, comme si elle était la terre ferme. Elle a perdu sa clé ! Son petit-fils est enfermé à l'intérieur ! Redescends l'aider. Joue les chevaliers servants, et après va retrouver Zara, Mustafa et Mo.

Il poursuit son ascension. Nouveau virage dans l'escalier. Sur les sommets au loin, les neiges éternelles s'étendent sous une demi-lune. En contrebas, le lac, la fête foraine, le vacarme, et toujours pas de poursuivants repérés. Devant lui, une dernière porte mauve entrebâillée. Il la pousse. Elle s'ouvre à moitié, mais il ne voit que l'obscurité. Il est sur le point de crier *Sasha !* mais le souvenir du béret le retient.

Il tend l'oreille sans rien entendre d'autre que le bruit de la fête foraine, entre et referme la porte derrière lui. Dans la pénombre, il voit Sasha, debout en un garde-à-vous déhanché, le sac en plastique à ses pieds, les bras plaqués le long du corps, pouces vers l'avant, dans la plus pure tradition de l'officiel communiste un jour de défilé. Mais, même dans le crépuscule vacillant, le visage schillérien, les yeux ardents et la posture guindée un peu penchée en avant n'ont jamais semblé si dynamiques, si alertes.

« Qu'est-ce que tu racontes comme conneries, ces temps-ci, Teddy », remarque-t-il.

Le même accent saxon refoulé, note Mundy. La même voix pédante, cassante, trois tailles trop grande pour lui. Le même pouvoir instantané de reproche.

« Tes digressions philologiques et ton portrait de Ludwig le fou, c'est de la connerie. Ludwig était un sale fasciste, et Bismarck aussi. Et toi aussi, sinon tu aurais répondu à mes lettres. »

Mais ils se précipitent déjà l'un vers l'autre pour une étreinte trop longtemps attendue.

Chapitre 2

Le fleuve méandreux qui relie la naissance de Mundy à la résurrection de Sasha à Linderhof ne prend pas sa source dans la campagne anglaise mais dans les chaînes montagneuses et ravins maudits de l'Hindû Kûsh, qui, durant trois siècles d'administration coloniale britannique, devint la province frontalière du Nord-Ouest.

« Mon jeune sahib de fils que voici est en quelque sorte une rareté historique, n'est-ce pas, mon garçon ? » annonce le père de Mundy, un major d'infanterie à la retraite, dans le salon du Golden Swan de Weybridge à quiconque a le malheur de ne pas encore connaître l'histoire, ou l'a déjà entendue dix fois mais est trop poli pour l'avouer.

Passant affectueusement un bras autour des épaules de son fils adolescent, il lui ébouriffe les cheveux, puis l'expose à la lumière pour qu'on le voie mieux. Le major est un homme de petite taille, fougueux et exalté, aux gestes toujours brutaux, même dans la tendresse. Son fils est un grand échalas qui dépasse son père d'une tête.

« Et permettez-moi de vous dire *pourquoi* le jeune Edward est une rareté, enchaîne-t-il sur sa lancée, s'adressant aux messieurs alentour ainsi qu'aux dames, car il les attire encore et réciproquement. Le matin où mon serviteur m'a annoncé que la memsahib allait me faire l'honneur de me donner un enfant – cet enfant ici présent, monsieur –, un soleil indien parfaitement *normal* se levait sur l'hôpital militaire. »

Une pause théâtrale, comme Mundy apprendra plus tard à en ménager lui aussi, le temps que le verre du major s'élève rituellement jusqu'à ses lèvres, qui s'ouvrent pour l'accueillir.

« *Toutefois*, monsieur, toutefois, quand ce même jeune homme daigna se présenter à l'appel, quoique sans son casque colonial, monsieur, quatorze jours consigné, comme on disait… ! reprend-il en se tournant vers Mundy d'un air accusateur, mais le couvant toujours de son indomptable regard bleu. Bref, le soleil là-haut dans le ciel n'était plus indien. Il appartenait au dominion autonome du Pakistan. Pas vrai, mon garçon ? Pas vrai ? »

A quoi le garçon ne manque pas de rougir et de bégayer un « Oui, père, c'est ce que vous m'avez dit », qui lui vaut quelques rires de sympathie et éventuellement au major un autre verre sur l'ardoise de quelqu'un ainsi que l'occasion de démontrer la morale de son récit.

« Dame Histoire est femme volage, monsieur, dit-il dans le style télégraphique hérité plus tard par son fils. Pouvez la servir nuit et jour, suer sang et eau, vous mettre en quatre, pas un poil de différence. Le jour où elle ne veut plus de vous… *dehors*. Rompez. Au rancart. Point final. »

Un verre plein s'offre à ses lèvres.

« A votre santé, monsieur, généreux homme. A notre reine et impératrice, Dieu la bénisse ! Et au soldat pendjabi. Le meilleur au monde, sans exception. A condition qu'il soit bien dirigé. Là est tout le problème. »

Et, avec un peu de chance, une limonade pour le jeune sahib tandis que le major, dans un accès d'émotion, sort un mouchoir kaki de la manche de sa veste militaire élimée, en tamponne sa petite moustache soignée puis, discrètement, ses joues, avant de le rengainer.

Les larmes du major sont justifiées, comme ne le savent que trop bien les habitués du Golden Swan : le jour de la naissance du Pakistan le priva non seulement de sa carrière mais aussi de sa femme, qui, après un regard épuisé à son fils né trop long et trop longtemps après terme, expira comme l'Empire.

« Ah, cette femme, monsieur…, commente le major, qui se fait sentimental en cette heure d'abreuvement vespéral. Il n'y a qu'un mot pour la décrire : la *classe*. La première fois que je l'ai vue, elle portait sa tenue d'équitation pour un petit galop matinal avec deux serviteurs. Après cinq saisons chaudes passées dans les plaines, elle semblait aussi fraîche que si elle venait de manger des fraises à la crème au collège pour jeunes filles de Cheltenham. Elle connaissait la faune et la flore mieux que ses serviteurs. Et elle serait encore avec nous aujourd'hui, Dieu la bénisse, si cet abruti de médecin militaire avait été moins saoul. Buvons à sa mémoire, monsieur. A la défunte Mme Mundy. En avant, marche ! »

Son regard embué de larmes se pose sur son fils, dont il semblait avoir momentanément oublié la présence.

« Mon jeune Edward, il est premier lanceur dans l'équipe de cricket de son école, explique-t-il. Quel âge as-tu, mon garçon ? »

Impatient de ramener son père à la maison, le garçon avoue seize ans.

Comme il vous l'assurera, le major ne plia pas sous le poids de cette double perte tragique. Il resta fidèle au poste, monsieur. Il résista. Veuf, un bébé sur les bras, l'Empire s'écroulant autour de lui, il aurait pu faire comme les autres lascars : amener les couleurs, sonner l'extinction des feux et rentrer au pays vers l'oubli. Mais pas le major, non monsieur. Il aurait encore préféré nettoyer les latrines de ses Pendjabis que d'aller faire de la lèche à un pékin efféminé, un de ces profiteurs de guerre. Très peu pour lui.

« J'ai appelé mon *derzi* et je lui ai dit : "*Derzi*, tu vas découdre les couronnes de major sur mes treillis kaki et les remplacer par le croissant de lune pakistanais, *juldi*." Et j'ai offert mes services, pour aussi longtemps qu'ils seraient appréciés, au meilleur corps de soldats au monde sans exception, déclare-t-il avant de pointer l'index en l'air en un geste théâtral. A condition qu'ils soient bien dirigés, monsieur. Là est tout le problème. »

Et là également, Dieu merci, la cloche annonce la dernière tournée, alors le fils passe une main experte sous le bras de son père pour l'escorter chez eux au n° 2, The Vale, et finir le curry de la veille.

*

Le parcours de Mundy ne se laisse pourtant pas aussi aisément retracer que le suggèrent ces évocations de comptoir. Le major, si prompt à brosser les grandes lignes, se montre rétif quand il s'agit de détails, et les souvenirs d'enfance de Mundy se résument à une succession de camps, casernes, dépôts et forts dont le rythme s'accélère avec les revers du major. Un jour, le fier enfant de l'Empire règne en maître sur un cantonnement chaulé pourvu d'un club ocré, d'un terrain de polo, d'une piscine, de terrains de jeux pour les enfants et de spectacles de Noël, dont une mise en scène historique de *Blanche-Neige et les Sept Nains* dans laquelle il joue Simplet. Le lendemain, il court pieds nus par les rues boueuses d'un bivouac presque désert à des kilomètres de toute ville, avec des chars à bœufs pour tout véhicule, un cinéma de tôle ondulée en guise de club, et le Christmas pudding servi dans un réfectoire aux murs moisis.

Peu de biens survivent à tant de déménagements. Les peaux de tigres du major, ses coffres militaires et ses précieuses sculptures en ivoire sont tous portés disparus. Jusqu'au souvenir de sa défunte épouse qui lui a été volé, ses journaux intimes, ses lettres et un coffret de bijoux de famille d'une grande valeur : ce salaud de chef de gare à Lahore, ce voleur, le major le fera fouetter, lui et tous ses vauriens de *chaprassis* ! Avec quelques verres dans le nez, il en fait vœu un soir où Mundy l'a poussé à bout en le harcelant de questions à la noix. « Sa tombe, mon garçon ? Je vais te dire où elle est, sa fichue tombe ! Disparue ! Fracassée en mille morceaux par des sauvages déchaînés ! Pas une seule pierre épargnée. Tout ce qui nous reste d'elle se trouve *ici* ! déclare-t-il en se frappant la poitrine de son minuscule poing avant de se verser un autre *chota peg*. Cette femme avait une classe inimaginable, mon garçon. Je la vois à chaque fois que je te regarde. Noblesse anglo-irlandaise. D'immenses domaines dévastés pendant les conflits. D'abord les Irlandais, et maintenant ces satanés derviches. Tout le clan décimé ou éparpillé aux quatre vents. »

Ils se posent à Murree, ville de garnison au sommet d'une colline. Tandis que le major végète dans un baraquement d'adobe, où il soigne sa gorge à coups de Craven A en râlant contre les avances sur solde, ceux qui se font porter pâles et les listes de permissionnaires, le jeune Mundy est confié aux bons soins d'une énorme *ayah* madrassi arrivée dans le Nord au moment de l'Indépendance et qui n'a d'autre nom qu'Ayah. Elle récite avec lui des comptines en anglais et en panjâbi, lui enseigne en cachette les versets sacrés du Coran et lui parle d'un dieu nommé Allah qui aime la justice, tous les peuples du monde et tous leurs prophètes jusqu'aux chrétiens et aux hindous, mais avant tout les enfants. A l'insistance de Mundy, elle reconnaît à contrecœur n'avoir ni mari, ni enfants, ni parents, ni frères, ni sœurs encore en vie. « Ils sont tous morts, Edward. Ils sont tous auprès d'Allah, sans exception. Tu n'as pas besoin d'en savoir plus. Dors, à présent. »

Tués lors des grands massacres consécutifs à la Partition, avoue-t-elle, pressée de questions. Massacrés par les hindous dans les gares, les mosquées et sur les marchés.

« Comment as-tu réussi à rester en vie, Ayah ?

– Par la volonté de Dieu. Et toi, tu es ma bénédiction. Allez, endors-toi, à présent. »

Le soir venu, au son d'un concert de chèvres, de chacals, de clairons et de tambours pendjabis au martèlement incessant, le major médite sur la mort, installé sous un margousier au bord du fleuve, tirant sur des cigarillos qu'il appelle des birmans et débite avec un canif en fer-blanc, tout en se désaltérant par moments à une flasque en étain tandis que son grand échalas de fils barbote avec ses congénères autochtones et, s'inspirant des éternels récits quotidiens de massacres d'adultes, joue aux hindous et aux musulmans mourant chacun à tour de rôle. Quarante ans après, il suffit à Mundy de fermer les yeux pour sentir la fraîcheur magique de l'air au coucher du soleil, humer les odeurs qu'engendre le crépuscule subit, voir l'aube se lever sur les contreforts d'un vert scintillant après la mousson, ou entendre les sifflets de ses camarades laisser place au muezzin ou aux beuglements nocturnes de son père accusant son fichu garçon d'avoir tué sa mère – *Pas vrai, mon garçon, pas vrai ? Viens ici* juldi *quand je t'en donne l'ordre, mon garçon.* Mais le garçon refuse, *juldi* ou pas, préférant rester blotti contre Ayah le temps que la boisson ait fait son effet.

Le garçon doit parfois subir un anniversaire, et, dès l'instant où la fête se profile, il souffre d'innombrables maux : crampes d'estomac, migraines avec fièvre, courante, début de malaria, ou encore crainte d'avoir été mordu par une chauve-souris venimeuse. Le grand jour arrive malgré tout, les *wallahs* en cuisine confectionnent un redoutable curry et un gros gâteau avec *Bon anniversaire, Edward* écrit dessus, mais aucun autre enfant n'est invité, les volets restent clos, la table est dressée pour trois, des bougies sont allumées et les domestiques font tapisserie en silence tandis que le major, en grande tenue et bardé de décorations, passe en boucle sur le phonographe les mêmes ballades irlandaises et que Mundy se demande combien de curry il peut laisser sans se faire remarquer. Il souffle solennellement les bougies, coupe trois parts de son gâteau d'anniversaire et en pose une dans l'assiette de sa mère. Si le major n'est qu'à moitié ivre, père et fils s'affronteront en silence devant un échiquier en ivoire rouge et blanc que l'on sort les jours de fête. Les parties restent en suspens, remises à un lendemain qui n'arrive jamais.

Il y a aussi les autres soirs, très rares (nul besoin de les multiplier), où le major, l'air plus bougon que d'habitude, va jusqu'à un bureau dans un coin, l'ouvre avec une clé accrochée à sa chaîne, et en retire cérémonieusement un vieux volume à reliure rouge intitulé *Morceaux choisis des œuvres de Rudyard Kipling*. Ayant sorti ses lunettes de lecture de leur étui en métal cabossé et inséré son verre de whisky dans un trou ménagé à cet effet dans le bras de son fauteuil en rotin, il beugle d'une voix blanche des phrases sur Mowgli, fils de la jungle, ou Kim, le garçon devenu espion au service de sa reine et impératrice, dont l'extrait ne dit pas ce qui lui arrive ensuite, s'il a gagné ou s'est fait démasquer. Des heures d'affilée, le major sirote, lit et sirote, l'air aussi solennel que s'il officiait à une communion, jusqu'au moment où il finit par s'endormir et où Ayah sort en silence de l'ombre où elle était tapie tout ce temps-là, prend Mundy par la main et l'emmène se coucher. A en croire le major, cette anthologie de Kipling est la seule rescapée de la vaste bibliothèque éclectique ayant appartenu à la mère de Mundy.

« Cette femme avait dévoré plus de livres que moi de repas chauds », s'étonne le major en bon soldat. Quoi qu'il en soit, le temps passant, Mundy se sent intrigué et frustré qu'une lectrice aussi notoire que sa mère ne lui ait laissé qu'un tel ramassis de contes incomplets. Il préfère les exploits héroïques du prophète Mahomet que lui raconte Ayah avant qu'il s'endorme.

Mundy parfait son éducation en suivant les cours d'une moribonde école coloniale pour orphelins et fils d'officiers britanniques nécessiteux, en jouant dans des spectacles pour enfants et en prenant une leçon hebdomadaire de théologie et de piano chez un onctueux missionnaire anglican qui n'aime rien tant que guider les doigts de ses élèves avec les siens. Mais ces brèves expositions au christianisme ne sont que d'ennuyeuses parenthèses dans ses journées païennes ensoleillées. Ses meilleurs moments se passent à disputer des matchs de cricket endiablés avec Ahmed, Omar et Ali sur le terrain poussiéreux derrière la mosquée, à contempler entre deux rochers les eaux limpides de mares aux reflets nacrés tandis qu'il murmure son amour juvénile à l'oreille de Rani, la beauté du village aux pieds nus âgée de neuf ans qu'il compte épouser pour la vie dès que possible, ou à brailler des hymnes patriotiques pendjabis quand le beau drapeau tout neuf de la République islamique du Pakistan est hissé sur le terrain de cricket régimentaire.

Mundy aurait passé sa jeunesse et le reste de sa vie sans en demander davantage, sauf qu'arrive un soir où tous les domestiques fuient, y compris Ayah, les persiennes du bungalow sont une fois de plus verrouillées, et, sans un mot, père et fils entassent à la hâte leurs quelques derniers effets dans des valises en cuir à coins en cuivre. Dès l'aube, flanqués de deux sinistres soldats pendjabis, ils quittent le camp à bord d'un vieux camion bringuebalant de la police militaire. Recroquevillé à côté de Mundy, le major défroqué de l'infanterie pakistanaise porte un chapeau mou et sa vieille cravate d'école, celle aux couleurs du régiment n'étant plus *pukkah* pour un paria coupable d'avoir levé la main sur un autre officier. Ce qu'il a fait de cette main quand il l'a levée reste à préciser, mais, si Mundy en croit son expérience, le major ne l'a sûrement pas rempochée sans l'utiliser. Aux grilles de la garnison, le *dewan* qui jusqu'alors accueillait Mundy avec un salut et un large sourire reste de marbre, et Ayah l'attend, aussi blême que tous les fantômes qui la terrifient, rongée par le chagrin, la colère et le dégoût. Ahmed, Omar et Ali galopent derrière le camion en hurlant et en gesticulant, mais Rani n'est pas avec eux. Vêtue de sa tenue de jeannette, ses cheveux noirs soigneusement nattés dans le dos, ses pieds nus serrés l'un contre l'autre, elle est pliée en deux au bord de la route et sanglote entre ses bras repliés.

Le bateau quitte Karachi de nuit et reste dans le noir durant toute la traversée jusqu'à l'Angleterre, parce que le major, honteux de son visage après l'avoir vu imprimé dans la presse locale, le cache au monde en buvant son whisky dans sa cabine et en y mangeant quand son garçon l'y force. Le fils devient l'ange gardien du père : il fait le guet, opère des sorties, lit avant lui le journal quotidien du bateau pour lui épargner les mauvaises nouvelles, le promène en cachette sur le pont avant l'aube ou dans la soirée, quand les passagers se changent en vue du dîner. Allongé sur sa couchette, humant la fumée des birmans, comptant les boulons en cuivre des membrures en teck qui étayent la cloison, écoutant les divagations de son père ou le halètement des machines, cherchant à décrypter les écrits parcellaires de Rudyard Kipling, il rêve de Rani et retourne à la nage vers son pays, que son père appelle toujours les Indes.

Car le major tourmenté a beaucoup à dire sur les Indes, sa patrie adorée et perdue, dont certains propos surprenants pour le jeune Mundy. N'ayant plus rien à gagner en prétendant le contraire, le major se déclare écœuré par la complicité de son pays dans la désastreuse Partition. Il accable de malédictions les gredins et imbéciles de Westminster. Tout est de leur faute, y compris ce qu'a enduré la famille d'Ayah, comme si le major devait se décharger sur leurs épaules du poids de sa propre culpabilité. Les bains de sang, les migrations forcées, l'effondrement de la justice, de l'ordre et de l'administration centrale ne découlent pas de l'intransigeance des autochtones mais de l'irrévérence, de la manipulation, de la cupidité, de la corruption et de la lâcheté des colons britanniques. Dans l'atmosphère enfumée de leur minuscule cabine, lord Mountbatten, le dernier vice-roi des Indes, dont le major ne souffrait jusque-là d'entendre dire du mal, devient le Crétin. « Si le Crétin avait freiné la Partition et accéléré la fin des massacres, il aurait sauvé un million de vies, voire deux. » Attlee et sir Stafford Cripps sont eux aussi voués aux gémonies. Ces soi-disant socialistes, tous des snobs comme les autres.

« Quant à ce Winston Churchill, si on l'avait laissé faire, il aurait été pire que tous les autres cons réunis. Tu sais pourquoi, mon garçon ? Tu sais *pourquoi* ?

– Non, père.

– Pour lui, les Indiens étaient tous des sauvages, voilà pourquoi. Qu'on les fouette, qu'on les pende et qu'on leur enseigne la Bible ! Que je ne te prenne jamais à dire un mot en faveur de cet homme, tu m'entends, mon garçon ?

– Oui, père.

– Sers-moi un whisky. »

Aussi fruste que soit cette saillie hérétique, son effet sur Mundy, si impressionnable à ce tournant de son existence, est foudroyant. En un éclair, il voit Ayah, horrifiée, les mains jointes, sa famille assassinée gisant à ses pieds. Il se rappelle chaque vague rumeur censurée de tueries collectives suivies de vengeances collectives. C'étaient donc les Anglais les scélérats, pas seulement les hindous ! Il réentend les railleries qu'il a dû essuyer en tant que chrétien anglais de la part d'Ahmed, d'Omar et d'Ali, les remerciant après coup de leur modération. Il revoit Rani et s'émerveille qu'elle ait pu surmonter son dégoût pour l'aimer. Chassé de ce pays bien-aimé, pris dans les rets de sa puberté finissante, ballotté nuit et jour vers une nation coupable qu'il n'a jamais vue mais doit maintenant appeler sa patrie, Mundy découvre ce qu'est une relecture radicale de l'histoire coloniale.

*

L'Angleterre qui attend le jeune Mundy est un cimetière pour morts vivants battu par la pluie et éclairé par une ampoule de quarante watts. La pension médiévale en pierre grise qui empeste le désinfectant est placée sous la férule d'élèves collabos et d'adultes despotes. Le n° 2, The Vale part lamentablement à vau-l'eau tandis que le major prépare des currys immangeables et continue sa descente obstinée vers la déchéance. Faute d'un quartier chaud à Weybridge, il s'assure les services d'une gouvernante écossaise dissolue âgée de vingt-neuf ans à vie, Mme McKechnie, qui partage son lit avec mépris et astique les restes de sa collection de boîtes en argent indiennes jusqu'à ce qu'elles finissent par disparaître mystérieusement l'une après l'autre. Mais la dissolue Mme McKechnie ne caresse jamais la joue de Mundy comme Ayah, ne lui raconte pas les hauts faits de Mahomet, ne lui écrase pas les mains entre les siennes jusqu'à ce qu'il s'endorme, ni ne remplace son talisman perdu en peau de tigre pour éloigner ses angoisses nocturnes.

Envoyé en pension grâce au legs d'une tante éloignée et à une bourse pour les fils d'officiers, Mundy voit sa perplexité initiale se muer en horreur. Les mots d'adieu du major, quoique bien intentionnés, ne l'ont pas préparé à l'impact de cette nouvelle vie. « N'oublie jamais que ta mère t'observe, mon garçon, et si un gamin se recoiffe en public, sauve-toi à toutes jambes », lui conseille-t-il d'une voix rauque en l'étreignant. Dans le train pour l'école, essayant désespérément de se rappeler que sa mère l'observe, Mundy cherche en vain du regard des petits mendiants collés aux fenêtres, des quais de gare jonchés de corps toujours en vie dans des linceuls, tête couverte et pieds à l'air, ou des gamins qui se recoiffent en public. Au lieu de paysages marron foncé et de montagnes bleutées, des champs détrempés et de mystérieux panneaux lui souhaitent la bienvenue au pays de la Strong.

Dès son arrivée à sa geôle, l'ancien demi-dieu blanc et *baba-log* est rabaissé d'office au rang d'intouchable. Classé « phénomène colonial » avant même la fin du premier trimestre, il se donne un accent métissé pour jouer de cette distinction. Il exaspère ses camarades en guettant l'approche de serpents. Au son des gargouillis de la plomberie vétuste de l'école, il plonge sous son bureau en criant : « Tremblement de terre ! » Les jours de bain, il se munit d'une vieille raquette de tennis pour repousser toute chauve-souris qui tomberait du plafond, et quand sonne la cloche de la messe il se demande tout haut si c'est le muezzin qui l'appelle. Ayant reçu l'ordre d'aller courir de grand matin pour calmer sa libido, il a tendance à prendre les corneilles du Dorset qui tournent au-dessus de sa tête pour des milans.

Les punitions qu'il récolte ne le découragent pas. Pendant l'étude du soir, il marmonne des versets du Coran à moitié oubliés que lui avait enseignés Ayah, et, quand sonne l'extinction des feux, il arrive qu'on le trouve en robe de chambre, penché devant un miroir fêlé de la salle d'eau du dortoir, à scruter sur son visage les prémices d'une peau plus foncée ou d'ombres autour des yeux qui confirmeraient son intime conviction qu'il est bien un sang-mêlé et non l'héritier du sang bleu maternel. Mais pas de chance : il n'est qu'un être méprisable, condamné à l'emprisonnement à vie dans la peau du coupable gentleman blanc de la classe dirigeante anglaise de demain.

Son unique allié spirituel est un paria comme lui : un réfugié chenu, digne, sans âge, méfiant, aux lunettes non cerclées, vêtu d'un complet élimé, qui enseigne l'allemand en option et le violoncelle, et habite seul dans un meublé en brique rouge sur le rond-point de Bristol Road. Il s'appelle M. Mallory. Mundy l'aperçoit en train de lire dans un salon de thé de la grand-rue alors que se tient une importante réunion d'enseignants. Comment se fait-il que M. Mallory n'y assiste pas ?

« Parce que je ne suis pas vraiment professeur *en titre*, monsieur Mundy, explique-t-il en refermant son livre et se redressant sur son siège. Un jour, peut-être, quand je serai plus âgé, mais pour l'instant je ne suis qu'un enseignant *temporaire*. Temporaire en permanence. Désirez-vous une part de gâteau ? Je vous invite, monsieur Mundy. »

Dans la semaine, Mundy s'inscrit pour des leçons bihebdomadaires de violoncelle, d'allemand optionnel et d'allemand oral. « J'ai choisi cette voie parce que la musique est ma seule passion et que l'allemand est en quelque sorte une version littéraire de la musique », écrit-il hardiment à son père en lui demandant sa permission d'ajouter quinze livres aux frais annuels de scolarité.

Tout aussi spontanée, la réponse du major arrive par télégramme ou, comme il le dirait lui-même, par dépêche. « Requête chaleureusement accordée. Ta mère génie musical. Si parent du Mallory de l'Everest, élément premier choix. Interroge-le et envoie rapport. Mundy. »

Hélas, M. Mallory n'est pas un élément de premier choix, du moins pas du genre auquel pense le major. Son véritable nom, avoue-t-il à regret, est Doktor Hugo Mandelbaum, il vient de Leipzig et n'a pas le pied montagnard. « Mais n'en dites rien aux élèves, je vous prie, monsieur Mundy. Ils s'en donneraient à cœur joie avec un nom pareil », s'esclaffe-t-il avant de hocher sa tête chenue avec l'air résigné de celui qui a connu plus que sa part de railleries.

Le violoncelle n'est pas une réussite. Au début, le Doktor Mandelbaum se concentre sur le jeu d'archet. Contrairement au missionnaire anglican de Murree, il traite les doigts de Mundy comme s'il s'agissait de fils électrifiés, les posant avec précaution sur leurs marques avant de courir se réfugier à l'autre bout de la pièce. Au bout de la cinquième séance, toutefois, l'expression sur son visage ne révèle plus son intérêt technique mais sa pure commisération. Perché sur son tabouret de piano, il joint les mains, se penche en avant et finit par dire d'un ton très grave :

« Monsieur Mundy, la musique n'est pas votre refuge. Peut-être le deviendra-t-elle le jour où vous aurez ressenti les émotions qu'elle exprime, mais rien ne nous l'assure. Alors peut-être serait-il préférable de vous réfugier pour l'instant dans la langue. Comme l'a dit Charlemagne, posséder une autre langue, c'est posséder une autre âme. L'allemand est cette langue. Une fois que vous l'avez en tête, vous pouvez y pénétrer à loisir et fermer la porte, c'est votre refuge. Puis-je vous lire un petit poème de Goethe ? Parfois, Goethe est très pur. Il l'était à votre âge. Et au mien, il l'était redevenu. Alors je vais vous réciter un superbe petit poème en allemand avant de vous le traduire. Et à notre prochaine entrevue, vous l'apprendrez par cœur. *So.* »

Donc le Doktor Mandelbaum récite le petit bijou en allemand, puis en version traduite : *Sur tous les sommets / Le repos règne… Patience ! / Toi aussi, bientôt, / Tu reposeras.* Et le violoncelle va rejoindre le costume élimé dans le placard du Doktor Mandelbaum. Alors Mundy, qui s'est pris de haine pour cet instrument et n'a pas l'habitude de pleurer, verse de honte toutes les larmes de son corps en le voyant disparaître, tandis que le Doktor Mandelbaum, assis à l'autre bout de la pièce devant la fenêtre aux rideaux de dentelle, se plonge dans un livre imprimé en caractères gothiques pointus.

Pourtant, le miracle se produit. Au bout de deux trimestres, le Doktor Mandelbaum a devant lui un brillant élève, et Mundy a trouvé son refuge. Goethe, Heine, Schiller, Eichendorff et Mörike sont ses compagnons secrets. Il les lit en cachette au cours d'instruction religieuse et les emporte au lit pour les relire sous les draps à la lueur d'une lampe de poche.

« Ainsi donc, monsieur Mundy, nous voilà désormais tous deux des réfugiés, déclare fièrement le Doktor Mandelbaum devant un gâteau au chocolat acheté pour fêter le succès de Mundy à un examen. Tant que la race humaine sera enchaînée, peut-être tous les braves gens du monde entier le seront-ils aussi. »

C'est seulement lorsqu'il s'exprime comme maintenant en allemand qu'il se laisse aller à déplorer l'asservissement des classes opprimées de ce monde.

« On ne peut pas vivre dans une bulle, monsieur Mundy. L'ignorance rassurante n'est pas une solution. Dans les associations estudiantines allemandes dont je n'ai pas eu le droit de faire partie, on porte ce toast : "Mieux vaut être une salamandre et vivre dans le feu". »

Sur quoi il lit à Mundy un passage de *Nathan le sage*, de Lessing. Son élève l'écoute respectueusement, hochant la tête au rythme de cette belle voix comme si c'était la musique de rêve qu'il comprendrait un jour.

« Parlez-moi de l'Inde, à présent », demande le Doktor Mandelbaum, qui à son tour ferme les yeux en entendant les simples contes des collines d'Ayah.

Périodiquement pris par le désir d'accomplir son devoir paternel, le major débarque impromptu à l'école et, s'appuyant sur une canne en cerisier, passe les troupes en revue avec force hurlements : si Mundy joue au rugby, le major lui hurle de leur casser les jambes à tous ; si c'est au cricket, de leur lancer des balles irrattrapables par-dessus le club-house. Ses visites se terminent abruptement quand, exaspéré par une défaite, il traite l'entraîneur de lopette et se fait sortir du terrain *manu militari*, pas pour la première fois de sa vie. Hors les murs de l'école, les Swinging Sixties battent leur plein, mais à l'intérieur c'est toujours l'orchestre de l'Empire qui joue. Deux fois par jour, les services religieux font l'éloge des élèves morts à la guerre et font fi des vivants, placent l'homme blanc au-dessus des races inférieures et prônent la chasteté à des garçons qui trouveraient affriolant un éditorial du *Times*.

Cette oppression que subit Mundy aux mains de ses geôliers a beau nourrir sa haine à leur égard, il se laisse accaparer par eux sans pouvoir échapper aux griffes de ses véritables ennemis : sa propre bonté d'âme et son insatiable besoin d'appartenance. Seuls peut-être les orphelins de mère peuvent-ils sonder l'immense vide à combler. L'évolution de l'attitude officielle à son égard est subtile et insidieuse. L'un après l'autre, ses actes d'insubordination passent inaperçus. Il fume dans des lieux à haut risque, mais personne ne le surprend ni ne sent la fumée sur son haleine. Il lit la leçon à l'église en étant ivre après avoir descendu une pinte de bière près de la sortie d'un pub voisin, mais au lieu de la correction méritée il récolte une promotion au rang de *prefect*[1] avec l'assurance que celui de délégué n'est pas loin. Le pire est à venir. Malgré son allure dégingandée, il est sélectionné dans le quinze de l'école, titularisé comme lanceur rapide dans l'équipe de cricket fanion et, contre toute attente, désigné héros du moment. Du jour au lendemain, ses

1. Dans les écoles privées anglaises, élève des grandes classes responsable du maintien de la discipline (*NdT*).

pratiques païennes et tendances subversives sont oubliées. On lui confie le rôle-titre dans une adaptation laborieuse d'*Everyman*. Il quitte l'école couvert d'une gloire non désirée, et, grâce au Doktor Mandelbaum, détenteur d'une bourse pour étudier les langues à Oxford.

« Mon cher garçon.

– Père. »

Mundy laisse au major le temps de rassembler ses pensées. Ils sont assis dans le jardin d'hiver de la villa du Surrey et, comme toujours, il pleut. Les gouttes voilent les pins pleureurs du jardin à l'abandon, s'infiltrent par les châssis rouillés des portes-fenêtres et s'écrasent sur le dallage fendillé. La dissolue Mme McKechnie est en permission à Aberdeen. C'est le milieu de l'après-midi, et le major jouit d'un moment de lucidité entre le dernier verre du déjeuner et le premier de la soirée. Dans un panier à ses pieds, un retriever scrofuleux pète et grogne. Des vitres manquent aux panneaux du jardin d'hiver, ce qui n'est pas un mal car le major est devenu claustrophobe. Le nouveau règlement intérieur stipule qu'aucune porte ni fenêtre de la maison ne doit être verrouillée. Si ces fumiers veulent l'attraper, affirme-t-il à son auditoire maintenant réduit du Golden Swan, ils savent où le trouver. Et il montre la canne en cerisier qui ne le quitte jamais.

« Alors, mon garçon, tu es bien décidé pour cette histoire d'allemand, là ? demande-t-il d'un air judicieux en tirant sur son birman.

– Je crois bien, oui, père. »

Le major et son retriever méditent cette réponse. C'est le major qui parle le premier.

« Tu sais, il reste encore quelques régiments honorables, là-bas. Tout n'est pas parti à vau-l'eau.

– Ça ne change rien, père. »

Autre silence prolongé.

« Alors, tu crois que les Huns vont repasser à l'attaque, c'est ça ? Vingt ans depuis le dernier coup de force, vingt ans après le précédent. Ils sont mûrs pour le prochain, je te l'accorde. »

Suit un nouveau moment de rumination, puis le major s'anime.

« Alors, nous y voilà, mon garçon. La faute à ta mère. »

Ce n'est pas la première fois ces derniers mois que Mundy s'inquiète pour la santé mentale de son père. Ma défunte mère responsable de la prochaine guerre contre les Allemands ? Comment est-ce possible, père ?

« Cette femme chopait n'importe quelle langue comme toi et moi un bon rhume. Hindi, panjâbi, urdû, telugu, tamoul, allemand…

– L'allemand ? s'étonne Mundy.

– Et le français. Elle l'écrivait, le parlait, le chantait. Une oreille de mainate, comme tous les Stanhope. »

Mundy est ravi de l'apprendre. Le Doktor Mandelbaum lui a déjà révélé le secret bien gardé de la langue allemande : elle renferme beauté, poésie, musicalité, logique, humour inattendu, âme romantique inaccessible à qui n'en détient pas les codes, bref, tout ce qu'un loup des steppes de dix-neuf ans en quête d'un havre culturel peut décemment demander hormis un panneau DÉFENSE D'ENTRER sur sa porte, mais en plus, à présent, la généalogie s'en mêle. Et le destin se charge de dissiper illico les rares doutes qu'il pouvait encore entretenir. Sans le Doktor Mandelbaum, il n'aurait jamais choisi l'allemand ; sans l'allemand, il ne se serait jamais inscrit à des cours hebdomadaires sur la traduction en gotique de la Bible par l'évêque Ulfilas ; sans Ulfilas, il ne se serait jamais retrouvé, le troisième jour de son premier trimestre à l'université, assis fesse contre fesse sur un sofa en chintz dans le nord d'Oxford avec une minuscule furie hongroise polyglotte appelée Ilse, qui se donne pour mission de conduire vers la lumière de la sexualité un puceau d'un mètre quatre-vingt-dix orphelin de mère. Comme celui de Mundy, l'intérêt d'Ilse pour Ulfilas est purement fortuit. Après un safari universitaire à travers l'Europe, elle a atterri à Oxford pour approfondir sa connaissance des origines de l'anarchisme contemporain. Ulfilas s'est juste glissé dans son programme.

*

Appelé en pleine nuit à la villa dans le Surrey, un Mundy affligé tient tendrement entre ses mains la tête en sueur de son père et le regarde cracher les derniers fragments de sa misérable existence tandis que Mme McKechnie s'offre une clope sur le palier. Assistent aux obsèques un pilier de bar également notaire, un bookmaker impayé, le patron du Golden Swan et une poignée de ses habitués. Toujours résolument âgée de vingt-neuf ans, Mme McKechnie, incarnation même de la courageuse veuve écossaise au garde-à-vous devant la fosse béante, est vêtue d'une robe en mousseline noire qu'une douce brise estivale fait coller à son corps, révélant une belle paire de seins et les contours nets des avantages qui lui restent. Se cachant la bouche derrière son ordre de cérémonie, elle murmure à l'oreille de Mundy, si près qu'il sent les petits poils vibrer à l'intérieur.

« Tu vois ce que tu aurais pu avoir si tu l'avais demandé gentiment », raille-t-elle avec son accent traînant d'Aberdeen en lui passant la main dans l'entrejambe pour la plus grande indignation de Mundy.

De retour à l'abri dans sa chambre d'étudiant, un Mundy tout tremblant fait l'inventaire de son modeste patrimoine : un jeu d'échecs en ivoire blanc et rouge très endommagé ; une musette kaki de l'armée contenant six chemises faites main par Ranken & Company Limited, à Calcutta depuis 1770, fournisseur de Sa Majesté le roi George V, succursales à Delhi, Madras, Lahore et Murree ; une flasque en étain tout cabossé pour les apéritifs au crépuscule sous les margousiers ; un canif en fer-blanc pour débiter les birmans ; un kukri gurkha de cérémonie tronqué avec *A un vaillant ami* gravé dessus ; une veste en tweed atemporelle sans griffe ; un exemplaire de *Morceaux choisis des œuvres de Rudyard Kipling*, piqué de taches rousses et très écorné ; une lourde valise en cuir à coins en cuivre, qu'il a retrouvée cachée ou oubliée sous un océan de bouteilles vides dans la penderie de la chambre à coucher du major.

Cadenassée.

Pas de clé.

Plusieurs jours durant il la garde sous son lit, seul maître de sa destinée, seul au monde à en connaître l'existence. Va-t-il être richissime ? A-t-il hérité de la British American Tobacco ? Est-il le seul détenteur du secret des Stanhope disparus ? A l'aide d'une scie à métaux empruntée au majordome de la faculté, il passe une soirée entière à essayer de forcer le cadenas. A bout de nerfs, il pose la valise sur son lit, sort le kukri sacré de son fourreau et, possédé par son pouvoir, pratique une incision impeccable tout autour du couvercle. En abaissant ce rabat, il sent Murree à la tombée de la nuit, et la sueur dans le cou de Rani qui s'accroupit à côté de lui pour regarder la mare entre les rochers.

Des dossiers officiels de l'armée. Britannique, indienne, pakistanaise.

Des parchemins défraîchis nommant Arthur Henry George Mundy au rang et grade de sous-lieutenant, lieutenant, capitaine de tel régiment, puis d'un régiment moins prestigieux et d'un autre encore.

Une affiche jaunie, imprimée à la main, de la mise en scène de *Blanche-Neige* par la troupe de Peshawar, avec E. A. Mundy dans le rôle de Simplet.

Des lettres de banquiers mécontents au sujet de « notes du mess et autres dettes qui ne peuvent plus être couvertes par ce compte ».

Les minutes superbement manuscrites d'une cour martiale réunie à Murree en septembre 1956 et signées par l'adjudant J. R. Singh, greffier. Dépositions de témoins, déposition d'un ami de l'accusé, jugement rendu. L'accusé reconnaît sa culpabilité et renonce à ses droits à la défense. Déposition de l'ami de l'accusé : *Le major Mundy était ivre. Il a vu rouge. Il regrette sincèrement ses actes et sollicite l'indulgence de la cour.*

Pas si vite. Regretter n'est pas suffisant. Quels actes ? Indulgence pour quoi ?

Exposé des faits soumis par écrit à la cour mais non lu à l'audience. Il est stipulé par l'accusation et non contesté par l'accusé que le major Mundy, qui buvait un verre au mess des officiers, *prit offense de certaines paroles lancées en boutade par un certain capitaine Gray, honorable officier du génie temporairement détaché de Lahore. Attrapant ledit et respecté capitaine par les revers de son uniforme en un geste totalement contraire au bon ordre et à la discipline militaire, il lui assena trois coups de tête bien ajustés, provoquant un grave saignement facial, lui donna intentionnellement un coup de genou dans l'entrejambe, et, malgré les efforts de ses camarades inquiets pour le retenir, traîna le capitaine jusqu'à la véranda, où il lui administra une volée de coups épouvantables qui auraient pu mettre sérieusement en danger la vie même du capitaine, sans parler de compromettre ses projets de mariage et sa belle carrière militaire.*

Mais de ces paroles lancées en boutade, aucune trace jusqu'ici. L'accusé ne les invoquant pas comme circonstances atténuantes, la cour ne voit pas de raison de les répéter. *Il était ivre. Il regrette sin-*

cèrement ses actes. Fin de la défense, fin de sa carrière. Fin de tout. Sauf du mystère.

Un gros classeur chamois à soufflets avec le mot DOSSIER écrit à l'encre de la main du major. Pourquoi ? Écrit-on LIVRE sur un livre ? Oui, peut-être. Mundy répand le contenu du dossier sur son édredon élimé. Une photographie sépia in quarto montée sur carton avec encadrement doré. Une famille anglaise et sa nombreuse domesticité se serrent toutes raides sur le perron d'une demeure coloniale aux multiples tourelles sise au cœur d'un jardin d'agrément dans les contreforts de l'Inde du Nord. Le drapeau britannique flotte sur chaque pinacle. Au centre du groupe, un homme blanc arrogant en faux col empesé ; à son côté, une femme blanche arrogante, peu souriante, vêtue d'un twin-set et d'une jupe plissée ; à leur gauche et à leur droite, leurs deux petits garçons blancs en uniforme d'Eton ; de part et d'autre, des enfants et adultes blancs d'âges divers, tantes, oncles ou cousins ; sur la marche juste en dessous, les domestiques en livrée placés selon la hiérarchie de leur couleur de peau, les plus blancs au milieu, les plus foncés aux extrêmes. La légende imprimée indique : *La famille Stanhope en son domaine, jour de l'armistice, 8 mai 1945. VIVE LE ROI.*

Conscient d'être en présence de l'Esprit Maternel, Mundy approche la photo de sa lampe de chevet et l'incline en tous sens pour repérer parmi les membres féminins de la famille l'aristocrate polyglotte anglo-irlandaise de haute stature qui va incessamment devenir sa mère, à l'affût de tout signe de distinction et d'érudition. Matrones à l'œil sévère, douairières ayant largement passé l'âge d'enfanter, adolescentes dodues et renfrognées portant des nattes, mais aucune trace d'une mère en puissance. Sur le point d'écarter la photo, il la retourne et découvre une ligne gribouillée en marron, mais pas de l'écriture du major. C'est celle d'une fille quasiment illettrée – peut-être l'une des adolescentes renfrognées –, avec des pâtés et trahissant une excitation fébrile. *C'est moi, là, zyeux fermés, tippique !*

Pas de signature. L'excitation étant contagieuse, Mundy reprend la photo et scrute le groupe à la recherche d'yeux fermés anglais ou indiens, mais en trouve beaucoup à cause du soleil. Il pose la photo à l'endroit sur l'édredon, fouille parmi les autres trésors contenus dans le classeur et choisit, presque au hasard, une liasse de lettres manuscrites reliées par une ficelle. Puis il retourne la photo pour comparaison. L'auteur des lettres est bien celui de l'inscription gribouillée au dos de la photo. Étalant les lettres sur la courtepointe, il en compte six, la plus longue faisant huit pages non numérotées. Ce ne sont que gribouillis et fautes d'orthographe atroces. Les signes de distinction et d'érudition brillent par leur absence. Les plus anciennes commencent par *Mon bienaimé* ou *Oh Arthur*, mais le ton se dégrade rapidement :

> *Arthur, non d'une pipe, pour l'amour de Dieu écoute-moi !*
> *Le salop qui m'a fait ça est le même salop à qui ta Nell s'est doné, faible femme, que Dieu me pardonne, Arthur, faut pas le nier. Si je rentre chez moi ruinée, mon papa me tura. Je serai une putain honteuse avec un batar à nourir. On me mettra chez les bonne seur et on me prendra mon bébé, c'est ce qu'on vous donne comme repentir, qui paraît. Si je reste aux Inde, je serai avec les putins métis sur le marché, Dieu m'en garde, je préfére me noyer dans le Gange. Les confessions c'est pas sûr ici, rien ne l'est, ce salop de père M'Graw irait aussi bien tout raconter à lady Stanhope que de passer sa min sous mes jupes, et puis cette gouvernante qui me regarde le ventre comme que si je lui a volé son déjeuner. Seriez pas encinte, nurse Nellie ? Dieu me protège, mame Ormrod, qu'esse qui vous fait croire une chose pareil ? C'est que la bonne nourriture que vous nous servez au domestiques. Mais combien de temps elle y croira, Arthur, quand je serai grosse de six mois avec encore à grossir ? Et moi qui dois jouer la vierge Marie dans le tablo de Noël des domestiques, crénom, Arthur ! Mais c'est pas le sintesprit qui m'a fait ça, pas vrai ? C'est toi ! C'EST DES SALOP DE JUMEAUX, ARTHUR, JE SENS LEURS FOUTUS CŒURS QUI BAT !*

Mundy a besoin d'une loupe. Il va en emprunter une à un étudiant de première année philatéliste qui loge dans la même aile.

« Désolé, Sammy, j'ai besoin d'y voir de près.

– A minuit, drôle d'heure !

– A n'importe quelle drôle d'heure. »

Concentrant son attention sur la marche inférieure en quête d'une jeune nounou en uniforme aux yeux fermés, il la repère rapidement : une grande bringue bronzée avec des boucles noires et des yeux d'Irlandaise fermés comme elle le décrit, et si Mundy portait une panoplie de nurse, une perruque noire et fermait les yeux pour se protéger du soleil indien, il serait son portrait craché, parce qu'elle a le même âge que moi aujourd'hui et la même taille, se dit-il. Et le même sourire niais bien accroché, alors que je l'observe à la loupe en sachant que jamais je ne serai aussi près d'elle.

Attends un instant, songe-t-il.

Peut-être que tu souris par timidité, parce que tu es trop grande.

Et il y a quelque chose d'insoumis en toi, maintenant que je t'observe de plus près.

Quelque chose de spontané, de confiant et de joyeux, comme une grande Rani blanche en plus âgée.

Quelque chose qui, finalement, me plaît bien plus que l'aristocrate bêcheuse et coincée tout en distinction et en érudition qu'on m'a fait avaler du jour où j'ai été assez âgé pour qu'on me mente.

*

<u>Personnel et confidentiel</u>

Cher capitaine Mundy,

Je suis chargé par lady Stanhope d'attirer votre attention sur vos devoirs envers la personne de Mlle Nellie O'Connor, bonne d'enfants au service de Madame. Madame me demande de vous avertir que, si la situation de Mlle O'Connor n'est pas rapidement régularisée de la façon qui sied à un gentleman officier, madame n'aura d'autre choix que d'en informer votre officier supérieur.

Sincèrement,

Le secrétaire particulier de lady Stanhope

Un certificat de mariage, signé par le vicaire anglican de Delhi, apparemment en urgence.

Un certificat de décès, signé trois mois plus tard.

Un certificat de naissance signé le même jour : Edward Arthur Mundy est par la présente accueilli dans ce monde. Il est né, à son grand étonnement, non pas à Murree mais à Lahore, où sa mère et sa sœur nouveau-née sont déclarées décédées.

Mundy reconstitue aisément le puzzle. La nature des paroles lancées en boutade par le capitaine Gray ne fait plus de doute. *Mundy ?*

Mundy ? N'êtes-vous pas le type qui a engrossé la nounou des Stanhope ? En refusant de les répéter à l'audience, le major les a placées sous embargo, mais juste au tribunal. La lettre du secrétaire était peut-être personnelle et confidentielle pour le major, mais elle l'était aussi pour toute la maisonnée Stanhope au grand complet ainsi qu'à ses postes avancés. Encore hanté par l'image du major fou furieux faisant pleuvoir des coups sur l'infortuné capitaine Gray, Mundy fouille son cœur pour y trouver la rage, la colère et les récriminations qu'il devrait abriter, mais n'éprouve guère que de la compassion pour deux âmes frustes emprisonnées dans le carcan des conventions de leur époque.

Pourquoi m'a-t-il menti pendant toutes ces années ?

Parce qu'il savait qu'il ne suffisait pas.

Parce qu'il pensait qu'elle non plus.

Parce qu'il était désolé et honteux.

Parce qu'il voulait que j'aie de la distinction.

Ça s'appelle de l'amour.

La valise à coins en cuivre renferme un dernier secret : une antique boîte en cuir ornée d'un écusson en or, qui contient une citation du ministère de la Guerre pakistanais datée de six mois après la naissance du bébé Mundy. A la tête de son peloton et au mépris total de sa propre sécurité, tirant à tout va avec son fusil Bren, le major Arthur Henry George Mundy a occis vingt cavaliers, et est élevé par la présente au rang de titulaire de la Quelque chose d'Honneur pakistanaise. La médaille, si tant est qu'elle ait jamais été frappée, ne se trouve plus dans la boîte, sans doute vendue pour boire.

L'aube est arrivée. Les larmes roulant enfin sur ses joues, Mundy accroche la citation au mur au-dessus de son lit et à côté la photographie de groupe des Stanhope triomphants entourés de leurs serviteurs, puis il enfonce le clou avec sa chaussure.

*

Les principes radicaux d'Ilse étant aussi exigeants que son insatiable petit corps, il est compréhensible que Mundy, tout à l'ivresse de son initiation, ne fasse pas la différence. Pourquoi se soucierait-il d'en savoir encore moins sur Mikhaïl Bakounine que sur l'anatomie féminine ? Ilse lui donne des cours intensifs sur les deux sujets, et il serait franchement discourtois d'accepter l'un sans l'autre. Quand elle vitupère contre la tyrannie de l'État, Mundy l'approuve chaudement, même si l'État est le cadet de ses soucis. Quand elle évoque l'*individualisation*, vante la *réhabilitation du Moi* ou la *suprématie de l'individu* et promet de libérer Mundy de son moi soumis, il l'en implore, et qu'elle parle dans le même temps de collectivisme radical ne le dérange pas le moins du monde – il sait réconcilier les extrêmes. Quand elle lui lit Laing et Cooper alors que, temporairement rassasié, il somnole sur son ventre nu, un hochement de tête approbateur ne lui réclame pas un effort surhumain. Et si Ilse aime mieux faire l'amour que la guerre (car à ses moments perdus, outre l'anarchisme et l'individualisme, elle prêche aussi le pacifisme), il est prêt à raccrocher sur-le-champ son mousquet, tant qu'elle lui martèle la croupe de ses petits talons impatients sur le tapis en fibre de son box d'anachorète à St Hugh's (visites autorisées entre 16 et 18 heures pour un Earl Grey et des sandwichs de Marmite à condition de laisser la porte ouverte). Et quoi de plus agréable, dans ce bien-être qui suit l'assouvissement passager du désir, que la vision commune d'un paradis social régi en parfait accord par tous les groupes constituants ?

Pour autant, rien de ce qui précède ne doit laisser croire que Ted Mundy n'était pas prédisposé à embrasser cette Nouvelle Jérusalem qu'Ilse lui révèle. Dans le radicalisme idéaliste de la jeune femme, il retrouve des échos du saint Doktor Mandelbaum, mais aussi des parallèles avec ses propres embryons de révolte contre l'essentiel de ce que l'Angleterre représente pour lui. Les justes causes d'Ilse sont adoptées par Mundy, l'hybride, le nomade, l'homme sans territoire, sans parents, sans biens, sans modèle, l'enfant congelé qui commence à dégeler. Quand il lui arrive de croiser sur son chemin vers une conférence ou la bibliothèque un ancien camarade d'école en veste de sport, pantalon de sergé et souliers marron cirés à bout renforcé, chacun se hâte de reprendre sa route après quelques échanges gênés. *Mon Dieu, ce Mundy*, les entend-il penser, *il a complètement disjoncté*. Et ils ont raison. C'est assez vrai. Il n'appartient ni au Gridiron, ni au Bullingdon, ni au Canning ni à l'Union. Dans des meetings politiques houleux quoique peu fréquentés, il savoure ses prises de bec avec la droite honnie. Malgré sa haute taille, sa position préférée en dehors des bras d'Ilse est d'être assis en tailleur, genoux relevés contre les oreilles, dans les bureaux encombrés des professeurs gauchisants, à écouter l'évangile selon Thoreau, Hegel, Marx et Lukács.

Peu importe qu'il ne soit pas convaincu par les arguments intellectuels, qu'il les entende comme une musique injouable pour lui plutôt que la logique inébranlable dont ils se réclament. Appartenir à un groupuscule de vaillants camarades lui donne des ailes. Quand Ilse part manifester, Mundy le grand suiveur épouse sa cause, prend le car avec elle à Gloucester Green au point du jour, muni des barres Mars qu'elle aime tant, de sandwichs bien emballés aux œufs et au cresson achetés au marché et d'une Thermos de soupe de tomates en boîte, le tout rangé dans la musette du major. Épaule contre épaule et souvent main dans la main, ils défilent pour protester contre le soutien de Harold Wilson à la guerre du Vietnam et, comme on les frustre de l'occasion d'exprimer leur dissentiment par la voie parlementaire, se proclament membres de l'opposition extraparlementaire. Ils vont à Trafalgar Square manifester contre l'apartheid et soutenir en bloc les étudiants américains qui brûlent leur ordre d'incorporation. Se regroupant dans Hyde Park, ils sont poliment dispersés par la police, et donc confortés dans leurs opinions quoique légèrement penauds. Ce qui n'empêche pas des Vietnamiens de mourir chaque jour par centaines, bombardés, brûlés vifs ou précipités hors d'hélicoptères au nom de la démocratie, et Mundy est de tout cœur avec eux, ainsi qu'Ilse.

Pour dénoncer le putsch des Colonels grecs soutenus par la CIA, la torture et l'assassinat d'innombrables gauchistes grecs, ils prennent racine devant l'hôtel Claridge de Londres, où les Colonels résideraient durant une visite furtive en Angleterre, mais aucun n'en sort pour essuyer leurs insultes. Sans se laisser abattre, ils se propulsent à l'ambassade de Grèce en brandissant des bannières *Sauvons la Grèce !* Leur instant le plus gratifiant arrive lorsqu'un attaché se penche à une fenêtre et leur crie : « En Grèce, on vous fusillerait ! » De retour à Oxford, sains et saufs, ils sentent encore siffler cette balle imaginaire à leurs oreilles.

Si, pendant le deuxième trimestre, Mundy prend le loisir de monter en allemand le *Woyzeck* de Büchner, les idées radicales véhiculées par la mise en scène sont irréprochables. Et l'été, il est certes premier lanceur pour son université, quoique peu fier de l'être, mais ses allégeances lui interdisent d'aller faire la fête avec ses coéquipiers.

Les parents d'Ilse habitent Hendon, dans une maison jumelée avec un toit vert et des nains en plâtre qui pêchent dans le bassin du jardin. Son père est un chirurgien marxiste au large front slave et aux cheveux crépus, sa mère une psychothérapeute pacifiste, disciple de Rudolf Steiner. Jamais de sa vie Mundy n'a connu un couple aussi intelligent aux idées si larges. Fort de leur exemple, il se réveille un beau matin dans sa chambre avec l'idée de demander leur fille en mariage, décision qui lui paraît s'imposer. Dépitée au plus haut point par le mouvement contestataire anglais qu'elle juge mollasson, Ilse rêve depuis quelque temps d'un campus où les étudiants se mouillent vraiment, comme Paris, Berkeley ou Milan. Après mûre réflexion, elle a jeté son dévolu sur l'Université libre de Berlin, creuset du nouvel ordre mondial, et Mundy a promis de l'y accompagner pour son année à l'étranger.

Quoi de plus naturel que de partir en tant que mari et femme ? avance-t-il.

Le moment de sa demande en mariage n'est peut-être pas aussi propice qu'il le croit, mais Mundy n'a rien d'un stratège quand il se lance dans un grand projet. Ayant rendu sa dissertation hebdomadaire sur la symbolique des couleurs chez les premiers Minnesänger, il se sent maître de la situation. Ilse, au contraire, revient éreintée après deux jours de manifestation stériles à Glasgow, en compagnie d'un dénommé Fergus, étudiant écossais en histoire de la classe ouvrière, dont Ilse affirme qu'il est irrémédiablement homosexuel. Sa réponse à la demande de Mundy est tiède, sinon franchement méprisante. Le *mariage* ? Ce n'est pas une des options qu'ils envisageaient quand ils étudiaient Laing et Cooper. Le *mariage* ? Un vrai mariage bourgeois ? Une *cérémonie civile* régie par *l'État* ? Ou Mundy aurait-il à ce point régressé dans son apprentissage militant qu'il souhaite la bénédiction d'une institution religieuse ? Le dévisageant avec une profonde tristesse, si ce n'est avec colère, elle hausse les épaules sans aucune grâce et lui demande le temps de déterminer si une telle aberration peut s'accorder avec ses principes.

Le lendemain, Mundy a sa réponse. Un ange hongrois courtaud

simplement vêtu de ses chaussettes se tient les pieds en canard dans le seul angle de son box d'anachorète où on ne peut la voir depuis la cour. Démunie de toute sa philanthropie pacifico-anarchisto-humanisto-radicale, elle a les poings fermés et des larmes coulent à flots sur ses joues toutes rouges.

« Tu as un cœur complètement bourgeois, Teddy ! geint-elle avec son adorable accent, avant d'ajouter après coup : Tu veux une idiotie de mariage, et tu es un vrai bébé pour ce qui est du sexe ! »

Chapitre 3

L'étudiant en herbe de l'âme allemande qui descend du train interzone dans l'air électrique de Berlin possède six chemises de son défunt père aux manches trop courtes pour lui (mais dont les pans, curieusement, sont de la bonne longueur), 100 livres sterling, et 56 deutsche Mark qu'une Ilse en larmes a retrouvés dans un tiroir. La bourse qui le maintenait tout juste à flot à Oxford n'est pas valable pour des études à l'étranger, l'a-t-on averti trop tard.

« Sasha *qui*, Sasha *où*, bon Dieu ? crie-t-il à Ilse sur le quai de la gare de Waterloo alors que, bourrelée de remords magyars, elle se ravise pour la énième fois et décide de sauter dans le train, sauf qu'elle n'a pas son passeport.

– Dis-lui que c'est moi qui t'envoie, l'implore-t-elle au moment où le train a l'heur de démarrer. Donne-lui ma lettre. Il est diplômé, mais démocrate. Tout le monde connaît Sasha, à Berlin », lance-t-elle, ce qui paraît aussi convaincant à Mundy que « tout le monde connaît Gupta à Bombay ».

C'est l'an 1969 et la beatlemania n'est plus à son zénith, mais personne n'en a averti Mundy. Outre sa toison châtaine qui lui retombe sur les oreilles et gêne sa vision, il arbore la musette en toile de son père comme symbole du vagabond sans racines qu'il compte bien devenir maintenant que la vie a perdu tout son sens. Derrière lui gisent les vestiges d'un grand amour, devant lui s'impose le modèle de Christopher Isherwood, chroniqueur désabusé d'un Berlin à la croisée des chemins. Comme Isherwood, il n'espère rien de la vie si ce n'est la vie en soi. Il sera une caméra au cœur brisé. Et si jamais il s'avérait encore capable d'aimer, ce qui paraît peu probable après Ilse, enfin peut-être, dans quelque bouge où des beautés en chapeau cloche boivent de l'absinthe et chantent leur désenchantement d'une voix rauque, trouvera-t-il sa Sally Bowles. Est-il anarchiste ? Cela dépendra. Pour l'être, il faut garder une lueur d'espoir. Le nihilisme conviendrait mieux à notre misanthrope récemment consacré. Alors pourquoi, se demande-t-il, partir de ce pas allègre à la recherche de Sasha le grand militant ? Pourquoi cette impression d'arriver dans un monde plus jeune, plus souriant, alors que tout est manifestement perdu ?

« Va à Kreuzberg ! lui crie Ilse quand il lui adresse ses adieux déchirants depuis la fenêtre du wagon. Demande après lui là-bas. *Et veille sur lui, Teddy* », ordonne-t-elle d'un ton péremptoire en une arrière-pensée qu'il n'a pas le temps d'analyser avant que son train l'emporte vers la nouvelle étape de sa vie.

*

Kreuzberg n'est pas Oxford, constate un Mundy soulagé.

Pas de brave employée de la cité universitaire aux boucles bleutées qui l'attende avec une liste polycopiée d'adresses où il devra bien se tenir. Chassés des beaux quartiers de la ville par les prix, les étudiants indisciplinés de Berlin-Ouest se sont repliés sur des usines bombardées, des gares désaffectées et des HLM trop proches du Mur au goût des promoteurs. Dans les bidonvilles turcs en tôle ondulée et amiantée qui rappellent tant son enfance à Mundy, on ne vend ni livres scolaires ni raquettes de squash, mais des figues, des casseroles en cuivre, des halvas, des sandales en cuir et des chapelets de canards jaunes en plastique. Les odeurs de *jeera*, de charbon de bois et d'agneau rôti accueillent au pays le fils perdu du Pakistan. Les affichettes et graffitis sur les murs et fenêtres des communautés ne promotionnent pas les représentations estudiantines de pièces élisabéthaines mineures, mais fustigent le chah, le Pentagone, Henry Kissinger, le président Lyndon Johnson et la culture napalm de l'agression impérialiste américaine au Vietnam.

Les instructions d'Ilse ne sont pas sans valeur. Dans les cafés, les clubs improvisés, aux coins de rues où traînent en fumant des étudiants rebelles, le nom de Sasha finit par faire naître parfois un sourire ou évoquer vaguement quelque chose. Sasha ? Tu veux dire Sasha le grand agitateur, ce Sasha-là ? Ah, là il y a un problème, tu vois. On ne confie pas nos adresses à n'importe qui, ces temps-ci.

Le *Schweinesystem* a de grandes oreilles. Le mieux, c'est de laisser ton nom aux Étudiants sociaux-démocrates et d'attendre de voir s'il veut te contacter.

Schweinesystem, se répète le bizut Mundy. Retiens cette expression : système des porcs. Éprouve-t-il un ressentiment passager envers Ilse pour l'avoir jeté dans l'œil du cyclone radical sans carte ni boussole ? Peut-être. Mais le soir tombe, Mundy a son chemin tracé, et, tout endeuillé soit-il, il a fort envie de commencer sa nouvelle vie.

« Essaie Anita à la communauté 6 », lui conseille un révolutionnaire somnolent dans une cave bruyante remplie de fumée de shit et de drapeaux du Vietcong.

« Brigitte pourra peut-être te dire où il est », suggère un autre par-dessus les accords d'une guitariste en keffieh palestinien qui réinterprète Joan Baez, avec un enfant assis à ses pieds et un grand gaillard en sombrero à côté d'elle.

Dans une ancienne usine aux murs criblés de balles, aussi haute que la gare de Paddington, sont accrochés des portraits de Castro, Mao, Hô Chi Minh, et un autre, drapé d'une banderole noire, du défunt Che Guevara. Des slogans barbouillés sur des draps de lit avertissent Mundy qu'*Il est interdit d'interdire* ou l'encouragent à *Être réaliste, réclamer l'impossible, n'accepter ni dieux ni maîtres*. Éparpillés sur le sol tels les rescapés d'un naufrage, des étudiants somnolent, fument, allaitent des bébés, jouent du rock, se pelotent ou s'interpellent. Anita ? Elle est partie il y a des heures, lance un informateur. Brigitte ? Essaie la communauté 2 et merde à l'Amérique ! dit un autre. Quand Mundy demande les toilettes, un charmant Suédois l'accompagne à une rangée de six cabines aux portes défoncées.

« L'intimité est une barrière bourgeoise à l'intégration communautaire, camarade, explique le Suédois dans un anglais appliqué. Mieux vaut qu'hommes et femmes pissent ensemble que de bombarder les gosses vietnamiens. Sasha ? répète-t-il après que Mundy a poliment repoussé ses avances. Tu le trouveras peut-être au Club des Troglodytes, sauf que ça vient d'être rebaptisé le Chat rasé », l'informe-t-il, détachant une feuille de papier à cigarette de son paquet et s'appuyant sur le dos de Mundy pour lui dessiner un plan.

Ledit plan conduit Mundy à un canal. Sa musette cognant sa hanche, il suit le chemin de halage et voit défiler des miradors, puis une vedette de police surarmée. Amis ou ennemis ? Peu importe. Ils n'appartiennent à aucun camp mais font partie de la grande impasse qu'il est venu dégager. Il tourne dans une rue transversale pavée et s'arrête net. Un mur en parpaings haut de six mètres couronné d'épines barbelées sous le halo blafard de projecteurs lui barre la route. Il refuse d'abord de le reconnaître. C'est un mirage, un décor de film, un chantier de construction. Deux policiers de Berlin-Ouest l'interpellent.

« Réfractaire ?

– Anglais », répond-il en leur montrant son passeport.

Ils l'entraînent à la lumière, étudient son passeport, puis son visage.

« T'as jamais vu le Mur ?

– Non.

– Eh ben, regarde-le un bon coup et va te coucher, l'Anglais. Et tiens-toi à carreau. »

Revenant sur ses pas, Mundy trouve une ruelle. Sur une porte en fer rouillée, entre des colombes de paix façon Picasso et des logos *A bas la bombe*, un chat sans poils debout sur ses pattes arrière brandit son pénis. A l'intérieur, musique et discussions composent un vacarme sauvage.

« Essaie le Centre de la Paix au dernier étage, camarade, lui conseille une belle fille en mettant les mains en porte-voix.

– C'est où, le Centre de la Paix ?

– En haut, ducon. »

Il grimpe, ses pas résonnant sur les marches carrelées. Bientôt minuit. Chaque étage lui offre un tableau vivant de libération. Au premier, étudiants et bébés font cercle comme au catéchisme autour d'une femme sévère qui les sermonne sur l'influence castratrice des parents. Au deuxième, un calme post-coïtal règne sur un enchevêtrement de corps. *Soutenez la bombe à neutrons !* les exhorte une pancarte faite main. *Ça tue votre belle-mère sans endommager votre télé !* Au troisième, Mundy se réjouit de découvrir un genre d'atelier théâtral. Au quatrième, des révolutionnaires hirsutes s'acharnent sur des machines à écrire, se consultent, alimentent en papier des presses manuelles et aboient des ordres par radiotéléphone.

Au dernier étage, une échelle donne accès à une trappe au plafond. Mundy en émerge dans un grenier éclairé par une baladeuse et d'où part un couloir semblable à une galerie de mine. A l'autre bout, deux hommes et deux femmes sont penchés à la lueur de bougies sur une table jonchée de cartes géographiques et de bouteilles de bière. L'une des filles est brune et sévère, l'autre blonde et bien charpentée. L'homme le plus proche de Mundy est aussi grand que lui, un Viking à la barbe dorée et à la tignasse jaune retenue par un foulard de pirate. L'autre est petit, vif, avec des yeux sombres, des épaules inégales, osseuses et trop étroites pour sa tête, un béret basque noir enfoncé au ras de son front pâle. C'est Sasha. Comment Mundy le sait-il ? Parce que, comprend-il, il pressentait depuis le début qu'Ilse parlait de quelqu'un d'aussi petit qu'elle.

Trop timide pour s'immiscer, il reste à l'entrée de la galerie en serrant dans sa main la lettre d'Ilse. Il entend par bribes les propos guerriers de Sasha, dont la voix, plus solide que le corps, porte naturellement au rythme de gestes impérieux. *Ne laissez pas les porcs nous coincer dans des ruelles, vous m'entendez ?... Affrontez-les en terrain découvert, là où les caméras peuvent voir ce qu'ils nous font...* Mundy se prépare déjà à retourner discrètement à l'échelle pour faire son entrée une autre fois, quand la réunion se termine. La brune replie les cartes, le Viking se lève et s'étire, la blonde le plaque contre elle en l'attrapant par les fesses. Sasha se lève aussi, mais il n'est guère plus grand debout qu'assis. A l'instant où Mundy s'approche pour se présenter, les autres entourent le petit empereur par instinct de protection.

« Bonsoir. Je m'appelle Ted Mundy et j'ai une lettre pour vous de la part d'Ilse, dit-il de sa plus belle voix de *head prefect*, et, ne voyant aucune lueur de compréhension dans les grands yeux sombres, il ajoute : Ilse, l'étudiante hongroise en philosophie politique. Elle était ici l'été dernier et elle a eu le plaisir de vous rencontrer. »

Peut-être déroutés par la politesse de Mundy, ils restent un instant soupçonneux. Qui c'est, ce connard d'aristo anglais, avec sa coupe de cheveux style Beatles ? Le grand Viking est le premier à réagir. Il se poste entre Mundy et le groupe, accepte l'enveloppe destinée à Sasha et l'examine d'un coup d'œil. Ilse l'a scellée avec du ruban adhésif, et son gribouillis péremptoire souligné deux fois,

Confidentiel, strictement personnel !, est une claire exhortation à une remise en main propre. Le Viking tend l'enveloppe à Sasha, qui l'ouvre d'un coup sec et en sort deux feuillets barbouillés de l'écriture serrée d'Ilse, aux marges surchargées d'ajouts. Il lit les premières lignes et passe à la dernière page pour voir la signature. Il sourit alors, d'abord à lui-même puis à Mundy, et cette fois c'est Mundy qui est désarçonné par les grands yeux noirs si pétillants et le sourire si juvénile.

« Ça alors, *Ilse* ! dit-il, pensif. Sacrée nana, hein ? lance-t-il avant de glisser la lettre dans une poche de sa veste de bûcheron élimée.

– Ce n'est rien de le dire, reconnaît Mundy dans son meilleur haut allemand.

– Hongroise, se rappelle-t-il. Et toi alors, tu es *Teddy*.

– Euh, Ted, en fait.

– D'Oxford ?

– Oui.

– Son amant ? demande Sasha sans détour. Ici, on couche tous ensemble, ajoute-t-il, ce qui fait fuser les rires.

– Je l'étais jusqu'à il y a quelques semaines.

– Quelques semaines ! C'est une éternité, à Berlin ! Tu es anglais ?

– Oui, enfin... presque. Né à l'étranger, mais éduqué en Angleterre. Ah, j'oubliais, elle vous envoie une bouteille de scotch, parce qu'elle se souvenait que vous aimiez ça.

– Du scotch ! Ben, dis donc, quelle mémoire ! La mémoire des femmes nous tuera tous. Alors, que viens-tu faire à Berlin, Teddy ? Du tourisme révolutionnaire ? »

Mundy médite sa réponse quand la brune sinistre intervient.

« Il veut dire : tu veux sincèrement être actif dans notre mouvement, ou t'es juste ici pour étudier la zoologie humaine ? l'agresse-t-elle avec un accent étranger qu'il ne situe pas bien.

– J'étais actif à Oxford, alors pourquoi pas ici ?

– Parce qu'on n'est pas à Oxford, rétorque-t-elle. Ici, on a une génération Auschwitz, pas à Oxford. A Berlin, on peut crier par la fenêtre “Salaud de nazi !”, et si le connard sur le trottoir a plus de quarante ans, on sera tombé juste.

– Tu viens faire quoi, ici à Berlin, Teddy ? s'informe Sasha d'un ton plus doux.

– Études germaniques.

– Eh ben, bonne chance, camarade ! raille aussitôt la brune. Les profs qui enseignent cette merde archaïque ont tellement la trouille qu'ils sortent pas de leurs bunkers. Et les fayots de vingt ans qu'ils nous envoient ont tellement la trouille qu'ils s'engagent à nos côtés. »

Arrive le tour de la blonde à côté d'elle.

« T'as de l'argent, camarade ?

– Pas beaucoup, hélas.

– T'as pas de *fric* ? Alors, t'es qu'un être humain sans intérêt. Comment tu pourras t'offrir une côtelette tous les jours et t'acheter un chapeau neuf ?

– En travaillant, j'imagine, répond Mundy, s'efforçant de s'adapter à leur humour particulier.

– Pour le système des porcs ? »

La brune aux cheveux coiffés derrière les oreilles, qui a une mâchoire forte et un peu déportée, repasse à l'attaque.

« Quel est le but de notre révolution, camarade ? »

Mundy ne s'attendait pas à un examen oral, mais six mois auprès d'Ilse et de ses amis l'y ont en partie préparé.

« S'opposer par tous les moyens à la guerre du Vietnam… Stopper la progression de l'impérialisme militaire… Rejeter le consumérisme… Défier les préceptes de la bourgeoisie… L'éveiller et l'éduquer… Créer une société nouvelle et juste… Et résister à toute autorité irrationnelle…

– *Irrationnelle ?* Et c'est quoi, une autorité *rationnelle* ? Toute autorité est *irrationnelle*, ducon. T'as des parents ?

– Non.

– Tu partages l'avis de Marcuse quand il dit que le positivisme logique c'est de la merde ?

– Je ne suis pas vraiment philosophe, désolé.

– Dans un état de non-liberté, personne n'a une conscience libérée. Tu es d'accord avec ça ?

– Ça semble assez logique.

– C'est la seule logique possible, ducon. A Berlin, les masses estudiantines sont en rébellion permanente contre les forces contre-révolutionnaires. La ville des spartakistes et capitale du IIIe Reich a redécouvert son destin révolutionnaire. Tu connais Horkheimer ? Si t'as pas lu *Crépuscule*, t'es naze.

– Demande-lui s'il est *eingebläut*, suggère la blonde, employant un mot que Mundy n'a jamais entendu, et tous de rire, sauf Sasha, qui, ayant suivi cet échange en silence, décide de venir au secours de Mundy.

– C'est bon, camarades. C'est un chic type. Laissons-le tranquille. On se retrouve plus tard au Club républicain ? »

Surveillés par Sasha, ses acolytes descendent l'échelle l'un après l'autre. Finalement, il referme la trappe derrière eux, la verrouille et, à la surprise de Mundy, lève un bras et lui empoigne l'épaule.

« Tu l'as avec toi, ce whisky, Teddy ?

– Dans mon sac.

– T'occupe pas de Christina. Les Grecques sont des grandes gueules. Le jour où elle aura un orgasme, elle fermera son clapet, affirme-t-il en ouvrant une petite porte dans le bas du lambris. Et ici, tout le monde est un ducon. C'est un terme affectueux, comme “camarade”. La révolution n'aime pas les circonlocutions. »

Sasha sourit-il en prononçant ces paroles ? Mundy ne saurait le dire.

« Qu'est-ce que signifie *eingebläut* ?

– Elle te demandait si tu as déjà été tabassé par les porcs. Elle veut te voir avec de jolis bleus laissés par leurs matraques. »

Mundy se plie en deux pour suivre Sasha dans une sorte de caverne tout en longueur, qui évoque à première vue le ventre d'un navire. En hauteur, deux lucarnes se piquent peu à peu d'étoiles. Sasha ôte son béret, libérant une tignasse indomptée de révolutionnaire, et allume une lanterne avec une allumette. A la lueur de la flamme, Mundy aperçoit un bureau curviligne incrusté de cuivre, sur lequel sont posés un paquet de pamphlets et une machine à écrire. Contre un mur, un double châlit en fer jonché de coussins usés en satin et brocart et, par terre, tels des marchepieds, des piles de livres.

« Volés pour la révolution, explique Sasha en les montrant d'un geste. Personne ne les lit, personne n'en connaît les titres. Tout ce qu'on sait, c'est que la propriété intellectuelle appartient aux masses, pas à des sangsues d'éditeurs et de libraires. La semaine dernière, on a organisé un concours : celui qui rapportait le plus de livres aurait porté le plus gros coup à la moralité petite-bourgeoise. Tu as mangé, aujourd'hui ?

– Un peu.

– “Un peu”, ça veut dire rien, en anglais ? Allez, mange. »

Sasha pousse Mundy vers un vieux fauteuil en cuir et apporte deux verres à dents vides, un gros morceau de saucisse et une miche de pain. Son épaule gauche osseuse est plus haute que l'autre, et son pied droit traîne alors qu'il s'affaire çà et là. Mundy défait les boucles de sa musette, extirpe des chemises du major la bouteille de whisky St Hugh's Buttery qu'Ilse lui a confiée et remplit les verres. Sasha se perche sur un tabouret en bois face à lui, chausse une paire de lunettes à grosse monture noire et se prépare à l'examen détaillé de la lettre d'Ilse tandis que Mundy se coupe une tranche de pain et un bout de saucisse.

« *Teddy ne te laissera jamais tomber*, lit-il à voix haute. Voilà un avis très subjectif, je trouve. Qu'est-ce que ça veut dire ? Que je suis censé t'accorder toute ma confiance ? Où va-t-elle chercher cette idée ? »

Mundy n'a pas de réponse immédiate, mais Sasha ne semble pas en avoir besoin. Son allemand a un accent régional que Mundy n'est pas encore apte à identifier.

« Que t'a-t-elle dit à mon sujet ?

– Pas grand-chose. Que tu es diplômé, mais démocrate. Que tout le monde te connaît.

– *Un bon camarade, loyal en toutes circonstances, qui ignore la tromperie et n'appartient à aucun groupe*, poursuit Sasha, qui semble ne pas avoir entendu sa réponse. Et je devrais t'admirer pour ça ? *Un bourgeois dans sa tête, mais avec un cœur socialiste*. Manquent plus qu'une âme capitaliste et une bite communiste, et tu serais peut-être un homme complet. Pourquoi elle m'écrit tout ça ? Elle t'aurait pas plaqué, par hasard ? lance-t-il, soudain inspiré.

– Plus ou moins, reconnaît Mundy.

– Ah, voilà le fond de l'histoire. Elle t'a plaqué et elle se sent coupable. Mais qu'est-ce que je vois là ? Je le crois pas : *Il voulait m'épouser*. T'es cinglé ?

– Et pourquoi pas ? fait Mundy, l'air penaud.

– La question est *pourquoi*, et non *pourquoi pas*. C'est une coutume anglaise d'épouser les filles avec qui on a couché quelques fois ? On a connu ça, jadis, en Allemagne. Un vrai désastre. »

Plus très sûr de la réponse qu'on attend de lui, Mundy reprend une bouchée de saucisse qu'il fait couler avec une lampée de whisky, tandis que Sasha revient à la lettre.

« *Teddy aime la paix autant que nous, mais c'est un bon soldat.* Doux Jésus, qu'est-ce qu'elle veut dire, là ? Que Teddy obéit aux ordres sans poser de question ? Tu descends qui on te dit de descendre ? C'est pas une qualité, ça, c'est un motif de poursuites criminelles. Ilse devrait être plus prudente dans le choix de ses compliments. »

Mundy grommelle, mi-d'accord, mi-embarrassé.

« Alors pourquoi dit-elle que tu es un bon soldat ? insiste Sasha. "Un bon soldat", comme on dit "un bon démocrate" ? Ou veut-elle dire que tu es un grand héros au lit ?

– Je ne pense pas, avoue le vrai bébé pour ce qui est du sexe.

– Tu t'es battu pour elle ? persiste Sasha, refusant de laisser ce détail de côté. Pourquoi "un bon soldat" ?

– C'est juste une expression. On a fait des manifs ensemble, et j'ai veillé sur elle. Je fais un peu de sport. Quelle importance ? dit-il en se levant, sa musette sur l'épaule. Merci pour le whisky.

– On ne l'a pas fini.

– Elle te l'a envoyé à toi, pas à moi.

– Mais c'est toi qui l'as apporté. Tu ne l'as pas gardé pour toi et tu ne l'as pas bu. Tu as été un bon soldat. Où comptes-tu coucher cette nuit ?

– Je trouverai bien.

– Attends. Arrête. Pose ton sac ridicule. »

Obéissant au ton insistant de Sasha, Mundy se fige, sans pour autant poser sa musette par terre. Sasha met la lettre de côté et le dévisage.

« Parle-moi franchement. Pas de baratin, d'accord ? On devient tous un peu paranos, ici. Qui t'a envoyé ?

– Ilse.

– Personne d'autre ? Pas des porcs, des espions, des journaux, des gens malins ? Cette ville est remplie de gens malins.

– Je n'en fais pas partie.

– Alors tu es vraiment ce qu'elle dit. C'est ça que tu m'affirmes ? Un novice en politique inscrit en études germaniques, un bon soldat au cœur socialiste, ou quoi ou qu'est-ce ? C'est ça toute l'histoire ?

– Oui.
– Et tu dis toujours la vérité ?
– Pratiquement.
– Mais tu es de la jaquette.
– Non.
– Moi non plus. Bon, alors qu'est-ce qu'on fait ? »

Toisant Sasha de toute sa hauteur le temps de chercher une réponse, Mundy est de nouveau frappé par la fragilité de son hôte, dont chaque os du corps semble avoir été brisé et mal remis en place.

Sasha boit une gorgée de whisky et, sans regarder Mundy, lui tend le verre en disant à regret : « Bon. »

Quoi, bon ? se demande Mundy.

« Pose ton foutu sac. »

Mundy s'exécute.

« Il y a une fille que j'aime bien, d'accord ? Des fois elle me rend visite ici. Elle viendra peut-être cette nuit. Elle est jeune, bourgeoise, timide comme toi. Si elle se pointe, tu couches sur le toit. S'il pleut, je te prêterai une toile cirée. Parce qu'elle est vraiment timide, cette fille. D'accord ? Au besoin, je te rendrai la pareille.

– Mais de quoi tu parles ?

– J'ai peut-être besoin d'un bon soldat. Toi aussi, peut-être. Qu'est-ce que ça peut foutre ? »

Il reprend le verre de whisky, qu'il vide puis remplit à la bouteille, qui semble trop lourde pour son poignet.

« Si elle ne vient pas, tu couches ici. J'ai un lit de rab. Un lit de camp. Je ne raconte pas ça à n'importe qui. On peut le mettre à l'autre bout de la pièce. Et demain, je te trouverai un bureau pour tes études germaniques. On le mettra là, sous la fenêtre, comme ça tu auras la lumière du jour. Si tu pètes trop souvent, si finalement je ne t'aime pas, je te demanderai poliment de foutre le camp, d'accord ? Et demain matin je te présenterai au comité de sélection de la communauté, enchaîne-t-il sans attendre de réponse. On discute, on vote, c'est une formalité. Christina te posera peut-être quelques questions sur tes origines bourgeoises. C'est la plus grande bourgeoise de nous tous. Son père est un armateur grec qui admire les Colonels et nous paie la moitié de notre bouffe. »

Il boit une autre gorgée de whisky et repasse le verre à Mundy.

« Certains squats sont légaux, mais pas le nôtre. On n'aime pas les propriétaires nazis. Quand tu t'inscriras à l'université, ne donne pas cette adresse. On te fournira une belle attestation d'un type à Charlottenburg. Il dira que tu vis chez lui, ce qui n'est pas vrai, que tu es un bon luthérien, ce qui n'est pas vrai, que tu es au lit tout seul tous les soirs à 22 heures et que tu épouses toutes les filles que tu t'envoies. »

C'est ainsi que Ted Mundy apprend qu'il va devenir le camarade de chambre de Sasha.

*

S'ouvre un âge d'or inespéré pour Ted Mundy. Il a un toit et un ami, deux concepts inédits pour lui. Il fait partie d'une nouvelle et courageuse famille décidée à refaire le monde. Une nuit occasionnelle d'exil à la belle étoile n'ayant rien d'un supplice pour un fils de soldat monté en première ligne de la révolution, il ne s'offense pas d'un ruban rouge autour de la poignée de la porte du grenier signalant que son général ne reçoit pas. Sasha entretient avec les femmes des rapports brefs et utilitaires, alors que Mundy, lui, reste fidèle à son vœu d'abstinence, même s'il est parfois obligé d'échanger quelques mots platoniques avec l'une des beautés en nombre indécent dans le squat, pour la simple raison que, quelques heures après son admission, il s'est proposé de donner des cours gratuits de conversation en anglais trois fois par semaine à tout camarade de la communauté qui le désire.

La salamandre vit dans les flammes. Le Doktor Mandelbaum serait fier de lui. Le sentiment de vivre dans une zone de combat, le fait d'être réquisitionnable à tout moment pour rejoindre ses camarades sur une barricade, les débats à longueur de nuit sur la façon de remplacer le vieux bois vermoulu par de jeunes pousses agissent sur lui comme un stimulant permanent. Le blanc-bec qu'il était en arrivant à Berlin, guidé par Sasha et les camarades, devient le fervent dépositaire de la noble histoire du mouvement, dont les noms des héros et des scélérats lui sont bientôt aussi connus que ceux des grands joueurs de cricket.

Il y a Bahman Nirumand, l'Iranien en exil qui, la veille de la visite du chah à Berlin-Ouest, a révélé toute l'horreur du régime iranien soutenu par l'Amérique aux étudiants massés dans l'auditorium Maximum de l'Université libre.

Il y a Benno Ohnesorg, qui a manifesté contre la venue du chah et a été abattu dès le lendemain d'une balle en pleine tête par un inspecteur de police en civil devant l'Opéra de Berlin-Ouest.

Il y a les obsèques de Benno et le démenti de tout méfait par la police et le maire, qui ont exacerbé le militantisme étudiant et accéléré l'ascension de Rudi Dutschke, fondateur de l'opposition extraparlementaire estudiantine.

Il y a la rhétorique fasciste du baron de la presse Axel Springer et de son ignoble *Bild Zeitung*, qui a incité un ouvrier déséquilibré aux idées d'extrême droite à abattre Rudi Dutschke sur le Kurfürstendamm de Berlin. Dutschke a survécu un certain temps. Mais pas Martin Luther King, abattu le même mois.

Mundy connaît les dates et lieux des grands sit-in et affrontements sanglants de ces dernières années. Il sait que la grogne estudiantine fait rage sur des milliers de champs de bataille dans le monde entier, et que les étudiants américains se sont montrés aussi courageux que les autres et ont été sauvagement réprimés.

Il sait que la meilleure publication au monde est *Konkret*, fondée par la grande prêtresse de la révolution, l'immaculée Ulrike Meinhof. Et les deux grands auteurs révolutionnaires allemands du moment s'appellent Langhans et Teufel.

Tant de frères et de sœurs partout ! Tant de camarades qui partagent le même rêve ! Même si le rêve en soi n'est pas encore tout à fait défini pour Ted, il ne sait pas où il va, mais il y va.

*

Ainsi commence sa nouvelle vie. Le matin à la première heure, le chaste pensionnaire anglais, recrue encore intacte de la cause de libération mondiale, bondit de son lit de camp tandis que Sasha dort encore pour récupérer des grands débats de la nuit. Après la douche commune égayée par la présence des filles qu'il ignore soigneusement, il prend son tour dans la cuisine du squat à découper saucisses et légumes volés pour la soupe quotidienne, puis se hâte d'aller arpenter les superbes parcs et espaces verts de Berlin-Ouest, écumer les bibliothèques et suivre des conférences ayant échappé à l'oukase du corps étudiant contre l'endoctrinement fascisant. Plus tard dans la journée, il propose ses services comme apprenti à l'imprimerie pour aider à ronéotyper les morceaux choisis de révolutionnaires en vogue qu'il enfouit dans la musette du major, et va se poster hardiment à des coins de rues pour les fourguer aux bourgeois qui rentrent chez eux vers une existence aveugle.

Il ne s'agit pas juste de distribuer des journaux gratuits, attention. Le travail est risqué. Non seulement la bourgeoisie berlinoise refuse de s'éveiller, mais elle a assez soupé des étudiants pour plusieurs générations. Moins de vingt-cinq ans après Hitler, les bonnes gens ne sont pas ravis de voir leurs rues envahies par des policiers anti-émeutes armés de matraques et des foules gauchistes au langage ordurier qui les lapident. Les étudiants des universités publiques de Berlin exemptés de conscription devraient payer leurs frais de scolarité, obéir, étudier et la boucler, au lieu de casser des vitrines, prôner la copulation en public, provoquer des embouteillages et insulter nos sauveurs américains. Plus d'un bon citoyen menace Mundy du poing. Plus d'une vieille dame de la génération Auschwitz lui crie au visage d'aller jeter ses stupides pamphlets *Nach drüben* là où ils pourront servir de papier hygiénique (c'est-à-dire par-dessus le Mur, côté Est) ou essaie de l'attraper par ses longs cheveux, en vain à cause de sa haute taille. Plus d'un chauffeur de taxi réactionnaire engage son véhicule sur le trottoir pour faire détaler Mundy et s'envoler tous ses pamphlets à travers la rue. Mais le bon soldat ne se démonte pas. Du moins pas longtemps. Le soir même, sitôt finis ses cours de conversation, on peut aussi bien le trouver tranquillement attablé devant une bière au Chat rasé ou au Club républicain que dégustant un café turc et un arak dans l'un des nombreux bouges de Kreuzberg, où notre romancier en herbe aime sortir son calepin pour donner libre cours à son côté Isherwood.

Malgré sa farouche bonne humeur, Mundy se laisse parfois gagner par l'irréalité de la ville divisée, son humour macabre et son atmosphère lugubre de survie précaire. Témoin de colères qui lui sont inconnues et souvent étrangères, il se demande à l'occasion, dans ses moments noirs, si ses camarades ne seraient pas en fait des égarés aussi perplexes que lui, puisant leurs forces dans les convictions qu'ils prêtent à leurs voisins plutôt que dans leur propre cœur, et si sa quête des grandes vérités de l'existence ne l'a pas conduit à s'enfermer dans ce que le Doktor Mandelbaum appelait une bulle. Tenant le bout d'une banderole à une manifestation, protestant contre le nouveau diktat d'instances universitaires terrifiées ou attendant vaillamment sur les barricades une charge de policiers qui ne se concrétise pas, le fils expatrié d'un major de l'armée britannique se demande par moments pour quelle guerre il se bat : la dernière ou la prochaine.

Toutefois, sa quête d'appartenance se poursuit. Un soir, inspiré par un temps clément et un arak, il improvise un match de cricket pour les hordes d'enfants turcs qui traînent autour des bicoques, avec un carré de terre poussiéreuse comme terrain et des canettes de bière vides empilées comme guichet. Empruntant une scie à main et une planche à Faïçal, le propriétaire de son café préféré, Mundy bricole une batte. Pas de Rani pour l'accueillir, nimbée de soleil vespéral, mais les cris d'encouragement et de désespoir, les visages en sueur et les bras olivâtres lui réchauffent le cœur. Le club de cricket de Kreuzberg est né.

Au cours de safaris mouvementés dans l'ombre du Mur, il recherche les touristes étrangers pour les régaler de récits exaltants d'évasion. Si un épisode factuel lui échappe, il en invente un et se sent gratifié par leur reconnaissance. Et si ces divers expédients ne suffisent pas à lui remonter un moral parfois en berne, il y a toujours Sasha qui l'attend.

*

Ils commencent par s'observer d'un œil méfiant. Tel un couple qui s'est hâté de convoler sans cour préalable, chacun préfère rester sur son quant-à-soi le temps d'être sûr de ce qu'il a en face de lui. Mundy est-il vraiment le bon soldat que Sasha croit ? Sasha est-il vraiment le meneur charismatique estropié qui a besoin de la protection de Mundy ? Ils ont beau partager le même territoire, ils mènent leur vie en parallèle et ne se croisent qu'en des moments propices. Du passé personnel de Sasha, Mundy ne sait presque rien, et dans le squat le sujet est tabou. Il est d'origine saxonne, d'une famille luthérienne, réfugié d'Allemagne de l'Est, ennemi juré de toute religion, et orphelin comme Mundy (à en croire la rumeur). Pas besoin d'en savoir davantage. C'est seulement la veille de

Noël, la sainte nuit, comme disent les Allemands, qu'ils connaissent un de ces épanchements de confidences mutuelles qui marquent un point de non-retour.

Dès le 23 décembre, le squat est aux trois quarts vide, les occupants abandonnant la cause pour aller passer les fêtes au sein de leurs familles réactionnaires. Ceux qui n'ont nulle part où aller restent là, comme des enfants oubliés au pensionnat. Il tombe une neige épaisse et Kreuzberg est un joli décor de Noël. Réveillé tôt le lendemain, Mundy est enchanté de voir les lucarnes du grenier blanches de neige, mais quand il en fait part à Sasha celui-ci grommelle et lui ordonne de se casser. Sans se formaliser, Mundy enfile tous ses vêtements et patauge jusqu'à l'enclave turque pour faire un bonhomme de neige et préparer des kebabs avec Faïçal et les gamins du club de cricket. Le soir, de retour au grenier, où la radio diffuse des chants de Noël, il trouve Sasha coiffé de son béret, en tablier de cuisine, s'affairant au-dessus d'une jatte tel Charlot dans *Les Temps modernes*.

Au centre du bureau reconverti en table pour deux brûle une bougie de l'avent près d'une bouteille de vin grec du père de Christina. D'autres bougies sont posées en équilibre sur les piles de livres volés. Un morceau de viande rouge peu appétissant repose sur une planche en bois.

« Où diable étais-tu ? demande Sasha sans lever les yeux de son travail.

– Je me promenais, pourquoi ? Qu'est-ce qui ne va pas ?

– C'est Noël, non ? C'est une fête de famille, putain ! T'es censé rester à la maison.

– Mais on n'a *pas* de famille. Des parents qui sont morts, pas de frères, ni de sœurs. J'ai essayé de te réveiller, tu m'as envoyé aux pelotes. »

Sasha n'a toujours pas relevé la tête. La jatte contient des baies rouges et il prépare une sorte de sauce.

« C'est quoi, la viande ?

– Du gibier. Tu veux que je le rapporte à la boutique pour l'échanger contre tes éternels *Wienerschnitzel* à la con ?

– Non, du gibier, c'est parfait. Bambi pour Noël. Dis-moi, c'est du whisky que tu bois là ?

– Il y a des chances. »

Mundy a beau faire la causette, Sasha reste bougon. Pendant le dîner, pour le dérider, Mundy lui raconte tout de go l'histoire de sa mère aristocrate qui s'est avérée être une nounou irlandaise. Le ton jovial qu'il a choisi est censé assurer son auditeur qu'il a depuis longtemps accepté cet amusant ersatz d'histoire familiale. Sasha l'écoute, cachant mal son agacement.

« Pourquoi tu me racontes ces conneries ? Tu veux que je verse ma larme parce que t'es pas un lord ?

– Non, bien sûr. Je pensais que ça te ferait rire.

– La seule chose qui m'intéresse, c'est ta libération personnelle. Il vient un moment pour nous tous où notre enfance cesse d'être une excuse. Dans ton cas, je dirais que ce moment reste à venir, comme pour beaucoup d'Anglais.

– D'accord. Et toi, avec tes parents morts ? Qu'est-ce que tu as dû surmonter pour atteindre le stade de perfection où tu es ? »

Le tabou sur l'histoire familiale de Sasha va-t-il être brisé ? Apparemment, car il hoche la tête à plusieurs reprises comme s'il éliminait ses réserves l'une après l'autre, et Mundy remarque que les yeux caves ont un regard soudain vieilli et semblent absorber la lumière de la bougie au lieu de la refléter.

« Très bien. Tu es mon ami et j'ai confiance en toi, malgré toutes tes lubies ridicules sur les duchesses et les servantes.

– Merci.

– Mon défunt père n'est pas aussi mort que je le voudrais. Si l'on s'en tient aux critères médicaux reconnus, il est même foutrement en vie. »

Soit Mundy a le bon sens de se taire, soit il est trop stupéfait pour parler.

« Il n'a pas agressé un camarade officier. Il n'a pas succombé à la boisson, malgré ses efforts répétés. C'est un *Wendehals* religieux et politique, un renégat dont l'existence m'est si insupportable que même aujourd'hui, quand je suis obligé de penser à lui, je ne peux que me résoudre à l'appeler Herr Pastor, mais jamais *père*. Tu as l'air de t'ennuyer ferme.

– Loin de là ! Tout le monde m'a dit que ta vie privée était sacro-sainte, mais je n'aurais jamais deviné que c'était à ce point-là !

– Le Herr Pastor croit fermement en Dieu depuis sa plus tendre enfance. Ses parents étaient croyants, mais lui était supercroyant, luthérien puritain et fanatique invétéré, né en 1910. Il avait vingt-trois ans quand notre cher Führer est arrivé au pouvoir, dit-il en usant de son surnom consacré pour Hitler. Il venait d'être ordonné, et il était déjà un membre inconditionnel du parti nazi. Sa foi en notre cher Führer dépassait même sa foi pour le Christ. Hitler allait faire des miracles. Il allait redonner sa dignité à l'Allemagne, brûler le traité de Versailles, nous débarrasser des communistes et des juifs, installer un paradis aryen sur terre. Tu es sûr de ne pas t'ennuyer ?

– Comment peux-tu me demander ça ? Je suis fasciné !

– Pas au point de courir raconter à tes dix meilleurs amis que finalement j'ai un père, j'espère bien. Le Herr Pastor et ses amis luthériens nazis se faisaient appeler les *Deutsche Christen*. Comment il a survécu aux dernières années de la guerre, je n'en sais trop rien, parce qu'à ce jour il refuse d'en discuter. Dans les heures sombres, on l'a envoyé sur le front russe, où il a été fait prisonnier. Que les Russes ne l'aient pas abattu me semble un défi au bon sens pour lequel je leur en ai longtemps voulu. Ils l'ont expédié en Sibérie, et, le jour où ils l'ont relâché et renvoyé en Allemagne de l'Est, Herr Pastor le chrétien nazi était devenu Herr Pastor le chrétien bolchevique, suite à quoi l'Église luthérienne d'Allemagne de l'Est lui a confié la mission de soigner les âmes communistes à Leipzig. Je t'avoue que j'ai très mal pris son retour de captivité. Il n'avait pas le droit de m'enlever ma mère. C'était un étranger, un violateur. D'autres enfants étaient sans père, alors pourquoi moi en avais-je un ? Ce petit lâche qu'on avait retourné, qui reniflait beaucoup, qui se gonflait d'importance dans ses prêches sur les paroles de Jésus et de Lénine me dégoûtait. Pour faire plaisir à ma pauvre mère, j'ai été obligé de me convertir. C'est vrai que je doutais par moments du lien entre ses deux idoles, mais comme tous deux portaient la barbe on pouvait admettre une symbiose. En 1960, toutefois, Dieu eut la bonté d'apparaître en rêve au Herr Pastor et de lui ordonner d'emmener sa famille et tous ses biens à l'Ouest tant qu'il en était temps. On a donc empoché nos bibles et franchi la frontière en laissant Lénine derrière nous.

– Tout ça est vraiment effroyable, Sasha. Tu avais des frères et sœurs ?

– Un frère aîné, le préféré de mes parents. Il est mort.

– A quel âge ?

– Seize ans.

– De quoi ?

– Pneumonie avec complications respiratoires. Une lente et longue agonie. J'enviais Rolf parce qu'il était le chouchou de maman, mais je l'aimais parce que c'était un bon frère. Pendant sept mois, je lui ai rendu visite tous les jours à l'hôpital et j'ai assisté à ses derniers moments. Ce n'est pas une veillée dont je garde un bon souvenir.

– Ça, j'en suis sûr, acquiesce Mundy avant de se hasarder à demander : Et qu'est-ce qui est arrivé à ton corps ?

– Apparemment, j'ai été conçu pendant une permission du Herr Pastor, et je suis né dans un fossé alors que ma mère tentait de fuir l'avancée des Russes. On lui a dit plus tard, et c'est sans doute inexact, que j'ai été privé d'oxygène dans son ventre. Quant à ce dont elle a été privée, elle, je ne peux guère que l'imaginer, mais il était franchement insalubre, ce fossé. Bref, le Herr Pastor a opéré son passage spirituel de l'Est à l'Ouest avec sa souplesse coutumière. Il s'est fait remarquer par une organisation missionnaire du Missouri aux accointances douteuses, qui l'a fait venir à St Louis pour suivre un cours d'instruction religieuse. Avec son diplôme mention très bien en poche, à son retour en Allemagne de l'Ouest, c'était un fervent conservateur chrétien du XVIIe siècle et un partisan convaincu du capitalisme chrétien libéral. On lui a trouvé une cure dans un ancien fief nazi du Schleswig-Holstein, où tous les dimanches, pour le bonheur de sa congrégation, il chante les louanges de Martin Luther et de Wall Street du haut de sa chaire.

– Sasha, c'est horrible, tout ça. Horrible et extraordinaire. On peut aller dans le Schleswig-Holstein l'écouter ?

– Jamais de la vie. Je l'ai complètement renié. Pour tous mes camarades, il est mort et enterré. C'est le seul point sur lequel lui et moi sommes d'accord. Il refuse autant de reconnaître un fils athée et militant de gauche que moi un père renégat, prosélyte et hypocrite. Voilà pourquoi, avec sa bénédiction, je l'ai rayé de mon existence. Tout ce que je demande, c'est qu'il ne meure pas avant que j'aie pu lui dire une dernière fois toute ma haine.

– Et ta mère ?

– Elle est vivante, mais elle ne vit pas. Contrairement à ta nurse irlandaise, elle n'a pas eu la chance de mourir en couches. Elle arpente les tourbières du Schleswig-Holstein, livrée à son chagrin et sa honte pour ses enfants, et elle parle sans cesse de se suicider. Il faut dire que, quand elle était encore une jeune mère, elle s'est fait violer fréquemment par nos victorieux libérateurs russes. »

Son verre vide devant lui, Sasha est assis à son bureau, aussi rigide qu'un condamné à mort face au peloton d'exécution. A le voir et l'écouter ironiser sur lui-même, Mundy éprouve un de ces élans de générosité d'âme qui lui donnent une vision claire des choses. C'est donc le pragmatiste anglais peu expansif et non le tourmenté allemand en quête des vérités de l'existence qui remplit les verres et propose un petit toast pour Noël.

« Allez, à nous ! marmonne-t-il avec une réserve de bon ton. *Prosit*. Joyeux Noël, et tout ça. »

Encore renfrogné, Sasha lève son verre et ils boivent à leur santé selon le rituel allemand : lever son verre, regarder l'autre droit dans les yeux, boire, lever de nouveau son verre, échanger encore un regard, s'accorder un instant de silence pour reposer son verre et jouir de l'instant avec reconnaissance.

*

Les liens d'amitié sont voués à se resserrer ou se défaire. Plus tard, dans le souvenir de Mundy, cette nuit de Noël a vu leur relation s'approfondir en une complicité naturelle. Désormais, Sasha ne se rend plus au Club républicain ou au Chat rasé sans demander vivement à Mundy s'il vient aussi. Dans les bars d'étudiants ou lors de promenades lentes et pénibles le long des chemins de halage gelés du canal et des berges du fleuve, Mundy sert de Boswell à son Johnson-Sasha, de Sancho Pança à son Don Quichotte. Quand leur communauté s'enrichit d'un lot de bicyclettes volées à des bourgeois, Sasha insiste pour que tous deux élargissent leurs horizons en allant explorer les franges de la ville coupée en deux. Toujours partant, Mundy prépare un pique-nique – poulet, pain, bouteille de bourgogne rouge, le tout acheté honnêtement avec son salaire de guide touristique du mur de Berlin. Ils se mettent en route, mais Sasha tient à ce qu'ils parcourent une certaine distance en poussant leurs vélos, parce qu'il veut discuter de quelque chose et que c'est plus pratique en marchant. Une fois loin du squat, il aborde le sujet.

« Au fait, Teddy, je crois bien que je n'ai jamais enfourché un de ces foutus engins », avoue-t-il avec une incroyable désinvolture.

Craignant que les jambes de Sasha n'y parviennent pas et se maudissant de ne pas y avoir pensé avant, Mundy l'emmène au Tiergarten et repère une pente douce herbeuse sans présence d'enfants curieux. Il tient la selle de Sasha, mais celui-ci lui ordonne de le lâcher. Sasha tombe, lance une bordée de jurons, remonte la pente tant bien que mal, essaie à nouveau, tombe à nouveau et jure de plus belle. Mais, la troisième fois, il parvient à maîtriser son corps difforme et à rester en selle. Deux heures plus tard, rayonnant de fierté, l'haleine gelée, assis en pardessus sur un banc, il mange du poulet et discute des adages du grand Marcuse.

*

Mais Noël, comme toujours en temps de guerre, ne marque qu'un arrêt temporaire des hostilités, et la neige n'a pas plus tôt fondu que les tensions entre les étudiants et la ville s'exacerbent à nouveau. Certes, chaque université ouest-allemande est un foyer d'agitation, et des nouvelles de grèves, de démissions massives d'éminents professeurs et de l'avancée triomphale des masses radicales leur parviennent depuis Hambourg, Brême, Göttingen, Francfort, Tübingen, Sarrebruck, Bochum et Bonn, mais Berlin a des comptes autrement plus anciens, plus importants et plus cruels à régler. Dans l'ombre de l'orage qui menace, Sasha fait un saut à Cologne, où court la rumeur qu'un brillant jeune théoricien repousse les limites de la pensée radicale. A son retour, Mundy est prêt à l'action et d'humeur facétieuse.

« Et l'oracle a-t-il indiqué comment les hommes de paix doivent se comporter face au conflit imminent ? s'enquiert-il, s'attendant au moins à l'une des diatribes de Sasha contre la tolérance répressive du pseudo-libéralisme ou le cancer du colonialisme militaro-industriel. Tomates, boules puantes, cocktails Molotov… mitrailleuses Uzi, peut-être ?

– Nous voulons *révéler la genèse sociale du savoir humain*, répond Sasha en enfournant pain et saucisse dans sa bouche avant de foncer à un meeting.

– Ça veut dire quoi, en clair ? demande Mundy, endossant son rôle habituel de public-test.

– L'état primitif de l'homme, son *Ur*état. Le jour n° 1 c'est déjà trop tard. On doit partir du jour zéro. Toute la question est là.

– Il va falloir que tu m'expliques ça en détail », l'avertit Mundy, sourcils dûment froncés.

Et de fait, ce concept le déroute, car Sasha a jusqu'alors soutenu qu'ils devaient s'occuper de dures réalités politiques plutôt que de chimériques visions d'utopie.

« Dans un premier temps, il nous faudra nettoyer l'ardoise de l'homme. Désintoxiquer son cerveau, le purifier de ses préjugés, inhibitions et pulsions ataviques. Le purger de tout ce qui est vieux et pourri, dit-il en avalant un autre bout de saucisse. Américanisme, cupidité, classes sociales, envie, racisme, sentimentalisme bourgeois, haine, agressivité, superstition, soif de propriété et de pouvoir.

– Et y mettre *quoi*, exactement ?

– Je ne comprends pas ta question.

– C'est pourtant simple. Tu nettoies mon ardoise. Je suis pur, je ne suis ni américain, ni raciste, ni bourgeois, ni matérialiste. Je n'ai plus aucune mauvaise pensée, plus aucun mauvais instinct hérité. Qu'est-ce que j'y gagne en retour, à part les coups de botte d'un flic dans les couilles ? »

Debout près de la porte, l'air pressé, Sasha s'irrite soudain de cette inquisition.

« L'indispensable à une société harmonieuse, rien d'autre. Amour fraternel, partage spontané, respect mutuel. Napoléon avait raison : vous autres, Anglais, vous êtes totalement matérialistes. »

Quoi qu'il en soit, c'est une théorie dont Mundy n'entend plus parler.

Chapitre 4

« Ces filles sont des gouines finies », affirme Peter le Viking, à présent mieux connu par Mundy sous son surnom de Pierre le Grand.

Pacifiste originaire de Stuttgart, Peter est venu à Berlin pour échapper au service militaire. Ses riches parents seraient des *Sympis*, des membres de la haute bourgeoisie rongée par la culpabilité qui soutiennent en secret ceux acharnés à les détruire.

« Une cause perdue, reconnaît distraitement Sasha, absorbé par des problèmes de stratégie révolutionnaire plus importants. Ne perds pas ton temps avec elles, Teddy. Ce sont des aberrations de la nature, toutes les deux. »

Ils parlent de Judith la Justice et de Karen la Justice, ainsi baptisées parce qu'elles étudient le droit. Le fait qu'elles se trouvent être les deux femelles les plus désirables du squat ne fait qu'aggraver leur cas. De l'avis de nos deux grands libérateurs, la liberté sexuelle des femmes n'inclut pas le refus de coucher avec d'éminents activistes mâles. Regarde donc leurs jupes en grosse toile, bon Dieu ! lance Peter. Et ces chaussures masculines genre godillots militaires – elles se croient à la parade ou quoi ? Et ces chignons mal foutus, et cette façon de traîner dans le squat comme deux Bourgeois de Calais en mal d'amour ! A en croire Peter, elles ne sortent de la bibliothèque qu'un livre de droit à la fois pour pouvoir lire ensemble au lit. Karen suit les lignes du doigt pendant que Judith fait la lecture.

En dehors d'elles deux, elles ne fraient guère qu'avec l'ex-inquisitrice de Mundy, Christina la Grecque, soupçonnée de partager leurs penchants sexuels. Confronté pour la première fois au phénomène du lesbianisme, Mundy doit bien admettre que tous les indices étayent la rumeur. Les deux jeunes femmes refusent les douches communes, et, du jour où elles ont débarqué dans le squat, elles ont tenu à avoir leur propre chambre, ont posé sur la porte un cadenas et l'écriteau ALLEZ VOUS FAIRE FOUTRE qui y est toujours et que Mundy est allé regarder. S'il lui faut une autre preuve, il peut toujours tenter sa chance et voir ce qu'il récolte à part une mâchoire cassée, prévient Peter.

Malgré tous ces sombres pronostics, Judith la Justice met à rude épreuve le vœu d'indifférence isherwoodienne de Mundy. Ses efforts pour dissimuler sa beauté sont vains. Si Karen a toujours les épaules remontées et l'air renfrogné, Judith est gracile, éthérée. Lors des meetings de protestation où Karen grogne comme un roquet, Judith se contente d'agiter sa chevelure blonde en signe de colère. Mais sitôt le meeting fini, elles redeviennent Judith la Justice et Karen la Justice, Allemandes du Nord de bonne famille, reçues dans les meilleurs salons radicaux de Berlin, flânant main dans la main sur les rivages de Lesbos.

Alors oublie-la, s'ordonne Mundy dès qu'il sent ses espoirs renaître. Ces regards appuyés qu'elle t'adresse durant les cours de conversation anglaise, c'est juste parce que tu es excentrique, très grand et oxfordien. Nos petits badinages, pourtant imputables à elle seule, ne sont qu'une occasion pour elle de tester son anglais avec toi, rien de plus.

« Ai-je prononcé cette phrase correctement, Teddy ? demande-t-elle avec un sourire à faire fondre un glacier.

– Splendide, Judith. Pas une seule syllabe de travers.

– *De travers ?*

– A côté. Un lapsus, quoi. Tu es impeccable. Officiel.

– Mais n'ai-je pas un accent américain, Teddy ? Si c'est le cas, corrige-moi *tout de suite*, je t'en prie.

– Pas le moins du monde, parole de scout. Tout ce qu'il y a de plus anglais. Juré ! » lance Mundy dans les affres de la frustration.

Incrédules, les yeux bleu acier, tels ceux d'un enfant, ne le lâchent pas jusqu'à ce qu'il lui ait tout répété.

« Merci, Teddy. Je te souhaite une *bonne* journée. Pas une *super* journée, parce que ce serait un américanisme, non ?

– Tout à fait. A toi aussi, Judith. Et à toi, Karen. »

Car, évidemment, Judith n'est jamais seule. Karen la Justice est assise à son côté, à s'appliquer avec elle, à tout apprendre sur les coups de glotte avec elle, à souffler avec elle lorsqu'ils s'emploient tous à prononcer *go away* sans y insérer de fricative. Les choses en restent là, quand un beau jour il apparaît que Karen la Justice a quitté le squat sans prévenir ni dire où elle allait. On la prétend d'abord souffrante, puis en visite chez sa mère mourante, jusqu'à ce que quelqu'un se rappelle que ses parents ont été tués le dernier jour de la guerre. Une descente de police dans une coopérative voisine fait alors courir une autre rumeur : Karen la Justice fuirait la justice, en d'autres termes elle aurait suivi sainte Ulrike Meinhof dans son périple clandestin. Ulrike notre guide moral, notre gauchiste en chef, grande prêtresse de la Vie alternative, Jeanne d'Arc du Mouvement question courage et intégrité, qui a récemment annoncé au monde radical que la fusillade pouvait commencer. Le bruit circule aussi que Christina l'a accompagnée, privant du même coup Judith de son âme sœur et le squat de la moitié de ses revenus. Mais, pour Mundy, c'est la vision de Judith errant telle Ophélie dans les couloirs de la communauté qui est insoutenable. Il est donc tout surpris lorsqu'un soir, posant sa frêle main sur son bras, elle lui demande s'il voudrait l'accompagner dans son *somnambulisme*.

« Du *somnambulisme*, Judith ? Diable ! Je te suivrai où tu voudras ! dit-il, manquant d'ajouter *et pas seulement pour faire du somnambulisme*, mais se ravisant à temps. Tu es sûre que c'est ça que tu veux dire ? Qu'est-ce que c'est en allemand, si je puis me permettre ?

– *Nachtwandlung*. C'est un acte d'importance politique, top secret. Il s'agit de mettre les Berlinois face à leur passé fasciste. Tu veux bien ?

– Sasha vient aussi ?

– Malheureusement, il sera à Cologne pour consulter certains professeurs. Et puis il n'est pas très bon à vélo.

– Sasha se débrouille très bien à bicyclette, s'empresse de rectifier loyalement Mundy. Tu devrais le voir. Il file comme un lièvre. »

Judith reste dubitative.

C'est le début du printemps, mais la météo l'ignore. Des rafales de neige fondue le poursuivent dans l'obscurité tandis qu'il se dirige vers une école en ruine près du canal. Pierre le Grand et son amie Magda l'y ont précédé, ainsi que Torkil, un Suédois, et une amazone bavaroise nommée Hilde. Sur ordre de Judith, chaque conspirateur s'est muni d'une lampe torche, d'une bombe de peinture rouge vif et d'un pot de silicate de potasse, solution mystérieuse réputée s'incruster si profond dans le verre que pour l'enlever il faut déposer la vitre entière. Chargé de l'intendance, Pierre le Grand fournit une bicyclette volée à chaque combattant. Mundy porte trois chemises de son père, une écharpe et un vieil anorak. Sa lampe torche, son silicate et sa peinture sont dans sa musette. Torkil et Pierre le Grand ont apporté des passe-montagnes, et Hilde arbore un masque à l'effigie du président Mao. Se postant devant un plan de la ville, Judith briefe ses troupes avec son accent nord-allemand. Elle a remplacé sa toile à sac par un pull de pêcheur sur de très longs collants blancs en laine. Si elle porte une jupe, cela ne se remarque pas.

Nos cibles de ce soir sont les anciens domiciles, ministères et quartiers généraux du IIIe Reich, aujourd'hui reconvertis en bâtiments inoffensifs, annonce-t-elle. Le but de l'opération est éducatif. Il s'agit de contrer l'amnésie de la bourgeoisie berlinoise en indiquant la fonction de chaque bâtiment durant la période nazie. L'expérience nous a montré que les porcs de Berlin-Ouest sont révoltés par ces inscriptions et organisent des actions pour remplacer les vitrines et effacer les graffitis. C'est donc une double victoire que nous allons remporter, contre l'amour bourgeois de la propreté et contre les efforts du système des porcs pour nier son passé nazi. Nos objectifs principaux, poursuit-elle en les indiquant sur le plan, seront : Tiergartenstrasse 4, le centre du programme d'euthanasie, puis les bureaux d'Adolf Eichmann dans la Kurfürstenstrasse, aujourd'hui pratiquement démolis pour faire place à un bel hôtel tout neuf, et le quartier général de Heinrich Himmler à l'angle de la Wilhelmstrasse et de la Prinz Albrechtstrasse, hélas victime du Mur, ce qui ne nous empêchera pas de faire de notre mieux. Si les circonstances opérationnelles nous le permettent, nous nous attaquerons aussi aux centres de rassemblement où étaient regroupés les juifs de Berlin avant leur déportation vers les camps de la mort, dont la gare de Grunewald, où se trouvent encore les rampes d'accès construites à cette fin, et l'ancien tribunal militaire de la Witzlebenstrasse, où sont commémorés les quelques braves qui ont comploté contre Hitler, à l'inverse des millions qui l'ont soutenu à fond et sont commodément oubliés. Notre graffiti au Schlosspark visera cette injustice.

Nous avons aussi envisagé de nous rendre à Wannsee, où a été adoptée la solution finale de Hitler pour les juifs, mais, les conditions météorologiques étant défavorables, Wannsee fera l'objet d'une action séparée. Les objectifs secondaires de ce soir incluront en revanche les réverbères tant admirés de cette ville conçus par Albert Speer, l'architecte personnel de Hitler. Peter aura pour mission de coller dessus des papillons invitant tous les bons nazis à soutenir le génocide américain au Vietnam.

Judith avancera en première ligne devant Teddy et Torkil, Peter et Hilde fermeront la marche, et Magda restera en arrière pour guetter les porcs et faire diversion s'ils essaient de déjouer l'opération. Rires. Magda est jolie et délurée. Pour gagner sa vie sans trahir ses principes révolutionnaires, elle n'a pas honte de se prostituer à l'occasion. Elle envisage aussi de porter l'enfant d'un couple stérile de petits-bourgeois pour pouvoir poursuivre ses études.

L'équipe se met en route, Mundy prenant la corde par erreur à cause de ses grandes jambes, puis freinant l'allure pour laisser passer Judith, ce qu'elle fait à toute vitesse. Tête baissée, fesses gainées de blanc en l'air, elle le double en sifflant *L'Internationale*. Toute discipline abandonnée, il lui donne la chasse, salué par des cris de joie dans la nuit glacée, et *L'Internationale* devient leur cri de guerre. Cheveux au vent tandis qu'elle ondule au rythme de son chant, Judith décore une vitrine et Mundy, son compagnon d'armes, en enjolive une autre. Un message circule alors à mi-voix dans le groupe : porcs en approche à 2 heures. L'arrière-garde décroche, mais Judith poursuit son œuvre, d'abord en allemand puis en anglais, à l'intention de nos lecteurs britanniques et américains, sous la protection de Mundy, son garde du corps autodésigné. Après une course-poursuite effrénée à travers les ruelles pavées, l'équipe se regroupe pour l'appel, Pierre le Grand sort une Thermos bienvenue remplie de vin chaud bourgeois, et ils repartent tous à l'assaut de leur prochaine cible. Quand les troupes victorieuses rentrent épuisées au squat, quelques zébrures orangées dans les tourbillons de neige annoncent l'aube. Revigoré par le froid et l'excitation de la poursuite, Mundy escorte Judith à sa porte.

« Ça te dirait de faire un brin de conversation en anglais, si tu n'es pas trop fatiguée ? », propose-t-il, l'air dégagé, pour voir se refermer doucement à son nez la porte avec sa pancarte lui ordonnant d'aller se faire foutre.

Il reste éveillé sur son lit pendant une éternité. Sasha avait raison, nom de Dieu : même délaissée, Judith est une cause perdue. Tandis qu'il gît frustré, Ilse lui rend visite, puis Mme McKechnie dans sa robe de mousseline noire transparente, mais il les congédie d'un geste las. Arrive alors Judith la Justice en personne, dans le plus simple appareil, sa chevelure blonde retombant en cascade sur ses épaules. « Teddy, Teddy, je te prie de te réveiller », dit-elle en le secouant par l'épaule avec une impatience croissante. Tu parles, songe-t-il avec aigreur. Il a beau battre des paupières, le mirage ne se dissipe pas dans la froide lumière matinale. Agacé, il tend le bras, mais, au lieu de rencontrer le vide auquel il s'attendait, il touche les fesses entièrement nues de Judith la Justice. Bêtement, sa première idée est qu'elle est en cavale et cherche un endroit où se cacher, comme Christina et Karen la Justice.

« Qu'est-ce qui se passe ? Une descente de police ? demande-t-il en anglais, devenu leur *lingua franca*.

– Pourquoi ? Tu préférerais faire l'amour avec les flics ?

– Non, bien sûr que non.

– Tu as rendez-vous aujourd'hui ? Avec une autre fille, peut-être ?

– Non. Pas du tout. Et je n'ai pas d'autre fille.

– On va prendre tout notre temps, s'il te plaît. Tu es mon premier homme. Ça te décourage ? Tu es trop anglais, peut-être ? Trop digne ?

– Au contraire. Enfin, je veux dire que ça ne me décourage pas du tout, et je ne suis pas digne non plus.

– Tant mieux. J'ai dû attendre que tout le monde dorme avant de venir te voir. Question de sécurité. Après, tu ne diras à personne qu'on a fait l'amour, je te prie, sinon tous les hommes de la communauté voudront faire l'amour avec moi, et ce serait gênant. Tu es d'accord ?

– Bien sûr. Je suis d'accord avec tout. Tu n'es pas ici. Je dors. Rien ne se passe. Je resterai bouche cousue.

– Bouche cousue ? »

Ainsi Ted Mundy, le vrai bébé pour ce qui est du sexe, devient-il l'amant triomphant de Judith la Justice, gouine finie.

*

L'intensité de leur relation sexuelle les unit en une seule et même force rebelle. Leurs premiers transports assouvis, ils se réfugient dans la tanière de Judith. L'écriteau ALLEZ VOUS FAIRE FOUTRE reste accroché, mais le soir du même jour la chambre est devenue leur nid d'amour. La discrétion réclamée par Judith et son exigence qu'ils parlent anglais même durant leurs ébats leur ménagent un petit monde à l'écart des autres terriens. Il ignore tout d'elle et elle de lui. Poser des questions banales serait commettre le péché mortel du conformisme. A peine parfois une réponse lui échappe-t-elle au hasard d'une phrase.

Elle n'est pas encore *eingebläut*, mais certaine de le devenir dès les manifs du printemps prochain.

A l'instar de Trotski et Bakounine, elle compte rester une révolutionnaire professionnelle toute sa vie, dont sans doute une bonne partie en prison ou en Sibérie.

Elle considère l'exil dans le froid glacial, les travaux forcés et les privations comme des étapes nécessaires sur la voie de la perfection radicale.

Elle étudie le droit parce qu'elle y voit l'ennemi de la justice naturelle et qu'elle tient à connaître son ennemi. Tous les juristes sont des enfoirés, clame-t-elle avec satisfaction, citant un de ses gourous. Mundy ne trouve rien d'illogique à ce qu'elle choisisse une profession qui grouille d'enfoirés.

Impatiente de balayer toutes les structures sociales répressives, elle croit que seul un combat incessant permettra au Mouvement d'obliger le système des porcs à tomber son masque de démocratie libérale et à montrer son vrai visage.

Or, la forme que doit prendre ce combat était la pierre d'achoppement entre elle et Karen. Comme cette dernière, elle accepte la thèse de Régis Debray et de Che Guevara selon laquelle, si le prolétariat n'est pas assez prêt ou mûr, l'avant-garde révolutionnaire doit se mettre à la place des masses. Elle reconnaît aussi que dans ce cas l'avant-garde acquiert le droit d'agir au nom du prolétariat défaillant. Mais c'est sur la méthode qu'elles ne sont pas d'accord ou, selon Judith, la méthode et la moralité.

« Si je verse du sable dans le réservoir d'essence d'un porc, considères-tu cet acte comme moralement acceptable ou non ? exige-t-elle de savoir.

– Acceptable à cent pour cent. C'est tout ce que méritent ces porcs », affirme vaillamment Mundy.

Ce débat a lieu, comme d'habitude, dans le lit de Judith. Le printemps s'annonçant, les amants sont entrelacés dans les rayons du soleil qui entre à flots par la fenêtre. Mundy s'est voilé le visage de la longue chevelure blonde de Judith, dont la voix lui parvient comme à travers une brume vaporeuse.

« Et si c'est une grenade que je fourre dans le réservoir à essence d'un porc, est-ce moralement acceptable ou non ? »

Mundy ne se dérobe pas, mais, malgré son état d'extase permanent, il a un instant d'hésitation et s'assoit avant de répondre.

« Euh, là, non, déclare-t-il, tout décontenancé que le mot anglais *grenade* sorte aussi facilement des lèvres de sa bien-aimée. C'est catégoriquement inacceptable. Pas question. Ni dans un réservoir à essence ni ailleurs. Motion *rejetée*. Demande à Sasha, il est de cet avis.

– Pour Karen, la grenade est plus que moralement acceptable, elle est souhaitable. Tous les moyens sont bons contre la tyrannie et le mensonge. Tuer un oppresseur, c'est accomplir un geste humain, protéger les opprimés. Et c'est logique. Pour Karen, un terroriste est quelqu'un qui a une bombe mais pas d'avion. Nous ne devrions pas avoir de *Hemmungen* bourgeoises.

– Des inhibitions, traduit Mundy, s'efforçant d'ignorer le ton légèrement didactique qu'a pris la voix de Judith.

– Karen adhère entièrement au précepte de Frantz Fanon selon lequel toute violence exercée par les opprimés est légitime, ajoute-t-elle par provocation.

– Eh bien pas moi, réplique Mundy en se laissant retomber dans le lit. Et Sasha non plus », précise-t-il comme pour clore le sujet.

Suit un long silence.

« Tu veux que je te dise quelque chose, Teddy ?

– Quoi, mon amour ?

– Tu n'es qu'un trouduc anglais insulaire et impérialiste. »

*

Considère ça comme un passage obligé, s'encourage Mundy en revêtant à nouveau les chemises de son père, cette fois en guise de cotte de mailles. Les manifs sont des batailles pour rire, jamais des vraies. Tout le monde sait où elles vont se passer, quand et pourquoi. Personne n'est sérieusement blessé, sauf à vraiment le chercher. Pas même un jour de grandes manœuvres.

Enfin, combien de fois me suis-je retrouvé épaule contre épaule avec Ilse, sauf que son épaule m'arrivait au coude, à descendre Whitehall au cœur d'une foule compacte, avec des flics nous encadrant pour éviter d'utiliser leurs matraques ? Et que se passait-il ? Quelques gnons par-ci par-là, un rare coup de pied dans les côtes, de la petite bière par rapport à un match de rugby à l'extérieur contre l'équipe de l'école de Downside quand on est un avant trop grand mais trop efflanqué. Il est vrai que, par un acte de bienveillance (ou peut-être de malveillance) divine, il n'a pas pris part à la grande marche sur Grosvenor Square. Mais il a manifesté ici à Berlin, occupé des bâtiments universitaires, participé à des sit-in, dressé des barricades, et, grâce à ses talents de joueur de cricket, gagné ses galons comme lanceur prodigieux de boules puantes et de pierres, le plus souvent contre des fourgons de police blindés, retardant ainsi l'avancée du fascisme d'au moins un centième de seconde.

Bon, d'accord, Berlin n'est ni Hyde Park ni Whitehall. C'est moins sport, plus viril. Et d'accord, les chances ne sont pas franchement égales, avec d'un côté une équipe bardée de fusils, de matraques, de menottes, de boucliers, de casques, de masques à gaz, de gaz lacrymogènes, de canons à eau et de cars pleins de renforts au coin de la rue, et face à tout cela, voyons, eh bien, pas grand-chose, sinon des caisses de tomates et d'œufs pourris, quelques tas de pierres, beaucoup de jolies filles et un noble message pour l'humanité.

Mais bon, nous sommes entre gens civilisés, non ? Même en ce jour spécial pour Sasha, notre orateur charismatique, notre prétendant au trône de leader, notre Quasimodo de la genèse sociale du savoir qui, à en croire la rumeur, pourrait remplir l'*Aula* avec les filles qu'il a baisées. Jour spécial car, selon des confidences sur l'oreiller recueillies l'air de rien par cette dévergondée de Magda auprès d'un flic, ce même Sasha a été désigné aujourd'hui pour faire l'objet d'une attention particulière, raison pour laquelle Mundy, Judith, Pierre le Grand et d'autres membres de son fan-club se sont groupés autour de lui sur les marches de l'université. C'est aussi pour cette raison que les porcs eux-mêmes sont venus en nombre se familiariser avec les doctrines de l'école de Francfort avant d'inviter poliment Sasha à monter dans une *grüne Minna*, surnom allemand du panier à salade, et à les accompagner au commissariat le plus proche, où on lui demandera avec tout le respect dû à ses droits constitutionnels garantis par la Loi fondamentale de faire une déclaration volontaire indiquant les noms et adresses de ses camarades, ainsi que leurs projets pour soumettre la moitié de ville hautement inflammable de Berlin-Ouest au saccage et à la rapine et, plus généralement, pour ramener le monde où il en était avant de succomber aux multiples maux du fascisme, du capitalisme, du militarisme, du consumérisme, du nazisme, de la Coca-colonisation, de l'impérialisme et de la pseudo-démocratie.

Sujets précis que va évoquer Sasha dans son sermon du jour sur la pelouse sacrée de l'Université libre, et que la vue du cordon de police se resserrant autour de lui l'incite à développer le plus à fond possible. Il crache son mépris et sa haine pour l'Amérique, qui pilonne des villes vietnamiennes, empoisonne les moissons et napalmise la jungle. Il réclame une nouvelle session du tribunal de Nuremberg, où les dirigeants américains fascistes et impérialistes comparaîtraient pour génocide et crimes contre l'humanité. Il accuse les vils laquais américains du soi-disant gouvernement de Bonn de blanchir le passé nazi allemand par le biais du consumérisme et de convertir la génération Auschwitz en un troupeau de gros moutons obnubilés par des réfrigérateurs, téléviseurs et Mercedes neufs. Il vilipende le chah et la Savak, sa police secrète soutenue par la CIA, sans épargner les Colonels grecs financés par les Américains et « l'État fantoche américanisé d'Israël ». Il énumère les guerres d'agression de l'Amérique, depuis Hiroshima jusqu'à la Corée en passant par l'Amérique centrale, l'Amérique du Sud, l'Afrique et le Vietnam. Il adresse un salut fraternel à ses amis activistes de Paris, Rome et Madrid, et rend hommage aux courageux étudiants américains de Berkeley et de Washington, « qui ont vaillamment ouvert la voie que nous empruntons tous ». Il fustige une bande de réactionnaires furieux qui lui crient de la boucler et de retourner à ses chères études.

« La boucler ? hurle-t-il. Vous qui êtes restés muets sous le joug nazi, vous venez nous dire de rester muets sous le vôtre ? Nous sommes des enfants sages. Nous avons trop bien appris notre leçon. En vous écoutant, bande de connards ! En écoutant nos parents nazis ! Et on peut vous promettre une chose : les enfants de la génération Auschwitz ne resteront jamais muets, JAMAIS ! »

Il est juché sur une caisse à savon que Mundy lui a fabriquée sur l'établi de Faïçal dans l'arrière-salle du café. Judith se tient à côté de Mundy, coiffée d'un casque de pompier, le bas du visage couvert par un keffieh, sa veste Mao rembourrée par le pull de cricket de Mundy. Son plus beau secret, c'est le corps incomparable qu'elle cache sous ces fripes informes et que seul Mundy partage avec elle. Ce corps, il le connaît mieux que le sien, jusqu'au moindre pli, au moindre contour, et chaque cri de plaisir indigné qu'il lui arrache est un cri venu de son propre cœur. En politique comme en amour, elle n'est heureuse que s'ils franchissent ensemble les dangereuses frontières de l'anarchie.

Tout à coup, il ne se passe rien, du moins rien dont Mundy ait conscience, comme si le film et la bande-son s'étaient arrêtés en même temps avant de redémarrer. Sasha continue de laïusser, perché sur sa caisse, mais les figurants poussent des hurlements. Le cercle de policiers armés se resserre sur les manifestants, les matraques martèlent les boucliers, les premières bombes lacrymogènes sont lancées, sans gêner les policiers qui ont judicieusement mis leurs masques. Pris dans la fumée et les jets de canons à eau, les étudiants s'enfuient en tous sens, hurlant et pleurant à cause des gaz. Mundy a l'impression que ses oreilles, son nez et sa gorge fondent sous l'effet de la chaleur, et des larmes l'aveuglent, mais il sait qu'il ne faut surtout pas les essuyer. Des trombes d'eau lui cinglent le visage, il voit des matraques fendre l'air alentour, entend des sabots de chevaux claquer sur le pavé et les gémissements d'enfant des blessés. Dans la mêlée de corps hurlants se débattant autour de lui, un seul combattant fait preuve de classe, c'est Judith la Justice. Au grand étonnement de Mundy, elle a sorti une immense batte de base-ball de sous sa veste Mao et, faisant fi des consignes de résistance passive édictées par Sasha, elle frappe si violemment sur le casque neuf d'un jeune policier que celui-ci le reçoit entre ses mains comme un don du ciel et tombe à genoux avec un sourire niais. « Teddy, *du gibst bitte Acht auf Sasha !* » conseille-t-elle poliment à Mundy, utilisant pour une fois la superbe langue de Thomas Mann plutôt que l'anglais réservé à leurs ébats. Puis elle disparaît sous une masse enchevêtrée d'uniformes marron et bleu, hors de portée de Mundy. La dernière image qu'il a d'elle, c'est qu'elle a troqué son casque de pompier contre une calotte sanglante, mais son exhorte résonne encore à ses oreilles : *Teddy, prends bien soin de Sasha, je t'en prie*, et il se souvient qu'Ilse lui avait fait la même requête, et qu'il se l'est aussi répétée en lui-même.

Les canons à eau sont amenés, mais les deux armées sont tellement entremêlées que les porcs hésitent à arroser la leur, et Sasha braille toujours son message du haut de sa caisse. Les porcs sont à portée de matraque, un sergent obèse hurle : « Attrapez-moi ce foutu nabot de malheur ! » et voilà que Mundy fait une chose qu'il n'aurait jamais rêvé faire, et n'aurait d'ailleurs jamais faite s'il l'avait prévue : le fils du major Arthur Mundy, détenteur de la médaille Machin-chose du Pakistan pour avoir occis vingt cavaliers, charge l'ennemi. Mais c'est Sasha, et non un fusil Bren, qu'il tient dans ses bras. Obéissant aveuglément aux ordres de Judith la Justice et à ses propres instincts, il a arraché Sasha de sa caisse et l'a balancé sur ses épaules. Avec les pieds de Sasha gigotant d'un côté et ses mains de l'autre, il se fraie un chemin à travers les gaz lacrymogènes de l'ennemi et le tas de corps ensanglantés et hurlants, insensible aux coups de matraque qui pleuvent sur lui, n'entendant rien d'autre que les jurons et récriminations de Sasha – pose-moi par terre, espèce d'idiot, cours, taille-toi d'ici, les porcs vont te tuer –, jusqu'au moment où le soleil réapparaît, et Mundy est soulagé d'un énorme boulet parce qu'il a exécuté de son mieux les ordres de Judith et que Sasha a glissé de ses épaules pour traverser la place à toute allure. Et c'est Mundy, pas Sasha, qui est assis dans le fourgon de police, les mains menottées à une barre au-dessus de sa tête tandis que deux policiers se relaient pour le tabasser : Ted Mundy devient *eingebläut*, et il n'a pas besoin de la traduction de Sasha pour comprendre ce mot.

*

Jamais Mundy ne parviendra vraiment à retracer la suite des événements. Il y a le fourgon, le poste de police, la cellule qui pue tout ce qu'est censée puer une cellule : excréments, larmes salées, vomis et, parfois, sang tiède. Il la partage quelque temps avec un Polonais chauve qui se vante d'être un meurtrier récidiviste, en roulant beaucoup les yeux et en ricanant. Dans la salle d'interrogatoire, pas de Polonais. C'est le domaine privé de Mundy et des deux policiers qui lui ont administré sa première raclée dans le fourgon et remettent ça sous l'impression erronée qu'il est Pierre le Grand, la barbe rasée, qui se ferait passer pour un sujet britannique. Il possède encore une carte d'étudiant en bonne et due forme qu'ils pourraient regarder, même si l'adresse est fausse, ainsi qu'un passeport britannique, qu'il a malheureusement laissés dans le grenier de crainte de les perdre dans la bagarre. Il propose d'aller les récupérer, mais évidemment il ne peut dire à ses inquisiteurs où les trouver sans les diriger droit vers Sasha et le squat illégal. Son entêtement sur ce point décuple leur fureur. Cessant de l'écouter, ils lui tombent dessus par pur plaisir : l'entrejambe, les reins, la plante des pieds, l'entrejambe à nouveau. Par souci esthétique, ils laissent le visage relativement intact, mais au bout du compte pas tout à fait autant qu'ils le souhaiteraient. Périodiquement, Mundy perd connaissance. Périodiquement, ils le ramènent dans sa cellule, ce qui leur permet de se reposer un peu. Combien de fois ce petit jeu se reproduit-il, cela reste flou pour lui, tout comme la fin soudaine de son martyre et le transport en ambulance jusqu'à l'hôpital militaire anglais. Il garde la vision de lumières bleues dans son crâne et non dans la rue, où elles devraient être, le souvenir de draps propres qui sentent le désinfectant et d'une salle miroitante, domaine d'une infirmière pour enfants qui porte un chronomètre plaqué argent accroché à la poitrine de sa blouse blanche.

« Mundy ? Mundy ? Pas un parent de ce saligaud de major *Arthur* Mundy, l'ancien de l'armée des Indes, quand même ? s'enquiert le médecin-chef militaire d'un ton soupçonneux en examinant son corps momifié. Non, impossible.

– Je crains que non.

– N'ayez crainte. Au contraire, dites-vous bien que vous avez de la chance. Bon, vous voyez combien de doigts, là ? Parfait. Excellent. »

*

Il est allongé dans la cabine du bateau mais sans le réconfort des birmans du major. Il est blotti à côté de Rani près de la mare entre les rochers, mais il ne peut pas se relever. Il a la tête dans un lavabo et s'accroche aux robinets dans la salle d'eau de l'école pendant que les *prefects* se relaient pour le tabasser à cause de son manque de piété chrétienne. Il est exclu, pestiféré. Sa seule vue pourrait contaminer les autres. C'est un intouchable, et un avis ronéotypé placardé juste de l'autre côté de la porte en témoigne : **ACCÈS INTERDIT AUX CIVILS**, ou, comme le dirait Judith, allez vous faire foutre. En confirmation de cet avis, un sergent de la police militaire en képi rouge chargé de veiller à son bien-être lui fait part de ses sentiments à la seconde où Mundy est à peu près capable de se traîner dans le couloir pour aller aux toilettes.

« Si c'était entre nos mains que vous étiez tombé, on vous aurait appris les bonnes manières, l'assure-t-il. Vous seriez mort et content de l'être. »

Un officiel britannique vient lui rendre visite. M. Amory, indique la carte de visite, M. Nicholas Amory, vice-consul, haut-commissariat britannique de Berlin. Il est son aîné d'à peine quelques années et, pour un fieffé bourgeois anglais des classes tyranniques, étonnamment aimable. Malgré son beau complet en tweed, il a une allure négligée rassurante, avec des souliers en daim particulièrement laids. La musette du major pendille à l'épaule de son veston bien taillé.

« Qui donc vous a envoyé ces raisins, Edward ? demande-t-il avec un sourire en les tripotant.

– La police berlinoise.

– Non, c'est vrai ? Et les chrysanthèmes ?

– Aussi.

– Je trouve ça rudement élégant de leur part, pas vous ? Vu la pression qu'ils subissent en ce moment, les pauvres, ajoute-t-il en posant la musette au pied du lit. On est au front, ici, vous savez. On ne peut pas leur reprocher de péter les plombs de temps en temps, surtout quand ils sont provoqués par une bande d'étudiants des universités publiques qui ont la tête dans leur petit cul gauchiste –

comme vous, en gros, ajoute-t-il après avoir tiré une chaise, en étudiant de près le visage de Mundy d'un œil critique. Qui est votre charmant ami, Edward ?

– Lequel ?

– Le petit crétin qui a déboulé dans nos bureaux comme un régiment de SS, répond-il en prenant une grappe de raisin. Il a doublé toute la queue, balancé votre passeport sur le bureau de la réception, a hurlé à notre employé allemand d'assurer votre relaxe de la police de Berlin-Ouest, sinon… gare. Et puis il a filé avant même qu'on ait eu le temps de noter son nom et son adresse. Notre pauvre réceptionniste a eu la trouille de sa vie. Un vague accent saxon, c'est tout ce qu'il a pu dire. Perceptible mais pas outrancier. Seul un Saxon peut être aussi balourd. Vous avez beaucoup d'amis comme lui, Edward ? Des Allemands de l'Est furibards qui ne laissent pas leur nom ?

– Non.

– Depuis combien de temps êtes-vous à Berlin ?

– Neuf mois.

– Vous habitez où ?

– Ma bourse est arrivée à terme.

– Où habitez-vous ?

– A Charlottenburg.

– Quelqu'un m'a dit Kreuzberg. »

Pas de réponse.

« Vous auriez dû venir signer le registre. Les étudiants britanniques en détresse, c'est notre grande spécialité.

– Je n'étais pas en détresse.

– Oui, eh bien, vous l'êtes à présent. Vous avez joué lanceur sur le circuit des écoles privées, si je ne m'abuse ?

– Ça m'est arrivé.

– On a une équipe assez correcte, ici. Trop tard, maintenant. Dommage. Comment il s'appelle, par curiosité ?

– Qui ça ?

– Votre nabot de chevalier saxon boiteux. Sa trogne dit quelque chose à notre réceptionniste. Il pense l'avoir déjà vu dans les journaux.

– Je n'en sais rien. »

Amory semble quelque peu amusé par cette réponse. Il regarde ses vilaines chaussures en daim avant de reprendre.

« Bon, bon. La question est de savoir ce que nous allons faire de vous, Edward. »

Mundy n'a aucune suggestion. Il se demande si Amory n'est pas l'un des *prefects* qui l'ont battu dans la salle d'eau.

« Vous pourriez faire un scandale, j'imagine. Engager six avocats. On peut même vous fournir une liste. Bon, de leur côté, les flics engageraient des poursuites, bien sûr. Atteinte à l'ordre public, pour commencer. Abus de votre statut de résident étranger, ce qui ne plaira pas aux juges. Fausse domiciliation. Nous ferions évidemment de notre mieux pour vous aider. On vous glisserait du pain français entre les barreaux. Vous avez dit quelque chose ? »

Mundy n'a pas pipé mot, et Amory peut bien lui donner une raclée s'il veut.

« Pour la police, il y a juste eu erreur sur la personne. Si vous aviez été le bon, ils auraient été chaudement félicités. D'après eux, c'est un assassin polonais fou qui vous a fait ça. Est-ce possible ?

– Non.

– En tout cas, *ils* sont disposés à passer un marché, si nous sommes d'accord. Ils vous épargnent la totale, mais vous, vous ne les attaquez pas pour la petite mésaventure qui vous serait – ou ne vous serait pas – arrivée pendant que vous étiez au trou. Et nous, on s'épargne un joli fard bien anglais durant cette délicate période de crise internationale en vous faisant sortir clandestinement de Berlin, déguisé en esclave nubien. Ça vous va ? »

L'infirmière de nuit est aussi grosse qu'Ayah, mais elle ne raconte pas d'histoires sur le prophète Mahomet.

*

Comme les héros astucieux dans les films, il arrive déguisé en médecin, au point du jour, quand la sentinelle du sergent somnole sur sa chaise et que Mundy, allongé sur le dos, envoie des messages mentaux à Judith. La blouse blanche, dix fois trop grande pour lui, s'orne de trois galons sur chaque épaule, un stéthoscope pendille à son cou et une paire d'immenses surchaussures de chirurgien recouvre ses baskets élimées. Tout Berlin-Ouest devait être à l'affût d'un affreux nabot teigneux, mais cela ne l'a pas arrêté, il est ingénieux. Il s'est faufilé à l'entrée ou a négocié son passage auprès des sentinelles, et, une fois à l'intérieur de l'hôpital, il a foncé droit à la salle de garde et forcé un placard. Ses yeux sont cernés d'un jaune maladif, sa mèche semble trop jeune pour lui, sa mine menaçante de révolutionnaire a laissé place à une vive incertitude. Le reste de sa personne est encore plus petit et ratatiné qu'avant.

« Teddy, les mots me manquent. Ce que tu as fait pour moi, rien moins que me sauver la vie, est le geste d'un ami que je ne mérite pas. Comment puis-je m'acquitter de cette dette ? Personne n'a jamais accompli un acte de sacrifice aussi absurde pour moi. Tu es anglais, et pour toi toute vie n'est qu'un événement fortuit. Mais moi, je suis allemand, et ce qui n'a pas de logique n'a pas de sens. »

Deux petits lacs se sont formés au fond des yeux marron, la grosse voix est rauque à l'intérieur de son étroite poitrine et ses propos semblent soigneusement réfléchis.

« Comment va Judith ? demande Mundy.

– Judith ? Judith la Justice ? fait-il, semblant avoir du mal à situer ce nom. Ah oui, Judith, elle va bien, merci, Teddy. Très affectée par cette ignominie, comme nous tous, mais pas brisée, tu t'en doutes. Elle a souffert d'une petite blessure à la tête et elle a inhalé trop de gaz. Comme toi elle est *eingebläut*, mais elle s'en est remise. Et elle t'envoie son meilleur souvenir, dit-il avant d'ajouter, comme pour clore le sujet : Son très chaleureux souvenir, Teddy. Elle t'admire pour ce que tu as fait.

– Où est-elle ?

– Au squat. Elle a porté un petit pansement pendant quelques jours, mais maintenant plus rien. »

Le « rien » et le silence qui suit poussent Mundy à afficher un sourire sans humour.

« *A la fille qui n'a rrrien sur elle*, dit-il, scandant bêtement en anglais un vers de mirliton que le major aimait à réciter pendant ses beuveries. Elle sait qu'ils vont m'expulser ?

– Judith ? Bien sûr. Un acte tout à fait anticonstitutionnel. En tant que juriste, elle est outrée. Sa première réaction était d'aller au tribunal. J'ai dû faire appel à tous mes talents de persuasion pour la convaincre que ton statut ici n'est pas aussi inattaquable qu'elle le voudrait.

– Et tu y as réussi.

– A grand-peine. Comme bien des femmes, Judith accepte mal les arguments de circonstance. En tout cas, tu serais fier d'elle, Teddy. Grâce à toi elle est complètement libérée. »

Après quoi, comme cela se fait entre bons amis, Sasha s'assoit au chevet de Mundy et lui prend le poignet, plutôt que sa main esquintée, mais en évitant toutefois son regard. Mundy, allongé, regarde Sasha, mais Sasha, assis, regarde le mur, jusqu'à ce que Mundy, par politesse, finisse par faire semblant de s'être endormi. Sasha s'en va, et la porte semble se refermer deux fois : la première sur Sasha, la seconde sur une Judith complètement libérée.

Chapitre 5

Des années sans relief, des années de frustration, d'errance, vont freiner le parcours de Ted Mundy, éternel apprenti de la vie. Il y verra plus tard sa traversée du désert, bien qu'au total elles se montent à moins d'une décennie.

Il est chassé de la ville à l'aube, et ce n'est pas la première fois de sa courte existence. Pas de charge d'âme envers un père déshonoré. Une route plate et bitumée. Pas de Rani en larmes, courbée comme une infirme aux grilles de l'enceinte, et, malgré tous ses regards alentour, pas de Judith. Une Jeep rutilante à guêtres blanches remplace l'antique camion militaire de Murree, et c'est le sergent de la police militaire, non un guerrier pendjabi, qui lui prodigue un dernier conseil amical.

« Tu reviens quand tu veux, mon gars. On se souviendra de toi, et on t'attendra de pied ferme. »

Le sergent n'a pas lieu de s'inquiéter. Après trois semaines passées à étudier le plafond de sa chambre d'hôpital, Mundy n'a aucune intention de revenir, ni aucune destination en vue. Doit-il retourner à Oxford ? En tant que quoi ? Sous quel déguisement ? L'idée de reprendre sa licence au côté de bons petits élèves qui n'ont pas connu leur baptême du feu idéologique lui répugne. Dès l'atterrissage à Heathrow, ses instincts l'emmènent à Weybridge, où le soûlaud de notaire présent aux obsèques de son père le reçoit dans une sombre maison de faux style Tudor appelée Les Pins. Il pleut, mais c'est habituel.

« On aurait aimé que vous ayez la décence de répondre à notre courrier, se plaint le notaire.

– On l'a fait, réplique Mundy, qui l'aide à retrouver le document égaré dans un tas de dossiers effrangés.

– Ah oui, bon, nous y voilà. Il y a bien quelque chose dans la tirelire, finalement. Votre défunt père Arthur a autorisé un prélèvement bancaire sur son compte épargne, l'imbécile. Il l'aurait annulé il y a longtemps, s'il avait su. Ça ne vous ennuie pas que je prélève 500 livres comme acompte sur mes honoraires ? »

Tous les juristes sont des enfoirés, se souvient Mundy en claquant la grille du jardin derrière lui. Il descend la rue et passe devant le Golden Swan illuminé, d'où les derniers fêtards sortent sous la pluie. Mundy se revoit parmi eux avec son père.

« Bonne compagnie, ce soir, mon garçon, dit le major, s'accrochant à son bras comme un homme qui se noie. Conversation de haut vol. On n'a jamais ça dans un mess. On n'y parle que boutique.

– C'était très intéressant, père.

– Si tu veux sentir battre le cœur de l'Angleterre, ce sont ces gens-là qu'il faut écouter. Je ne parle pas beaucoup, mais j'écoute. Surtout Percy. Un vrai puits de connaissance. Je ne comprends toujours pas ce qui l'a fait dévier. »

Le n° 2, The Vale a été rasé. Pour autant que Mundy peut en juger à la lueur du réverbère, tout ce qu'il en reste est la pancarte d'un promoteur vantant des appartements familiaux avec trois chambres et un emprunt à 90 %. A la gare, le dernier train est parti. Un vieillard avec un berger allemand propose chambre et petit déjeuner pour 5 livres en liquide payables d'avance. A midi, Mundy est redevenu le petit nouveau à bord du train qui l'emmène vers l'école dans l'Ouest, à l'affût des gamins qui se recoiffent en public.

Battant drapeau de St George, l'abbaye se profile au-dessus de la ville lugubre telle une crypte sortie de terre. A ses pieds, The Close, et en haut de la colline la vieille école. Mais Mundy ne grimpe pas la pente. Jamais ces lieux n'ont pu accueillir les réfugiés nécessiteux de l'Allemagne hitlérienne enseignant le violoncelle ou la langue de Goethe, préférant les reléguer au premier étage d'une maison en brique rouge sur le rond-point au-dessus d'un magasin de chaussures. La petite porte se trouve dans une ruelle. Le bristol portant l'élégante écriture allemande de Mandelbaum y est encore fixé par des punaises rouillées. *En dehors des heures d'ouverture, appuyez sur* RDC. *Pour Mallory, appuyez sur 1er et* ATTENDEZ *s'il vous plaît*. Mundy appuie sur *1er* et attend s'il lui plaît. Au son d'un bruit de pas, il ébauche un sourire avant de comprendre que ce ne sont pas ceux qu'il espérait. Ceux-là sont pressés, précipités, et une voix qui se rapproche crie vers le haut de l'escalier : « Attends, Billy, maman revient dans une minute ! »

La porte s'entrebâille et se bloque. La même voix dit : « Zut ! » La porte claque et Mundy entend que l'on débloque la chaîne pour l'ouvrir en grand.

« Qu'est-ce que c'est ? »

Les jeunes mamans sont toujours pressées. Celle-ci a un visage rose, animé, et de longs cheveux qu'elle rejette en arrière pour que Mundy la voie bien.

« J'espérais trouver M. Mallory, explique Mundy en montrant la pancarte défraîchie. Il enseigne à l'école. Il habite au premier.

– Celui qui est mort ? Demandez à la boutique. Ils sauront. J'arrive, Billy ! »

Mundy se met en quête d'une banque où on encaisse des chèques au porteur de notaires sis à Weybridge libellés à des jeunes gens qui attendent Godot.

*

En avion une fois de plus, Mundy flotte entre rêve et réalité. Rome, Athènes, Le Caire, Bahreïn et Karachi le laissent transiter sans commentaire. A l'aéroport de Lahore, ignorant les offres diverses et variées de nuitées, il se remet entre les mains d'un chauffeur de taxi nommé Mahmoud qui parle anglais et panjâbi, porte une moustache militaire et possède une Wolseley de 1949 avec tableau de bord en acajou et œillets en cire dans un petit vase fixé à la lunette arrière. Et Mahmoud connaît *l'endroit exact, sahib, promis juré, l'endroit absolument exact* où une gouvernante irlandaise catholique et sa fille décédée auraient été *très pieusement mises en terre*, pour la bonne raison que, pure coïncidence, il est l'ami depuis toujours et le cousin germain d'un vieux sacristain chrétien à turban blanc qui dit s'appeler Paul, comme le saint, et détient un registre relié cuir qui, moyennant un petit don, indique les sépultures des distingués sahibs et memsahibs.

Le cimetière est un terrain ovale en dénivelé, voisin d'une usine à gaz abandonnée, jonché d'anges décapités, de pièces détachées de vieilles voitures et de croix en béton fracassées, entrailles à l'air. La tombe se trouve au pied d'un arbre dont les larges branches forment une si large mare d'obscurité sous le soleil aveuglant que Mundy, dans son hébétude, la croit d'abord béante. L'inscription gravée sur la pierre tombale qui s'effrite est tellement passée que Mundy doit deviner les mots en suivant les lettres du doigt : *A la mémoire de Nellie O'Connor, du comté de Kerry en Irlande, et de sa petite Rose. Avec l'amour de son époux Arthur et de son fils Edward. Qu'elles reposent en paix.*

Edward, c'est moi.

Des gamins s'attroupent pour lui tendre des fleurs prises sur d'autres tombes. Faisant fi des mises en garde de Mahmoud, Mundy glisse de l'argent dans chaque menotte, et la colline devient une ruche de petits mendiants, tandis que le grand Anglais voûté rêve d'être l'un d'eux.

*

A l'étroit sur le siège du passager, ses genoux heurtant le tableau de bord en acajou de l'antique Wolseley, le fils prodigue de retour se voit traverser la brume cendrée qui, en Inde, fait écran où que vous alliez et vous attend où que vous arriviez. A flanc de coteau, il reconnaît les brasseries en pierre désaffectées construites par l'Empire pour arroser le curry du major. C'est la route que nous avons suivie quand on nous a renvoyés en Angleterre, se dit-il. Voici les chars à bœufs qu'on a klaxonnés, et les enfants qui nous ont suivis des yeux mais auxquels je n'ai pas rendu leur regard.

Les virages se suivent maintenant à un certain rythme auquel la Wolseley obéit tel un brave cheval de fardier. Des montagnes bistre écimées par la brume se dressent devant eux. Sur leur gauche se déploient les contreforts de l'Hindû Kûsh, surplombés par le pic protecteur de Nanga Parbat.

« Et voilà votre ville, sahib ! » s'écrie Mahmoud.

La voilà en effet. Maisons brunes perchées sur une corniche entr'aperçues avant le prochain virage. Les vestiges laissés par les Anglais prennent un aspect militaire : guérite écroulée, caserne moribonde, aire de rassemblement envahie par les herbes. Un ultime effort de la Wolseley, quelques virages, et ils arrivent en ville. Déjà guide touristique et chauffeur, Mahmoud s'improvise agent immobilier. Il connaît toutes les belles propriétés de Murree et leur prix avantageux. Cette rue principale est actuellement l'une des plus chic de tout le Pakistan, sahib. Vous remarquerez les bons restaurants, les commerces d'alimentation et les boutiques de vêtements. Dans ces paisibles rues annexes, vous verrez les superbes villas d'été des citoyens les plus riches et les plus avisés d'Islamabad.

« Méditez sur ces vues magnifiques, sahib ! Admirez les plaines lointaines du Cachemire ! Quant au climat, il est des plus agréable, et les forêts de pins sont pleines d'animaux à longueur d'année ! Respirez donc le doux air de l'Himalaya ! Quel bonheur ! »

S'il vous plaît, montez la colline, demande le fils prodigue.

Oui, par là. Dépassez la base aérienne pakistanaise et continuez.

Merci, Mahmoud.

La base aérienne est pourvue d'une piste recouverte de tarmac et non d'herbe. Un étage a été ajouté aux quartiers des officiers. *Ces tantouses en bleu, ils bouffent tout le budget à chaque coup*, Mundy entend-il le major râler. La route est à présent criblée de trous et envahie par la végétation. Une pauvreté crasse remplace la richesse de la ville. Après quelques kilomètres, ils arrivent à une côte brunâtre où sont disséminés des cantonnements militaires désertés et de pauvres villages.

Arrêtez-vous là, s'il vous plaît, Mahmoud. Merci. C'est parfait.

Des chèvres, des chiens errants et les éternels mendiants rôdent sur le terrain de manœuvres envahi par l'herbe. Jouxtant la mosquée, le carré de terre poussiéreux où s'entraînaient les futurs champions de cricket est occupé aujourd'hui par un mouroir. La même main qui a rasé le n° 2, The Vale, a transformé le bungalow du major en un squelette à demi desséché, arrachant son toit en fer-blanc, ses portes et son balcon, mais laissant les fenêtres béantes contempler cette désolation.

Posez les questions, s'il vous plaît, Mahmoud. J'ai oublié mon panjâbi.

Ayah ? Tout le monde est une ayah, sahib ! Comment s'appelle-t-elle ?

Elle n'avait d'autre nom qu'Ayah. Elle était très grosse. Mundy manque d'ajouter qu'elle avait des fesses énormes et s'asseyait sur un petit tabouret dans le couloir près de sa chambre, mais il ne veut pas que les enfants se moquent. Elle travaillait pour un major anglais qui habitait ici, dit-il. Il a dû partir précipitamment. Il buvait trop de whisky. Il aimait s'asseoir sous ce margousier pour fumer des birmans. Il pleurait son épouse, adorait son fils et déplorait la Partition.

Mahmoud traduit-il tout cela ? Sans doute pas. Lui aussi a de la délicatesse. Ils trouvent le plus vieil homme de la rue. *Oh, je me souviens bien d'Ayah, sahib ! Une Madrassi, si j'ai bonne mémoire. Toute sa famille avait atrocement péri dans les nombreux massacres, sauf elle, cette brave femme. Voilà, monsieur, voilà les faits, comme on dit. Après le départ des Anglais, personne ne voulait plus d'elle. Elle a commencé par mendier, et puis elle est morte. Vers la fin, elle était toute maigre. Le sahib n'aurait pas reconnu l'énorme femme qu'il décrit. Rani ?* réfléchit-il, se prenant au jeu. *De quelle Rani s'agit-il, sahib ?*

Celle dont le père possédait une ferme à épices, répond Mundy par un exploit de sa mémoire qui l'étonne lui-même jusqu'à ce qu'il se rappelle qu'elle lui faisait cadeau d'épices enveloppées dans des feuilles d'arbres.

Soudain le vieil homme se souvient très bien de Rani. *Mlle Rani est mariée, et bien mariée, sahib, je peux vous l'assurer. Vous serez heureux d'apprendre sa bonne fortune, monsieur. Quand elle avait tout juste quatorze ans, son père l'a donnée en mariage à un riche industriel de Lahore, ce qu'ici nous appelons une union des plus convenables. A ce jour, ils ont trois beaux garçons et une fille, ce qui n'est déjà pas mal, merci, sahib. Vous êtes très généreux, comme tous les Anglais.*

Ils repartent vers la Wolseley, mais le vieillard ne les quitte pas, serrant le bras de Mundy et plongeant son regard dans le sien avec une étrange bienveillance.

Et maintenant, je vous supplie de rentrer chez vous, monsieur, de grâce, dit-il d'un ton fort jovial. *Ne nous imposez plus votre commerce, je vous en conjure. Ne nous envoyez plus de soldats, nous en avons assez comme ça, merci. Vous autres, Anglais, nous avez pris ce dont vous aviez besoin. Cela vous suffit sûrement. Il est temps que vous nous laissiez un peu tranquilles.*

Attendez-moi ici, dit Mundy à Mahmoud. Surveillez la voiture.

Il descend lentement le sentier forestier, avec l'impression qu'il est pieds nus et qu'Ayah va l'appeler dans une minute pour lui crier de ne pas trop s'éloigner. Les troncs des deux grands arbres sont toujours aussi énormes, et le sentier en lacet entre eux conduit au bord du ruisseau. La mare renvoie toujours ses éclats de nacre, mais le seul visage qui s'y reflète est le sien.

*

Très chère Judith, écrit Mundy dans un anglais scolaire le soir même, une fois rentré à sa chambre d'hôtel d'un quartier pauvre de Lahore. *Tu me dois au moins quelques nouvelles de toi. J'ai besoin de savoir que le temps qu'on a vécu ensemble a signifié autant pour toi que pour moi. Il faut que je puisse croire en toi. C'est une chose de passer sa vie à chercher. C'en est une autre de se sentir en terrain mouvant. Je suis sûr que tu aimerais cet endroit. Il est peuplé par ce que tu appellerais le vrai prolétariat. Je suis au courant pour Sasha, et cela m'est égal. Je t'aime. Ted.*

Ce qui ne me ressemble pas du tout, se dit-il. Mais qu'est-ce qui me ressemble, en fait ? La boîte aux lettres de l'hôtel porte les armoiries de la reine Victoria. Espérons que Sa Majesté saura trouver le squat de Kreuzberg.

*

Retour en Angleterre. Tôt ou tard il faut bien se rendre. Peut-être son visa n'est-il plus valable, peut-être Mundy s'est-il lassé de sa propre détestable compagnie. Profitant d'une tradition consacrée, l'ancien *head prefect* et héros de cricket se fait embaucher par une école primaire privée rurale qui accepte les professeurs non diplômés contre un salaire au rabais. En embrassant la discipline comme une vieille connaissance, il s'attaque avec son zèle habituel aux mystères de la ponctuation, des genres et des pluriels germaniques. A ses moments perdus après la correction des devoirs, il met en scène *Ambrose Applejohn's Adventure* et fait l'amour en cachette dans la guérite du tableau d'affichage attenant au terrain de cricket de l'équipe A avec un ersatz de Judith qui se trouve être l'épouse du professeur de sciences. Pendant les vacances scolaires, il se convainc d'être le nouvel Evelyn Waugh, point de vue que ne partagent pas les éditeurs. Entre-temps, il expédie des lettres de plus en plus désespérées au squat. Dans certaines, il parle de mariage, dans d'autres d'un cœur brisé, mais toutes résonnent étrangement du ton prosaïque de sa lettre de Lahore. Sachant juste que son nom de famille est Kaiser et qu'elle vient de Hambourg, il épluche les annuaires à la bibliothèque, harcèle les renseignements internationaux et dérange tous les Kaiser du littoral d'Allemagne du Nord dans l'espoir qu'ils connaîtront une Judith. Mais aucun ne l'oriente vers son ancienne élève d'anglais.

A l'égard de Sasha, il adopte une approche plus réservée, tant il y a de côtés qu'il trouve rétrospectivement déplaisants chez son ancien coturne. Il s'irrite de la fascination que Sasha exerçait sur lui quand ils étaient face à face. Il regrette son respect aveugle pour les concepts philosophiques abracadabrants de Sasha. Il est contrarié, malgré ses protestations du contraire, que Sasha ait été l'amant d'Ilse avant lui et de Judith après lui. Un jour je lui écrirai, se promet-il. En attendant, j'écris mon roman.

Aussi est-il tout déconcerté, trois longues années après son expulsion de Berlin, de recevoir un paquet défraîchi de lettres envoyées aux bons soins de son collège à Oxford, puis réexpédiées à sa banque après de longs mois de purgatoire dans la loge du concierge.

*

Il y en a douze, dont certaines font jusqu'à vingt pages dactylographiées en interligne simple sur l'Olivetti portable de Sasha, agrémentées d'addenda et de post-scriptum de son écriture gothique pointue. La première pensée honteuse de Mundy est d'expédier le tout à la poubelle. La seconde, de les cacher quelque part où il ne les retrouvera pas : derrière la commode, ou dans les chevrons de la guérite d'affichage. Mais, après les avoir déplacées çà et là quelques jours, il se verse un verre bien tassé, les classe par ordre chronologique et en entreprend la lecture.

Il se sent d'abord ému, puis honteux.

Il cesse de s'apitoyer sur lui-même.

C'est un Sasha désespéré qui lui écrit.

C'est le cri de douleur d'un ami fragile qui n'a pas déserté le champ de bataille.

Envolés, le ton cassant, les déclarations péremptoires du haut de son trône, remplacés par la quête éplorée d'une lueur d'espoir dans un monde qui s'est effondré autour de lui.

Sasha ne réclame rien de matériel. Ses besoins quotidiens sont rares et faciles à satisfaire. Il peut se faire sa cuisine (Mundy en frémit), il ne manque pas de femmes (ce serait nouveau) ; des magazines lui doivent de l'argent, mais l'un d'eux finira bien par le payer avant de couler ; Faïçal, dans son café, distille en douce un arak qui rendrait un cheval aveugle. Non, le drame de la vie de Sasha est d'un ordre bien plus noble : la gauche radicale ouest-allemande est aujourd'hui un mouvement sans influence et Sasha un prophète sans patrie.

« La résistance passive s'est muée en résistance nulle, et la désobéissance civile en violence armée. Les groupes maoïstes s'entretuent au grand amusement de la CIA, les extrémistes ont pris la relève des radicaux, et ceux qui ne se soumettent pas aux réactionnaires de Bonn sont exclus de ce qu'il faut appeler la société. Tu ignorais peut-être que nous avons maintenant une loi bannissant officiellement de la vie publique tous ceux qui ne prêtent pas allégeance aux *principes fondateurs de la démocratie libérale* ? Un cinquième des travailleurs ouest-allemands, des cheminots aux professeurs et à moi-même, sont considérés comme des non-êtres par les fascistes ! Tu te rends compte, Teddy ? Je n'ai pas le droit de conduire un train, sauf si j'accepte de boire du Coca-Cola, de bombarder le barrage du fleuve Rouge et de napalmiser les enfants vietnamiens ! Je serai bientôt obligé de porter un S jaune me flétrissant comme socialiste ! »

Mundy cherche à présent avidement des nouvelles de Judith, et il finit par en trouver, perdues dans une note en bas de page traitant de sujets sans relation avec le thème central de la lettre, qui est Sasha, comme toujours.

« Les gens quittent Berlin de nuit, sans qu'on sache où ils vont, le plus souvent. Pierre le Grand serait parti à Cuba se battre pour Fidel Castro. Si j'avais deux bonnes jambes et les épaules de Peter, je me consacrerais peut-être aussi à cette grande cause. Sur Christina court une rumeur déprimante : grâce à l'influence de son père, elle aurait été autorisée à retourner à Athènes où, avec l'aimable consentement de la junte militaire fasciste de son pays soutenue par l'Amérique, elle compterait intégrer la compagnie de navigation familiale. Sans écouter mes conseils, Judith a rejoint Karen à Beyrouth. J'ai peur pour elle, Teddy. Elle a choisi une route héroïque, mais malavisée. Certaines fractures culturelles sont trop profondes pour être réduites, même entre révolutionnaires. Selon un ami récemment rentré de cette région, tous les Arabes jusqu'aux plus radicaux condamnent notre révolution sexuelle, qu'ils assimilent à de la décadence occidentale. Pareil préjugé ne laisse rien augurer de bon, vu les tendances libertaires de Judith. Hélas, au moment de son départ, j'exerçais peu d'influence sur ses actes. C'est une femme obstinée, impulsive et peu réceptive à des arguments de modération. »

Un portrait aussi injuste du grand amour de Mundy ravive sa flamme romantique : *Va la retrouver ! Envole-toi pour Beyrouth ! Ratisse les camps d'entraînement palestiniens ! Rejoins le combat, écarte-la de Karen, ramène-la saine et sauve !* S'apercevant néanmoins qu'il est toujours assis sur sa chaise, il poursuit sa lecture.

« J'en ai vraiment marre de la *théorie*, Teddy. Marre de ces poseurs bourgeois pour lesquels la révolution se résume à fumer de l'herbe et non du tabac devant leurs enfants ! Le luthérien honni en moi refuse de s'endormir, je l'admets, je l'admets. Au moment où je t'écris, je suis prêt à renoncer à la moitié de mes croyances en échange d'une vision claire des choses. Voir luire à l'horizon une grande vérité rationnelle, me diriger vers elle sans tenir compte du prix à payer, des sacrifices, voilà mon rêve suprême. Demain me changera-t-il ? Rien ne peut me changer. Seul le monde change. Et ici en Allemagne de l'Ouest, il n'y a pas de demain. Il n'y a que hier, l'exil, ou l'asservissement aux forces impérialistes. »

Mundy commence à éprouver une lassitude familière, et s'il écoutait Sasha en direct il aurait déjà décroché. Mais il continue sa lecture.

« Tout acte de protestation actuellement accompli par la gauche ne sert qu'à légitimer la conspiration de droite que nous sommes obligés d'appeler démocratie. Notre existence même en tant que radicaux étaye l'autorité de nos ennemis. La junte militaro-industrielle de Bonn a si bien raccroché l'Allemagne de l'Ouest au wagon de guerre américain que nous ne pourrons jamais lever un petit doigt contre ses atrocités. »

Il fulmine encore, mais Mundy ne lit plus qu'en diagonale.

« Nos voix officiellement tolérées sont tout ce qu'il nous reste pour combattre la tyrannie organisée… Les véritables idéaux socialistes sont devenus les eunuques de cour du panthéon de Bonn… »

Le Panthéon renfermait-il des eunuques ? Mundy le professeur pédant en doute. Se léchant un doigt, il saute quelques pages, puis quelques autres. Ah, grande nouvelle : Sasha fait toujours du vélo. *Je ne suis pas tombé depuis ce jour où tu m'as appris à monter au Tiergarten.* Mais les nouvelles de son ancien mentor à Cologne sont moins bonnes : *Ce salaud a désavoué la moitié de ses écrits et a mis les voiles vers la Nouvelle-Zélande !*

Mundy écarte la lettre et prend la dernière du lot, qui débute par une déclaration alarmante : *Ici, j'attaque la seconde bouteille d'arak.* L'écriture est plus coulante et, malgré le style ampoulé, le contenu plus intime.

« Je ne te reproche pas ton silence, Teddy. Je ne te reproche rien. Tu m'as sauvé la vie, je t'ai volé ta femme. Si tu es toujours fâché contre moi, reste-le, je t'en prie. Sans la colère nous ne sommes rien, rien, rien. » Ravi de l'apprendre. Quoi d'autre ? « Si ce silence te permet de protéger ta muse littéraire, protège-la bien, écris bien, cultive ton talent. Jamais plus je ne te manquerai d'égards. En te parlant, je m'adresse à cette oreille bienveillante qui a écouté tant de mes conneries que j'en rougis. » Ah, tu en es conscient, donc. « M'écoute-t-elle encore, cette oreille ? Je le crois. Tu ne t'encombres pas de vues idéologiques. Tu es mon confesseur bourgeois, moi qui poursuis mon odyssée de métamorphose logique. Pour toi seul, je suis capable de penser tout haut. Je vais donc te murmurer à travers la grille que je suis comme ce poète persan qui, ayant entendu tous les beaux arguments du monde, ressort toujours par la porte même par laquelle il est entré. Je la vois devant moi, cette porte sombre. Elle est ouverte pour me laisser entrer. » *Une porte sombre ?* De quoi il parle, là ? De suicide ? Par pitié, Sasha, reprends-toi ! songe Mundy, pourtant sérieusement inquiet.

Page inachevée. Passons à la suivante. L'écriture est devenue irrégulière, un message glissé dans une bouteille par un naufragé qui envisage de se jeter du haut de la falaise.

« Or donc, Teddy, voilà ton ami à la croisée des chemins. » La croisée des chemins ou une sombre porte persane ? Décide-toi, imbécile ! « Et quels noms est-ce que je lis sur le poteau indicateur ? Le brouillard est si dense que je peux à peine les déchiffrer. Alors, réponds-moi, mon ami. Ou mieux encore, réponds à mes nouveaux séducteurs. Si notre ennemi de classe est l'impérialisme capitaliste (et qui peut en douter ?), qui donc est notre ami de classe ? T'entends-je m'avertir que Sasha s'aventure dans des sables mouvants ? » Ah, j'y suis, ta porte sombre ouvre sur une plage, d'accord. « Tu as raison, Teddy ! Tu as raison, comme toujours ! Pourtant, combien de fois ne m'as-tu pas entendu déclarer que le devoir de tout vrai révolutionnaire est de s'investir dans ce qui sera le plus utile à la cause ? » Mundy n'en a pas souvenance, mais sans doute n'écoutait-il pas. « Voilà, Teddy, tu peux constater par toi-même à quel point je me suis empalé sur la logique imparfaite de mes propres convictions. Porte-toi bien, cher Teddy. Tu es mon ami absolu. Si je me décide, comme je crains de l'avoir déjà fait, j'emporterai avec moi ton cœur loyal ! »

Poussant un soupir théâtral, Mundy écarte la lettre, mais il lui reste encore une page à lire.

« Écris-moi aux bons soins de Faïçal, au Café Istanbul. Je me débrouillerai pour que tes lettres me parviennent quelles que soient les circonstances. Est-ce que les porcs t'ont laissé un boitillement ? Quels fumiers, ceux-là ! Peux-tu encore fonder une dynastie ? Je l'espère, parce que plus il y aura de Teddy dans ce monde, meilleur il sera. Et tes migraines ? Je tiens à savoir tout ça. A toi dans le Christ, les agapes, l'amitié et le désespoir, Sasha. »

*

En proie à la honte, à l'inquiétude et à une sorte de malaise, comme toujours quand se profile l'ombre de Sasha, Mundy saisit stylo, papier, et s'attelle à la tâche d'expliquer son silence et de jurer loyauté éternelle. Il n'a pas oublié combien l'emprise de Sasha sur la vie était fragile, ni ce sentiment, chaque fois qu'il traînait son corps malingre hors de la pièce, qu'il risquait de ne jamais revenir. Il se souvient des épaules inégales, de la tête imposante, de la claudication incontrôlée, qu'il soit ou non sur une bicyclette. Il se souvient de Sasha à la lueur de la bougie de Noël, soliloquant sur le Herr Pastor. Il se souvient des yeux marron au regard trop sérieux, en quête d'un monde meilleur, incapable de compromis ou de détente. Il lui pardonne résolument Judith. Et il pardonne à Judith aussi, comme il s'employait en vain à le faire depuis plus longtemps qu'il ne veut l'admettre.

La rédaction de sa lettre débute bien mais se tarit.

Fais ça demain matin quand tu seras plus dispos, se dit-il.

Mais le lendemain, il n'est pas plus inspiré que la veille.

Il réessaie dans un moment de lassitude post-coïtale après une rencontre particulièrement satisfaisante dans la guérite d'affichage, mais la lettre chaleureuse et un peu humoristique qu'il mûrit refuse de voir le jour.

Il se fait les pauvres excuses d'usage. Bon sang, ça fait trois ans, quand même ! Sans doute quatre. Faïçal aura fermé son Café Istanbul, il économisait pour s'acheter un taxi.

De toute façon, quel que soit le geste fou qu'envisageait Sasha, il l'aura déjà accompli. Et puis, j'ai ce paquet de compositions d'allemand des élèves de seconde qui m'attend.

Mundy se débat toujours avec ces faux-fuyants quand l'épouse du professeur de sciences, prise d'un imprévisible accès de remords, confesse ses écarts de conduite à son mari. Tous trois sont convoqués dans le bureau du principal, où l'affaire est rondement résolue. Apposant leur signature au bas d'un document aimablement préparé d'avance par le principal, tous les intéressés s'engagent à mettre leurs passions en attente jusqu'à la fin des examens.

« Ça ne vous dirait pas de prendre ma femme avec vous pendant les vacances, mon vieux ? murmure le professeur de sciences à l'oreille de Mundy au pub du village, tandis que sa femme feint de ne pas entendre. On m'a proposé un assez bon job à mi-temps à l'aéroport de Heathrow. »

Mundy regrette, mais il a déjà organisé ses vacances. Et c'est là, alors qu'il cherche ce qu'il a bien pu organiser (et pas seulement pour les vacances), qu'il se trouve soudain libéré de son angoisse de la page blanche. En quelques phrases chaleureuses, il fait écho au serment d'indéfectible loyauté de Sasha, l'engage à reprendre espoir, à ne pas être aussi sérieux – l'expression *bêtement sérieux* du Doktor Mandelbaum lui tombe à point nommé sous la plume. Il recommande un juste milieu. *Ne sois pas si dur avec toi-même, vieux, lâche-toi un peu la bride ! La vie est un merdier que tu ne peux pas arranger à toi tout seul, personne ne le peut, surtout pas tes nouveaux séducteurs, quels qu'ils soient !* Et pour la bonne blague, mais aussi pour signifier qu'il est au-delà de toute jalousie masculine, il fait un récit rabelaisien et quelque peu enjolivé de sa récente liaison avec l'épouse du professeur de sciences.

C'est vrai que je suis au-delà de ça, se raisonne-t-il. Judith et Sasha ont vécu un temps d'amour libre et j'ai accusé le coup. Comme le dit si justement Sasha, sans la colère nous ne sommes rien.

*

Embrassant une carrière journalistique comme tremplin vers l'immortalité littéraire, Mundy se soumet à un cours par correspondance et s'enrôle comme reporter débutant dans un journal de province moribond de l'est des Midlands. Au début, tout s'annonce bien. On admire son papier sur le déclin des harenguiers locaux ; on s'amuse de ses reportages, subtilement enjolivés, sur les coulisses de la mairie ; et aucune épouse de collègue ne brigue la place de Judith. Mais quand, durant les vacances de son rédacteur en chef, il écrit un article sur les travailleurs asiatiques sous-payés d'une conserverie du coin, l'idylle prend brutalement fin, car le directeur de ladite conserverie n'est autre que le propriétaire du journal.

Offrant alors ses talents à une radio pirate, Mundy interviewe des célébrités locales et diffuse des chansons d'antan pour Papa et Maman à l'occasion de leurs noces d'or, jusqu'à un certain vendredi soir où le producteur suggère qu'ils aillent prendre un pot ensemble.

« C'est un problème de classe, Ted, explique le producteur. Les auditeurs trouvent que tu parles comme un gros schnock de la Chambre des lords. »

Suivent des mois difficiles. La BBC refuse sa dramatique. Un conte pour enfants sur un artiste de rue, auteur d'un chef-d'œuvre à la craie, qui recrute une bande de gamins pour l'aider à arracher le pavé, ne trouve pas grâce auprès des éditeurs, dont l'un réagit avec une franchise inopportune : *Nous trouvons les agissements de vos policiers allemands trop violents et leur langage grossier. Nous ne comprenons pas pourquoi vous avez choisi de situer votre histoire à Berlin, ville aux connotations négatives pour beaucoup de nos lecteurs anglais.*

Mais, comme toujours, Mundy voit un rai de lumière au cœur des ténèbres. Dans un trimestriel destiné à un public d'aspirants écrivains, une fondation américaine offre des bourses de voyage aux auteurs de moins de trente ans souhaitant chercher l'inspiration au Nouveau Monde. Sans se laisser intimider par la perspective de s'aventurer dans le château du géant, Mundy joue de son charme devant trois aimables mamies de Caroline du Nord autour d'un thé et de muffins dans un vieil hôtel de Russell Square à Londres. Six semaines plus tard, il se retrouve une fois encore à bord d'un paquebot, qui fait route vers la Terre promise. Debout sur le pont arrière, regardant les contours majestueux de Liverpool s'estomper dans le crachin, il a l'inexplicable sentiment que c'est Sasha et non l'Angleterre qu'il laisse derrière lui.

*

Les années d'errance n'ont pas encore atteint leur terme. A Taos, enfin devenu un véritable écrivain, Mundy loue une hutte d'adobe avec une belle vue sur l'armoise du désert, des poteaux télégraphiques et une meute de chiens errants sortis tout droit de Murree. Assis à sa fenêtre, il boit de la tequila et s'extasie sur le long déclin mauve du soir. Nombreuses sont ces journées et nombreuses les tequilas, tout comme elles l'avaient été pour Malcolm Lowry ou D. H. Lawrence. Les autochtones ne sont pas seulement amicaux, ils sont aussi imbibés de soleil, affables et souvent défoncés. Il ne ressent pas la présence des colonisateurs avides qu'il déplorait à Berlin. Ses efforts pour monter un groupe théâtral local sont contrecarrés non par une agressivité déchaînée, mais par des différends esthétiques.

Ayant pondu cinquante pages d'un roman sur un pays européen imaginaire en proie à des luttes intestines, il les envoie à un éditeur en sollicitant ses conseils pour la suite, mais n'obtient aucune réaction en ce sens. Puis vient un petit recueil de poèmes dédiés à Judith intitulé *L'Amour radical*, imprimé par l'auteur sur du papier artisanal pour un coût deux fois plus élevé que prévu, et qui lui vaut l'admiration de ses pairs méconnus.

Le temps perd de son impact. Mundy déambule le long des rues poussiéreuses lors de ses pèlerinages nocturnes vers l'auberge-motel espagnole en arborant un éternel sourire penaud. Les nouvelles de causes qui lui furent chères lui parviennent comme les fragments de Kipling lus par le major. La guerre du Vietnam est une tragédie sans fin, selon l'opinion répandue à Taos. Plusieurs jeunes ont brûlé leur ordre d'incorporation et ont fui au Canada. Les Palestiniens ont lancé une campagne de terreur, lit-il dans un vieux numéro de *Time*, et la Fraction Armée rouge d'Ulrike Meinhof leur prête main forte. Le visage derrière le masque derrière le fusil est-il celui de Judith ? Ou de Karen ? Cette idée le terrifie, mais qu'y faire ? *Karen adhère entièrement au précepte de Frantz Fanon selon lequel toute violence exercée par les opprimés est légitime.* Eh bien, pas moi. Ni Sasha. Mais toi oui, j'imagine. Et ta libération sexuelle est incompatible avec les valeurs morales des Arabes du front du refus.

Si Mundy éprouve parfois des remords à ne plus défiler dans les rues et à se faire tabasser, quelques verres de tequila suffisent à les noyer. Dans un paradis où tous ceux qui vous entourent ne vivent que pour l'art, il est de bon ton d'en faire autant. Mais le paradis a certains inconvénients que toutes les tequilas du monde ne sauraient noyer. Chassez le passé par la porte, il rentrera par la fenêtre. Posez-vous sur la véranda de la hutte d'adobe avec un bloc de papier sur les genoux, à regarder le même foutu soleil disparaître une fois de plus derrière le même foutu sommet montagneux, tournez en rond nuit après nuit autour de la machine à écrire, en jetant des regards noirs à la page blanche ou à la fenêtre noire et en réveillant votre génie à coups de tequila, et qu'entendez-vous si ce n'est Sasha, la bouche pleine de saucisse à l'ail, discourant sur la genèse du savoir humain ? En chemin vers l'auberge-motel espagnole, quand la solitude du désert vous tombe dessus avec le crépuscule et que vous entreprenez de compter vos anciens amis, qui d'autre que Sasha vous accompagne en boitillant sur le pavé berlinois au Chat rasé, où il va refaire le monde ? Et quand vous êtes dans les bras d'une des nombreuses femmes peintres, écrivains, adeptes de la méditation transcendantale ou chercheuses de vérité dont le chemin vers la lumière passe par votre lit, quel corps sans pareil, avec ou sans longs collants de laine blanche, préside à vos consciencieux efforts ?

*

Et puis, comme dirait Hemingway, il y a notre pauvre petit Bernie Luger, le peintre gestuel barbu, nabot et riche dont le modèle cubain, Nita, ne pose évidemment jamais pour lui puisque Bernie ne peint plus de la putain de chair féminine, il est au-delà de toutes ces conneries, vieux ! Ses chefs-d'œuvre hauts de deux mètres cinquante figurent les enfers noirs et cramoisis du Jugement dernier, son œuvre en cours est un triptyque de la napalmisation du Minnesota, si haut que Bernie a besoin d'une échelle. Tous les peintres de petite taille peignent-ils des toiles gigantesques ? Mundy le soupçonne.

A l'en croire, et il vaudrait mieux le croire, Bernie est le plus grand libertaire et combattant de la liberté depuis Thoreau, dont il lit les œuvres à voix haute lors de ses réceptions qui durent toute la nuit, du haut d'une vertigineuse chaire espagnole marron que lui aurait offerte Che Guevara en remerciement de services qu'il doit taire. Bernie a pratiqué la désobéissance civile à Memphis. Il a été matraqué jusqu'à en perdre connaissance par les gardes nationaux plus de fois qu'il ne s'en souvient – vous voyez cette cicatrice ? Il a pris la tête de marches sur Washington et croupi en prison pour insurrection. Les Panthères noires l'appellent leur Frère et le FBI a mis son téléphone sur écoute et lit son courrier – du moins à l'en croire, mais peu le font.

Comment diable Mundy le supporte-t-il, ce gosse de riche mal embouché avec ses lunettes poisseuses, ses tableaux affreux, sa queue-de-cheval grise et ses prétentions ridicules ? Peut-être Mundy comprend-il la terreur permanente dans laquelle vit Bernie, qu'un simple souffle d'air ferait tomber. Nita le comprend aussi. Cette femme intrépide et insolente au regard de braise, qui couche avec tous les hommes de Taos au nom de la liberté, couve son petit Bernie comme une tigresse.

« Tes conneries à Berlin, là... », beugle Bernie tard un soir en s'appuyant sur un coude pour se faire entendre par Mundy au-dessus de Nita allongée entre eux deux.

La scène se passe dans l'hacienda cinq étoiles de Bernie, une ancienne ferme espagnole au confluent de deux rivières caillouteuses. Une douzaine d'invités affalés autour d'eux se délectent de la sagesse hallucinogène du *peyotl*.

« Oui, quoi ? fait Mundy, regrettant déjà d'avoir avoué son passé gauchiste quelques jours plus tôt dans un moment de faiblesse ou de nostalgie.

– T'étais communiste, c'est ça ?

– Avec un *c* minuscule.

– Putain, l'Angliche, ça veut dire quoi, “un *c* minuscule” ?

– Disons, communiste côté philosophie, mais pas côté institutions. Mi-faucille, mi-marteau, en gros.

– La voie du *compromis*, alors ? raille Luger, qui s'échauffe malgré le fond sonore lénifiant de Simon et Garfunkel. Un sale Gauchiste asexué, avec un *G* majuscule et des couilles minuscules. »

Mundy sait par expérience qu'il vaut mieux ne pas répliquer, dans ces moments-là.

« Eh ben, j'ai été ce genre de mec dans le temps, poursuit Luger un ton plus bas, couché à présent en travers de Nita. La voie du compromis, le chemin de la paix et de l'entente, toutes ces conneries, j'ai donné. Et je vais te dire une bonne chose, vieux : la voie du compromis, ça n'existe pas. C'est de la compromission, bordel ! Au pied du mur, il n'y a pas trente-six solutions. Est-ce qu'on prend le train de l'Histoire en marche ou est-ce qu'on reste sur le quai à le regarder passer en se grattant son joli petit cul d'Anglais ? »

Mundy se souvient que Sasha posait à peu près la même question dans ses lettres, mais il le garde pour lui.

« Bon Dieu, mec, moi, j'y suis dans ce train, et pas qu'un peu ! J'y suis à un point que t'imagines pas, que tu *préfères* ne pas imaginer. Tu m'entends, camarade ? Tu m'entends ?

– Cinq sur cinq, vieux. Sauf que je ne sais pas trop de quoi tu parles, au juste.

– Eh ben, estime-toi foutrement heureux, vieux, parce que si tu savais, tu pourrais en mourir. »

Dans son emportement, il a empoigné l'avant-bras de Mundy d'une main tremblante. Mais il relâche bientôt son étreinte et affiche un pauvre sourire.

« Je plaisante, d'accord ? Je t'aime, l'Angliche, et toi aussi tu nous aimes. Je t'ai rien dit et t'as rien entendu. Même si on doit nous arracher les ongles. Jure-le-moi, vieux. Jure-le !

– Bernie, j'ai déjà tout oublié », l'assure Mundy.

En rentrant chez lui, il songe avec angoisse qu'il n'y a pas de limites qu'un amoureux déçu ne franchirait pour masquer sa fragilité.

*

Un jour, il reçoit une lettre, mais pas de Sasha. Enveloppe de qualité, et tant mieux car elle a commencé son périple au Canada, a traversé deux fois l'Atlantique et, sur la terre ferme, est passée entre de nombreuses mains. Nom de l'expéditeur imprimé en lettres capitales pompeuses dans le coin supérieur gauche : Epstein, Benjamin & Longford, suite numéro tant, ce qui suppose de luxueux bureaux à Toronto. Mundy le suppose donc, et suppose également qu'il va être poursuivi en justice par un mari offensé. Laissant l'enveloppe moisir une ou deux semaines, il attend que le nombre requis de tequilas l'ait amené au niveau d'insouciance requis pour l'ouvrir. La lettre qu'elle contient fait trois pages et demie. L'adresse personnelle et le numéro de téléphone, également à Toronto, lui sont inconnus. La signature, qu'il n'a jamais vue, est un gribouillis professionnel illisible.

> Cher Teddy,
>
> J'imagine que tu seras surpris d'avoir de mes nouvelles après tant d'années, mais bon, tout arrive. Je ne vais pas t'emmerder avec le récit de mes errances (souffrances !) post-débandade générale à Berlin – mon Dieu, qui étions-nous vraiment en ce temps-là ? –, sauf pour te dire que je me suis aperçue que, dans la vie, si on prend un certain nombre de mauvais tournants, à un certain âge on se retrouve au point de départ, et si je regarde les choses en toute objectivité, ce que mon travail m'oblige à faire, je crois en gros que j'en suis là. Depuis Berlin, je pensais ne pas pouvoir descendre plus bas, mais j'avais tort. D'un autre côté, si je n'avais pas touché le fond, je ne me serais jamais rendu compte à quel point ma vie était devenue dingue, je ne serais pas allée à l'ambassade à Beyrouth, je n'aurais pas téléphoné à mes parents pour leur demander de venir me récupérer fissa avant que je tue quelqu'un ou que je me fasse exploser en miettes comme Karen en fabriquant une putain de bombe dans une ruelle de Nairobi.

Bref, qui suis-je à présent ? A) un membre respecté du barreau de l'Ontario, une avocate reconnue à Toronto ; B) la mère d'une adorable petite fille prénommée Jasmine, qui a l'air bien partie pour être mon portrait craché, si tu peux te figurer *ça* ; C) l'épouse de l'homme le plus gentil, le plus charmant, un père parfait qui adore sa petite fille et sa femme, bien sûr, et qui est en fait le plus immonde, le plus chiant et le plus fourbe salopard au monde. Et riche, avec ça, comme moi, d'ailleurs, par rapport aux normes de la classe moyenne canadienne, mais ne va pas croire pour autant que les avocats canadiens sont payés au tarif américain, sujet sur lequel je pourrais m'étendre en long et en large. (Larry est plutôt relax par rapport à l'HHA, l'harmonisation des honoraires d'avocats, mais moi, tu me connais : je suis au premier rang des meneurs !)

J'ai laissé D) pour la fin, la vraie raison pour laquelle je t'écris, Teddy. C'est peut-être un coup d'épée dans l'eau, mais quelque chose me dit que non. Tu sais quoi ? Moi aussi je t'aime, Teddy, bon Dieu ! Toutes ces phrases enflammées dans tes lettres, eh bien elles me titillent les oreilles, et pas juste les oreilles, mais aussi quelques parties de mon anatomie que tu connais bien ! Un jour, me suis-je promis, j'écrirai à Teddy pour lui dire qu'il m'excite ! Sauf que voilà, je dois être la vice-championne des pires correspondants au monde, le premier prix n'ayant pas encore été attribué. Disons que je te l'aurais écrit si je m'y étais vraiment mise. Bref, tu as été ma première baise hétéro, tu m'as dépucelée, si ce terme a encore un sens de nos jours, mais Teddy, bon sang, *ça va plus loin que ça*. Pourquoi ai-je craqué pour Teddy, alors que j'aurais pu le faire pour Pierre le Grand, le plus bel étalon sur terre, ou Sasha notre charismatique Socrate (qui m'a admise plus tard dans son harem, dois-je ajouter, sans grand effet pour moi), ou n'importe lequel de ces charmants jeunes gens qui traînaient au Club républicain ? Pourquoi je mouillais chaque fois que je te voyais te balader dans le squat, quand tous les autres baisaient, laïussaient et se droguaient alentour mais que tu ne leur adressais même pas un regard tellement t'étais cool ? Parce que tu étais quelqu'un de spécial, Teddy, et tu l'es toujours, pour moi. Si je t'insultais de temps en temps, eh bien c'est juste que tu m'as ouvert l'esprit et le reste à la normalité, où, Dieu soit loué, j'en suis aujourd'hui…

Mais Mundy applique déjà le même principe qu'avec les lettres de Sasha : survoler la suite pour voir où Judith veut en venir. Nul besoin d'aller très loin : elle veut Teddy au lieu de Larry. Elle a mené son enquête sur Larry, qui a confirmé ce qu'elle soupçonnait depuis longtemps : il la trompe. Elle ne s'occupe pas personnellement de divorces, mais un associé de son cabinet le fait et lui a dit à titre confidentiel qu'avec les preuves qu'elle détient elle doit pouvoir conclure un accord aux alentours de 2 à 2,5. Et il ne s'agit pas de cacahuètes mais de millions !

> Alors, Teddy, voilà ce que je te propose. Comme je l'ai déjà dit, c'est un coup à tenter. Nous possédons un bungalow au bord du lac Joseph, aménagé pour l'hiver. Il m'appartient. J'ai demandé à Larry de l'acheter en mon nom. Il n'en a même pas la clé. Je veux que tu m'y emmènes, et que ce soit notre Berlin n° 2. Tu te souviens que tu appelais ça notre baisodrome ? Eh bien ce sera le second, et on commencera une nouvelle vie. J'ai une parfaite nounou pour Jasmine.
>
> Judith

En bref, une preuve de plus, si besoin était, songe Mundy, que tous les juristes sont des enfoirés.

*

Le soir même, lors d'une cérémonie secrète, Mundy brûle ses exemplaires restants de *L'Amour radical*. Il partage actuellement sa couche avec Gail, peintre expatriée qui travailla un temps pour un organisme appelé le British Council, selon elle l'équivalent pour l'art anglais du Foreign Office pour la politique anglaise, mais en mieux. A la demande de Mundy, elle relance d'urgence son ancien employeur, un homme marié à l'origine de son exil. Par retour de courrier arrive un formulaire accompagné d'un mot de deux lignes non signé conseillant à Mundy de le remplir sans dire à personne d'où il le tient. Quand il offre ses services au British Council, Mundy omet de mentionner qu'il ne possède pas de diplôme universitaire à proprement parler. Accoudé à la rambarde du bateau lent qui le ramène en Angleterre, il contemple l'éternel littoral boueux de Liverpool qui attend le fils prodigue. Tôt ou tard, songe-t-il pour la seconde fois, il faut bien se rendre.

*

Au British Council, tout le monde l'aime bien d'emblée, et lui aime bien tout et tout le monde. Des gens sympathiques, décontractés, passionnés d'art et d'échanges culturels, mais surtout apolitiques.

Il aime se lever le matin dans son meublé de Hampstead et prendre le bus pour Trafalgar Square. Il aime recevoir son chèque mensuel et aller au réfectoire pour un café-causette. Il aime jusqu'au complet de rigueur. Et il aime Crispin, dont il va reprendre le poste à l'Accueil pour se faire les dents dès que Crispin atteindra soixante ans – sauf que, ne dis rien au chef du Personnel, vieux, c'est soixante-dix ans, ils se sont gourés, confie-t-il à Mundy au déjeuner chez le petit Italien du coin. Pour l'occasion, Crispin a revêtu la grande tenue de l'Accueillant : feutre noir et œillet rouge au revers en velours de sa veste.

« C'est le plus chouette boulot du monde, mon petit. Le plus dur, c'est d'éviter de le perdre pour cause de promotion. Il n'y a qu'à faire l'aller et retour à Heathrow à bord d'une limousine de fonction lente mais sûre – tu demandes Henry, le chauffeur, un chic type –, montrer son laissez-passer au gentil jeune préposé et couvrir de fleurs le distingué invité étranger au nom de Sa Majesté avant de le déposer dans un hôtel à prix réduit dans King's Cross. Avec un peu de chance, l'avion aura du retard, ce qui te donnera le temps de boire un petit remontant dans le salon VIP. Avec un peu de chance, sa chambre ne sera pas prête quand vous arriverez à l'hôtel, et tu devras lui payer un coup. Tu reviens fissa à la base, où tu remplis ta note de frais avec juste ce qu'il faut de panache, et l'affaire est dans le sac. Dis donc, tu paies toute l'addition, là ? Ne t'inquiète pas, tu iras loin ! »

Et c'est ce que fait Mundy. En un tournemain, il devient le meilleur Accueillant du métier.

« Ah, quel honneur, sir, señor, monsieur, madame, Herr Doktor ! s'écrie-t-il jusqu'à deux fois par jour, s'avançant de derrière le poste de douane en agitant le bras. Non, non, tout l'honneur est pour *nous* ! Nous n'osions espérer que vous accepteriez notre invitation. Le ministre est fou de joie. Et puis-je me permettre d'ajouter que je suis personnellement un fan inconditionnel de votre [compléter par le terme adéquat]. Laissez-moi porter votre sac. Au fait, je m'appelle Mundy et je suis l'humble émissaire du ministre. Non, non, simplement M. Mundy. Je suis chargé de veiller à votre confort durant votre séjour et de tout faire pour le rendre agréable. Voici ma carte. Mon téléphone de bureau, et ça c'est mon numéro personnel, en cas d'urgence. »

Ou le même discours en allemand, ou en français passable. Et une boutonnière comme Crispin pour la touche finale.

Mais la vie au British Council ne se résume pas à l'Accueil, et, contrairement à Crispin, Mundy vise haut. Pour l'homme adéquat, il y a de nombreux boulots en or, lui annonce tout net dès leur premier entretien la charmante dame au service du Personnel, qui semble s'être entichée de lui. Des ensembles chorégraphiques ou théâtraux anglais à escorter au loin, sans parler des peintres, écrivains, musiciens, danseurs et chercheurs de tout poil. Fort de ses encouragements maternels, Mundy commence à s'imaginer en ambassadeur culturel itinérant, veillant aux talents d'artistes reconnus tout en cultivant discrètement les siens. Dès que se libère un poste qui, selon la dame du Personnel, pourrait servir à Mundy de tremplin, il se présente. C'est ainsi qu'en quelques mois il passe du simple Accueil au domaine plus riche du Jumelage, avec la tâche délicate de forger des liens culturels entre des communes britanniques réticentes et leurs homologues enthousiastes dans le pays de leurs anciens ennemis.

Ce nouveau poste lui vaut un bureau à lui et une carte de Grande-Bretagne indiquant les poches les plus farouches de résistance anti-allemande. Il écume les campagnes pour aller flatter anciens du village, maires et grands veneurs. Il collabore avec son homologue au Goethe Institute, une timide mais charmante Frau Doktor. Il ratisse aussi activement les écoles, et c'est ainsi que, sans fanfare, il rencontre Kate, jolie principale adjointe à lunettes qui enseigne les mathématiques dans le nord de Londres et consacre ses soirées libres à cacheter des enveloppes pour la section locale du parti travailliste à St Pancras.

Grande, blonde, pragmatique, le teint laiteux et diaphane, Kate a une démarche hésitante qui touche inexplicablement Mundy, jusqu'à ce qu'il se rappelle la grande asperge de nurse irlandaise sur la photo de famille des Stanhope triomphants en leur demeure. Son sourire éthéré semble s'éterniser sur lui après qu'elle l'a effacé. Un soleil bas frappe les fenêtres XIXe siècle de son bureau en bordure de Hampstead Heath, tandis que Mundy fait l'article et que la Frau Doktor à son côté hoche gravement la tête. Le secret réside dans le bon assortiment, insiste-t-il : rien ne sert de marier un canard boiteux à un oiseau de haut vol. Et votre merveilleux établissement, mademoiselle Andrews, si je puis me permettre, est de très haut vol.

« Dites-moi, on ne vous a pas fait annuler un cours, au moins ? s'alarme-t-il après avoir doublé sa dose de charme. Bien, surtout, si *quoi que ce soit* vous tracasse, ne serait-ce qu'un *infime* détail, appelez-moi à ce numéro. Et voilà mon numéro personnel..., annonce-t-il avant de se reprendre : Euh, vous aurez aussi vite fait de venir à pied, prenez à gauche au feu, c'est au n° 7, et vous appuyez sur la sonnette du haut !

– Et voici ma carte à moi, mademoiselle Andrews », murmure la Frau Doktor au cas où ils l'auraient oubliée.

*

Commence bientôt la période de cour. Les vendredis soir, Mundy va chercher Kate à l'école, arrivant tôt pour le simple plaisir de la voir gérer son essaim de bambins multi-ethniques. Au cinéma Everyman de Hampstead, Kate paie sa place, et ils se partagent l'addition de dîners à la taverne grecque Bacchus, au cours desquels ils rient des intrigues au British Council ou des querelles acharnées au parti travailliste de St Pancras. Mundy admire ses dons de mathématicienne, lui qui est infichu de faire une addition ; Kate respecte son amour de la culture allemande tout en avouant que, d'un point de vue purement pratique, elle considère les langues comme un mauvais investissement puisque le monde entier parlera bientôt anglais. Mundy lui confie son rêve de promotion au Service théâtral et artistique international. Kate le trouve fait pour ça. Le week-end, ils se promènent dans Hampstead Heath. Quand l'école de Kate organise une exposition d'œuvres d'art, Mundy est le premier visiteur. Les solides valeurs socialistes de Kate (seule option possible dans sa famille) font bon ménage avec les vestiges de celles de

Mundy, et bientôt lui aussi colle les enveloppes pour le parti travailliste. D'abord en butte aux railleries de ses nouveaux camarades à cause de sa voix et de ses manières distinguées, il les amène bien vite à rire avec lui et non de lui. En dehors du local, Kate déplore l'infiltration de ce parti qu'elle aime par des trotskistes et autres extrémistes. Mundy estime que le moment n'est pas encore venu d'avouer qu'il fut jadis coturne et ordonnance d'un anarchiste pur et dur qui lui a piqué sa copine.

Deux mois se passent avant que nos tourtereaux couchent ensemble. C'est à Kate qu'en revient l'initiative, Mundy se sentant tout intimidé. Elle choisit l'appartement de Mundy, et un samedi après-midi où les voisins du dessous regardent un match international de football à la télévision. Leur promenade dans Hampstead Heath baigné des bruns et ors de l'automne leur a fait traverser des rais obliques de soleil parfumés d'une odeur de feu de bois. Après avoir refermé derrière elle la porte d'entrée de Mundy et mis la chaîne, Kate retire son manteau, puis tous ses vêtements jusqu'à se retrouver nue, et enfouit son visage au creux de l'épaule de Mundy, qu'elle aide à se dévêtir. Par la suite, ils s'amuseront dans l'intimité à dire qu'ils ont gagné leur premier match d'amour trois à zéro. Et oui, bien sûr, elle accepte de l'épouser. Elle espérait bien qu'il le lui proposerait. D'un commun accord, ils décident d'inviter la Frau Doktor au mariage.

La grande décision une fois prise, tout le reste se met parfaitement en place, comme souvent dans la vie. Le père de Kate, Des, ancien boxeur amoché devenu entrepreneur aux solides opinions subversives, verse un acompte sur un pavillon victorien à refaire dans Estelle Road, maison ouvrière en brique rouge sans prétention, alignée avec ses semblables dans une rue où des papas de toutes couleurs jouent au ballon avec leurs enfants entre des voitures modestes. Mais, comme le fait remarquer Des quand ils vont ensemble jeter un premier coup d'œil, le pavillon a tout le nécessaire et plus : le Heath et la piscine en plein air juste de l'autre côté de la passerelle, un terrain de football, des balançoires, des manèges et une aire de jeux !

L'école de Kate est à dix minutes à pied, et ils ont le train depuis Gospel Oak s'ils ont envie d'aller passer la journée à Kew. Et question prix, Ted, cette maison est une affaire, croyez-moi. Rien que la semaine dernière, le n° 16 de la rue s'est vendu pour 20 000 livres de plus que la vôtre, et pourtant, il y a une chambre de moins, moitié moins d'ensoleillement et un séjour où on se marche sur les pieds, incroyable, non ?

*

Mundy a-t-il jamais connu un moment où sa vie lui souriait autant ? Lui-même veut croire que non. Tout lui plaît, son travail, la famille de Kate, la maison, son sentiment d'appartenance. Et le jour où Kate revient de chez le médecin en souriant comme le bébé qu'elle attend, vient-elle d'apprendre, Mundy sait que son bonheur est parfait. Au mariage, il n'avait pu rameuter un seul membre de sa famille. Mais vous verrez au baptême !

Pour couronner le tout, à peine quelques jours plus tard, la bonne fée de Mundy au Personnel lui annonce elle aussi une bonne nouvelle : en récompense des services rendus au Jumelage, M. E. A. Mundy est promu Assistant adjoint du Service théâtral et artistique international, avec prise de fonctions immédiate. Certes, il sera plus souvent en déplacement, ce qu'ils vivront d'autant plus mal que Kate est enceinte, mais d'un autre côté, si enfin il remplit bien ses notes de frais et vit chichement, il pourra aider à rembourser l'emprunt.

Si tout cela ne suffisait pas, pour leur plus grande joie il sera directement responsable de la section Jeunesse. Ses jours d'errance sont enfin terminés.

Chapitre 6

De sacrés petits anges, dit Mundy. Non, je te jure, chérie.

Enfin, pas exactement des anges, mais le genre de gamins auxquels on donnerait sa dernière roupie, explique-t-il avec enthousiasme à Kate lors d'un bref appel depuis les docks de Harwich avant l'embarquement. Il parle de la Sweet Dole Company, une bande de chiens fous de la classe ouvrière du nord de l'Angleterre, un arc-en-ciel de Noirs, de Blancs et de métis, originaires de Newcastle, de Manchester et deux de Doncaster, où Kate a grandi. C'est son premier groupe théâtral de moins de vingt-cinq ans, qui, du jour où leur car psychédélique à impériale de la British Leyland embarque pesamment à bord du ferry pour la Hollande, l'appellent Papy.

La doyenne d'âge, déjà une vieille de vingt-deux ans, une gamine à taches de rousseur nommée Spike, est leur productrice. Le benjamin est Lexham, un Hamlet noir très cool qui frise les seize ans. Les costumes sont l'œuvre de Sally-tire-l'aiguille, une minuscule Portugaise. Leur répertoire est un condensé fantaisiste de Shakespeare et, au fil de leur courte existence en tant que troupe théâtrale, ils se sont produits devant des foyers de sans-abri, des piquets de grève, des soupes populaires, des grilles d'usines, des cantines de chantiers à l'heure du déjeuner. Ils deviennent la famille romanichelle de Mundy pour quarante jours et nuits de représentations, de soirées d'accueil ou d'adieu, de triangles amoureux et de bagarres feux-de-brousse qui s'allument et s'éteignent si vite qu'il n'apprend souvent la nouvelle qu'en voyant un des gamins essuyer le sang de son visage avec le mouchoir de l'autre.

Mundy est officiellement leur agent et accompagnateur, officieusement leur copilote, costumier, électricien, interprète, souffleur, doublure, photographe de plateau, confident, et quand, au neuvième jour, Spike la productrice est rapatriée en larmes à cause d'une mononucléose infectieuse, il la remplace au pied levé. Accrochée au car, une remorque agricole contient les accessoires incasables dans l'impériale, et une galerie a été installée sur toute la longueur du toit pour y rouler la toile de fond.

Leur tournée à travers la Hollande, l'Allemagne de l'Ouest et l'Autriche est une marche héroïque pour insomniaques. Amsterdam et La Haye les adorent, ils enchantent Cologne, gagnent le premier prix d'un *Dramafest* de jeunes à Francfort et sont applaudis à tout rompre à Munich et à Vienne avant de se discipliner et de la boucler (du moins Mundy les y exhorte-t-il lors de leur dernier soir à l'Ouest) pour passer le Rideau de fer et tourner en Europe de l'Est.

Car la troupe commence à se dissiper, et les contraintes puritaines de la société socialiste n'arrangent rien. A Budapest, Mundy doit user de flatteries pour sortir de prison un Polonius fin saoul ; à Prague, escorter Falstaff chez un vénérologue ; à Cracovie, s'interposer dans une rixe entre Malvolio et deux policiers en civil ; et, à Varsovie, entendre une Ophélie larmoyante lui avouer qu'elle est enceinte, sans doute de Shylock.

A l'œil vigilant de Mundy, pourtant, cette série noire ne suffit pas à expliquer le climat de morosité boudeuse qui s'abat sur la troupe quand le car s'arrête devant le barrage de drapeaux, guérites, miradors, gardes-frontières et douaniers marquant le passage entre la Pologne et l'Allemagne de l'Est, où on les fait une fois de plus descendre du car et s'aligner sur le bas-côté tandis que passeports, bagages et véhicule sont soumis à la fastidieuse inspection habituelle.

Alors, qu'est-ce qui leur prend ? s'interroge Mundy avec lassitude. Ils se tiennent là comme des prisonniers, ils vont un par un dans les toilettes sordides, en ressortent les yeux baissés, parlent à peine entre eux et encore moins à Papy. De quoi ont-ils peur ? Il craint le pire. Peut-être ont-ils embarqué de la drogue à Varsovie et attendent-ils le cri qui en signalera la découverte et les conduira en prison.

Encore plus étonnant, ils remarquent à peine la relève de la garde. Leur interprète et accompagnateur polonais adoré, surnommé Spartacus vu son gabarit chétif, passe devant eux en pleurant pour leur faire des adieux émus. Jusqu'à présent, ils l'ont traité comme un prince, se sont liés avec lui, l'ont adopté, lui ont appris les pires jurons anglais, l'ont inondé de cigarettes et d'invitations à Huddersfield. Et voilà qu'ils le gratifient tout juste de quelques brèves accolades, de « tchao, Sparts » ou d'une tape sur ses frêles épaules. Sa remplaçante est-allemande est une matrone blonde du genre poids lourd en tailleur noir impeccable, mais pas une seule plaisanterie ne fuse, pas un seul sifflement étouffé. Elle a de petits yeux vifs, de grosses joues blanches et les cheveux tressés en macaron. En anglais, elle débite des phrases sèches comme une mitraillette.

« Bonjour, monsieur Mundy, le salue-t-elle en lui brisant presque la main. Je m'appelle Erna. Je viens de Leipzig. Je suis votre escorte officielle pendant votre visite amicale. Bienvenue en République démocratique allemande. »

Après quoi, tel un général passant ses troupes en revue, elle demande à être présentée à chacun des membres de la troupe, tandis que Spartacus regarde tristement depuis la ligne de touche. Et ils s'y plient tous. Personne ne se montre insolent, personne ne se rebiffe ni ne se présente sous un nom ridicule, et il n'y a pas de numéro impromptu style farce shakespearienne.

Et pendant ce temps, des gardes-frontières est-allemands en treillis prennent le car d'assaut, mettent la remorque à sac, montent sur le toit et piétinent la toile de fond puis, comme autant de vautours, fourragent dans les valises et les besaces, allant jusqu'à secouer le lapin en peluche d'Ophélie enceinte au cas où il émettrait un cliquetis. Mais personne ne proteste, pas même Lexham, malgré le surcroît d'attention qu'ils lui accordent parce qu'il est noir. Tout le monde se soumet. Passivement. Hypocritement. Et quand enfin on les rembarque dans le car, que la barrière se lève et qu'ils entrent sur le territoire de leurs nouveaux hôtes, pas un seul cri de joie ne s'élève, ce qui est une grande première, dans le souvenir de Mundy, à présent très inquiet. Weimar est leur dernière étape, leur plus prestigieux engagement, le clou de leur tournée. A Weimar, perle culturelle de l'Allemagne de l'Est, se tient la semaine Shakespeare, et la Sweet Dole Company est la seule troupe anglaise invitée. Ils vont jouer dans des facs, des écoles, et même à l'illustre Théâtre national de Weimar, avant de prendre le chemin de Berlin-Ouest et de rentrer chez eux.

Alors pourquoi n'exultent-ils pas ? Pourquoi Sally-tire-l'aiguille ne chante-t-elle pas au son de l'accordéon ? Pourquoi n'essaient-ils pas d'arracher un sourire à une Erna de marbre, assise à l'avant à côté du chauffeur, dominant Mundy de toute sa masse et jetant des regards mauvais à l'Autobahn pleine de trous ? En toute autre occasion, Lexham lui aurait déjà trouvé un surnom : Moby Dick, la fée Clochette, Gargantua. Mais pas aujourd'hui.

Ce n'est que tard le même soir, après leur installation dans une sinistre auberge de jeunesse de la Humboldstrasse et un repas de viande et de *Knödel* à la cantine égayé par l'allocution puissamment ennuyeuse d'un représentant de la Société shakespearienne de Weimar sur l'harmonie socialiste et les effets bénéfiques du partage de l'héritage littéraire, que Mundy voit du coin de l'œil Viola fourrer un morceau de viande, deux bouts de pain et une pomme dans son sac tibétain.

*

Alors ? Qui nourrit-elle ? Il est bien connu que Viola ne mange quasiment rien.

Fournirait-elle des rations supplémentaires à Ophélie qui, à l'instar de Kate, mange maintenant pour deux ?

Ou Viola, qui adore les animaux, se serait-elle entichée d'un chien ? Impossible. Elle n'en a pas eu le temps.

Le règlement de l'auberge exige que filles et garçons aient des dortoirs séparés. Mundy couche dans une alcôve du couloir entre les deux. A minuit, il est tiré d'un demi-sommeil par le bruit léger de pieds nus sur l'escalier en bois.

Viola.

Il lui accorde quelques secondes avant de la filer jusque dans l'arrière-cour où est garé leur car psychédélique. Étoiles superbes, lune brillante, parfum de fleurs. Il arrive à temps pour voir Viola, vêtue d'une simple nuisette et portant son sac tibétain, monter dans le car et grimper le colimaçon qui conduit à l'impériale. Il attend. Elle ne ressort pas. Il la suit sans bruit et la découvre, fesses en l'air, sur une pile de costumes de scène dont l'inspection plus rapprochée révèle qu'ils cachent un jeune acteur polonais, beau et entièrement nu, nommé Jan, qui s'est lié avec la troupe à Varsovie et ne l'a pas quittée jour et nuit dans tous ses déplacements.

Dans un murmure mouillé de larmes, Viola avoue tout. Elle est éperdument, désespérément et définitivement amoureuse de Jan et c'est réciproque. Mais Jan n'a pas de passeport. Il est courageux, donc honni par la police polonaise. Plutôt que d'être séparée de lui à jamais, elle l'a caché dans la malle à costumes et, avec la connivence de toute la troupe, lui a fait passer en fraude la frontière entre la Pologne et l'Allemagne de l'Est. Elle ne regrette rien. Jan lui appartient, c'est son passager clandestin, son grand amour. Elle l'emmènera à Berlin, en Angleterre, au bout du monde si nécessaire. Elle ne renoncera jamais à lui. Jamais, jamais, Papy, et peu importe ce que vous me ferez, je le jure.

Jan connaît environ cinq mots d'allemand et pas un d'anglais. Il est petit, vif, et à l'évidence bien monté. Mundy ne l'appréciait guère à Varsovie, et encore moins maintenant.

*

Mundy ne peut rien faire avant la répétition du matin. L'après-midi, ils doivent jouer en plein air pour des enfants réquisitionnés. En guise de scène, un coin de prairie devant la tour en ruine des Seigneurs du Temple, dans le parc historique qui s'étend de part et d'autre du fleuve Ilm. Un beau soleil leur sourit, le parc se colore de fleurs. Erna-sans-surnom est perchée, genoux écartés, sur un long banc en fer à vingt mètres de la scène improvisée, et surveille implacablement ses ouailles avec le renfort de l'officiel dont le discours d'hier soir a ennuyé la compagnie à mourir, et de deux individus au teint cireux en veste de cuir qui ont fait vœu d'impassibilité. Mundy rassemble sa troupe à l'intérieur de la tour en ruine, hors de vue et d'écoute, espère-t-il.

A ce stade, informe-t-il son auditoire, il estime qu'ils sont bons pour environ vingt ans de travaux forcés chacun : dix pour avoir fait sortir Jan en fraude de Pologne, plus dix pour l'avoir fait entrer de même en Allemagne de l'Est. Alors, si quelqu'un a de brillantes suggestions pour la suite des opérations, Mundy est preneur.

Il s'attend à un repentir général, mais il a oublié que ce sont des acteurs. Dans un silence terrible et théâtral, toutes les têtes se tournent vers Viola, qui ne les déçoit pas. Mains jointes sous le menton, le regard hardiment levé vers l'azur goethien, elle jure qu'elle se tuera si on la sépare de Jan, qui lui a d'ailleurs assuré qu'il ferait de même. De ses amis, elle n'attend rien. S'ils ont perdu courage, qu'ils partent, qu'ils partent tous. Elle et Jan s'en remettront à la merci des autorités est-allemandes. Mon Dieu, il doit bien y avoir quelqu'un, quelque part dans ce pays, qui a du cœur.

Mundy en doute. Et puis, ce ne sera pas seulement vous deux qui vous en remettrez à la merci des Allemands de l'Est, dit-il à Viola, mais nous tous en prime. Alors, quelqu'un d'autre a-t-il une suggestion ?

Personne, dans l'immédiat. Viola a joué sa grande scène du deux, et il faudrait un acteur courageux pour enchaîner. Mais surtout, suspecte Mundy, ces gamins sont morts de trouille à l'idée de ce qu'ils ont fait et incapables de trouver comment faire machine arrière. Il incombe à Len, leur avocat autoproclamé, un rouquin de dix-huit ans, de soumettre la motion au vote. Par nécessité, il s'exprime d'une voix faible, sans doute aussi chancelante que son courage.

« Bon, qu'est-ce qu'on fait, les amis ? On abandonne un collègue comédien au moment où il a besoin de nous ? Même si on laisse de côté l'histoire d'amour pour l'instant, il est quand même harcelé par les autorités de son pays, pas vrai ? Alors, on fait quoi ? On l'aide à s'en sortir ou on le renvoie chez lui ? Combien d'entre vous sont pour l'aider ? »

Adopté à l'unanimité malgré les réticences, la seule abstention étant celle de Mundy, maintenant fort embarrassé. Il aimerait en discuter avec Kate, mais sans que la police secrète est-allemande écoute. Pas besoin de lui rappeler que les chances de faire passer en cachette le mur de Berlin à un acteur polonais (ou à n'importe qui d'ailleurs) sont aussi minces que du papier à cigarettes. Les chances de faire reculer de dix ans les relations culturelles anglo-est-allemandes sont en revanche excellentes.

« Dorénavant, on joue les imbéciles heureux, ordonne-t-il. On est fiers de nous, on est des vedettes, on a décroché un prix et on rentre chez nous. Le reste à l'avenant. D'accord ? »

D'accord, Papy.

La matinée des écoles fait un tabac. Les gamins au crâne tondu alignés sur l'herbe se départent de leur sérieux et hurlent de rire aux pitreries de Lexham en Malvolio amoureux. Même Erna émet un gloussement. C'est aussi du délire le même soir à la maison des jeunes Walter Ulbricht. Et le lendemain matin, sous l'œil vigilant d'Erna et de ses deux mannequins de cire, toute la troupe, Mundy compris, est emmenée visiter la maison de Goethe, puis admirer le mémorial des héros de l'Armée rouge à la grille ornée d'une faucille et d'un marteau rouge sang.

Et personne ne se conduit mal, tous sont sages comme des images. Ils posent pour la photo devant la statue de Shakespeare. Ils échangent des conseils d'interprétation avec des Russes, des Vietnamiens, des Palestiniens et des Cubains. Ils jouent aux échecs et boivent à l'amitié universelle dans un bar d'étudiants à l'intérieur d'une tour sur les remparts de la ville.

Avec l'aide de toute la troupe qui la couvre, Viola apporte nourriture et réconfort à Jan lors de visites précipitées au car, que Mundy chronomètre et exige courtes. Vient le jour de leur dernière représentation. Ce soir, ils jouent au Théâtre national, demain ils rentrent à la maison *via* Berlin. Fini les répétitions. La troupe passera la matinée en discussions de groupe supervisées avec des collègues acteurs d'autres nations. Quant à Mundy, il tient à la journée qu'il a depuis longtemps projetée. Weimar est sa cité culte, le haut lieu de sa bien-aimée muse allemande. Il en visitera tous les trésors, même si Erna lui impose la compagnie d'un professeur d'art de Leipzig qui se trouve à Weimar par pure coïncidence.

Sexagénaire élégant aux cheveux argentés décidé à faire étalage de son anglais étrangement excellent, le Professeur a une attitude si possessive que Mundy se creuse la tête pour se rappeler où ils ont bien pu se rencontrer, peut-être à Prague ou Bucarest, ou lors de l'une de leurs nombreuses étapes des cinq dernières semaines. Avec le Professeur débarque la plantureuse camarade Inge, qui dit représenter l'Institut Goethe.

« Vous, c'est bien Ted ? s'enquiert le Professeur avec un sourire amusé.

– Oui, Ted.

– Appelez-moi Wolfgang, surtout. "Camarade" fait par trop bourgeois, vous ne trouvez pas ? »

Pourquoi « surtout » ? se demande Mundy tandis que le regard du Professeur continue d'émettre ses signaux de reconnaissance.

Flanqué de la camarade Inge et du Professeur, Mundy respire l'air sépulcral de la petite maison d'été de Goethe et effleure le bureau même où écrivait le poète. Il s'attarde respectueusement dans les salles où Liszt composa, mange des saucisses dans le bar en sous-sol de l'hôtel Elefant et trinque avec un groupe d'éditeurs chinois ivres en s'efforçant d'évoquer le fantôme de Thomas Mann. Mais partout s'interpose ce maudit Polonais.

L'après-midi, à bord d'une limousine sans suspension, ils vont à Ilmenau vénérer en haut de la colline la châsse du plus beau et plus court poème de la langue allemande. Le Professeur est assis à côté du chauffeur, la camarade Inge se cogne négligemment contre Mundy à l'arrière. La route est pleine de trous et souvent inondée. Les fermes décrépites rivalisent avec les barres d'immeubles fichées dans des champs verts. Ils doublent une bande de cyclistes et un groupe de soldats russes en maillot gris qui font leur jogging de l'après-midi. L'air est poisseux, une fumée noire monte en volutes des cheminées de vastes usines au long de la route, les arbres en bordure sont d'un jaune maladif, des panneaux gigantesques rappellent à Mundy qu'il se trouve dans le pays de la paix et du progrès. Le ciel s'ouvre et, à l'orée de la forêt thuringienne, entourés de moutonnantes collines boisées, ils grimpent une route en lacet et s'arrêtent sur le bas-côté. Leur chauffeur, un grand échalas portant des bottes de cow-boy fantaisie, court leur ouvrir les portières. Le laissant surveiller la voiture, ils entreprennent l'ascension d'une sente rocailleuse entre des pins, le Professeur en tête.

« Vous êtes heureux, Ted ? roucoule la camarade Inge.

– Parfaitement, merci.

– Votre femme vous manque, peut-être ? »

A vrai dire, non, Inge. Ce qui me travaille, c'est l'idée de faire passer en fraude le mur de Berlin à un acteur polonais. Ils sont arrivés au sommet. Devant eux, des chaînes et des chaînes de montagnes couvertes de forêts se perdent au loin. La célèbre cabane est verrouillée. Une antique plaque de fer en écriture gothique offre l'unique hommage aux pensées d'un ancien poète face à l'éternité. L'espace d'un instant, c'est vrai, Mundy entend la voix mélodieuse et disparue du Doktor Mandelbaum réciter les vers sacrés : *Sur tous les sommets / Le repos règne... Toi aussi, bientôt, / Tu reposeras.*

« Vous êtes ému, Ted ? demande la camarade Inge en lui posant le plat de la main sur le haut du bras.

– Énormément », répond-il d'un ton grave.

Ils redescendent la colline, le Professeur ouvrant toujours la marche. La camarade Inge veut savoir si le socialisme pourra s'imposer en Angleterre sans une révolution. Mundy répond qu'il l'espère. A côté de la limousine sans suspension qui les attend, le grand échalas de chauffeur finit sa cigarette. Au moment où il leur ouvre les portières, une Trabant boueuse surgit tant bien que mal de l'ombre des arbres, les dépasse au ralenti puis descend la colline en prenant de la vitesse. Un conducteur, sans doute un homme mais ce n'est pas certain, avec un bonnet de laine enfoncé jusqu'aux yeux, pense Mundy.

« Ce doit être le conservateur de notre musée, explique le Professeur dans son anglais fleuri, ayant remarqué l'intérêt de Mundy. Ce pauvre Herr Studmann est un éternel inquiet. Il sait que nous avons aujourd'hui un invité de marque, alors il veut s'assurer que tout est en ordre.

– Pourquoi ne s'est-il pas arrêté pour se présenter, dans ce cas ?

– Ce pauvre Herr Studmann est timide. Toujours le nez dans les livres. Le contact social est une torture, pour lui. Et puis, il est quelque peu excentrique, ce qui est plutôt une qualité pour vous autres, Anglais. »

Mundy se sent tout bête. Ce n'était rien, personne. Calme-toi. La journée est plutôt bien avancée, c'est tout ce qui compte. Sur le trajet du retour, le Professeur les honore d'une dissertation sur le rapport de Goethe à la nature.

« Si vous revenez à Weimar, téléphonez-moi à mon bureau, *je vous en prie* », insiste la camarade Inge en tendant sa carte à Mundy.

Le Professeur, lui, avoue d'un ton dégagé ne pas avoir de carte, semblant impliquer qu'il est trop connu pour en avoir besoin. Ils se promettent de rester amis à vie.

*

Dans les coulisses du Théâtre national de Weimar, à deux pas de l'auberge de jeunesse et du car psychédélique, la Sweet Dole Company se prépare pour la dernière représentation de la tournée, et Mundy a décidé de se distraire en emballant les accessoires et costumes au sous-sol en vue d'un départ matinal en urgence le lendemain. Tout son être pensant et intelligent lui crie de larguer le jeune

Polonais par-dessus bord, mais le fils du major ne peut faire une chose pareille. Non plus que le père d'un enfant à venir ou l'époux de Kate.

Le sous-sol sert également de salle de conférences, dont une table couleur miel occupe le centre. Des trônes à dossier en cuir sont disposés de part et d'autre. Les lattes du plancher sont en superbe teck amazonien, les portes de service en fer donnent sur une arrière-cour. Ramassant la couronne de Hamlet, Mundy entend juste au-dessus de lui la voix tonitruante de Lexham, notre Macbeth jamaïcain, par-dessus les coups de tonnerre des sorcières. Il enveloppe la couronne dans des chiffons et la range dans un carton. Mais, alors qu'il s'apprête à faire de même avec la chaîne de Polonius, il aperçoit Banquo qui le regarde de l'une des arches en brique sur sa gauche, et ce soir Banquo est interprété par Sasha en costume moderne.

Point de fumigènes ni de lumière stroboscopique. Juste un Sasha très maigre, très petit, les cheveux coupés très court, et les yeux caves plus larges que jamais, vêtu d'un complet noir de croque-mort et d'une cravate marron de scout, la main gauche crispée sur une serviette en similicuir de cadre du Parti, la main droite le long du corps tandis qu'il se tient de guingois au garde-à-vous sous la voûte. Le metteur en scène a dû lui dire : voilà ce que tu fais de ta main droite pendant que la gauche serre le porte-documents et que tu dévisages ton ami Teddy d'un œil angoissant.

Mundy est accroupi à côté de la malle aux accessoires posée par terre, la chaîne de Polonius étalée sur ses mains comme s'il s'apprêtait à en faire don. Et c'est dans cette position que, pendant un instant, il refuse de croire à l'évidence. Tu n'es ni Banquo, ni Sasha, ni personne. Comment pourrais-tu être Sasha dans cet accoutrement ?

Mais il doit bien admettre à contrecœur que cette silhouette qui ne peut être Sasha lui parle. Et personne, y compris Mundy, ne peut avoir la voix de Sasha excepté Sasha soi-même.

*

« Dieu te bénisse, Teddy. On doit faire vite et rester discrets. Tu vas bien ?

– A merveille. Et toi ? »

Dans un rêve, au lieu de dire ce qu'on a en tête, on dit quelque chose de complètement ridicule.

« Et marié, j'ai appris. Et sur le point de fonder une dynastie, malgré les efforts de la police de Berlin-Ouest. Félicitations.

– Merci. »

Pendant quelques instants les deux hommes conservent l'immobilité de duellistes. Sasha ne s'aventure pas hors de la voûte, et Mundy reste accroupi devant la malle, la chaîne de Polonius étalée sur ses paumes. D'où il est, la distance entre lui et Sasha semble aussi longue que le terrain de cricket de Kreuzberg, voire plus.

« Teddy, je te demande de faire très attention à ce que je vais te dire et de limiter tes commentaires au minimum. Ce sera dur, mais essaie. A Berlin-Ouest, nous étions des partisans, mais ici, dans ce jardin d'enfants petit-bourgeois, nous sommes des criminels. »

Mundy range la chaîne dans la malle et se relève. Puis il se tourne et trouve Sasha à son côté, les yeux levés vers lui, des yeux sombres, avides, cernés de fines ridules, mais c'est bien le modèle original, sans options.

« Teddy, tu m'écoutes ? »

Oui, Teddy l'écoute.

« Le premier acte de ta pièce bizarroïde se termine dans un quart d'heure, et je dois retourner à mon siège dans le public à temps pour les applaudissements enthousiastes. A la réception officielle qui suivra, toi et moi nous reconnaîtrons spontanément pour la première fois. On exprimera dûment notre étonnement, notre incrédulité, et on s'étreindra comme de vieux copains. Tu me suis ?

– Oui.

– Une certaine gêne marquera notre réunion en public. Tu seras un peu déconcerté, car tu ne t'attends pas à ce qu'on te rappelle ton passé radical de façon aussi flagrante, surtout ici, au paradis démocratique allemand. Moi aussi, je paraîtrai enchanté quoique un rien sur la réserve, et quelque peu évasif. C'est normal dans une société où chaque mot a plusieurs sens et de nombreux auditeurs. Que comptes-tu faire de ton acteur polonais fou d'amour ?

– Le faire passer en douce à Berlin-Ouest. »

C'est bien lui qui dit cela ? Sasha l'entend-il ? Parfois, dans un rêve, tout le monde vous entend sauf vous-même.

« Comment ? insiste Sasha.

– Sur le toit du car. En l'enroulant dans la toile de fond.

– Fais exactement comme prévu. Les gardes-frontières ont reçu l'ordre de ne pas le trouver. Ta camarade Erna est une vieille pro qui s'assurera qu'ils ne fassent pas de zèle par erreur. Le garçon est un agent infiltré, suite à une opération conjointe entre nous et les Polonais pour s'introduire dans les bastions corrompus de l'Ouest. Dès votre arrivée à Berlin-Ouest, va au bureau du conseiller politique anglais. Demande M. Arnold, le nom de couverture du chef d'antenne de vos services secrets. S'ils t'affirment qu'il est à Londres ou à Bonn, réponds-leur que tu sais qu'il est arrivé de Londres à Tempelhof ce soir à 17 heures. Et, pendant que tu y seras, tu lui remettras ton Polonais. Tu travailles déjà pour les services secrets anglais ?

– Non.

– Eh bien, tu vas le faire. Tu révéleras à M. Arnold que le Polonais est un agent infiltré mais que cette information ne doit pas être exploitée, au risque de compromettre une excellente source potentielle. Il comprendra la logique de cette recommandation. Tu as remarqué comme ce pays sent mauvais ?

– Euh, oui.

– Partout sans exception, ça pue les clopes bon marché, la sueur bon marché, le déodorant bon marché et les briquettes de charbon brun compact qui t'asphyxient sans te réchauffer. On est embourbés dans la bureaucratie étatique. La société commence au rang de capitaine, et chaque garçon de café ou chauffeur de taxi est un tyran. Tu as couché avec des femmes, ici ?

– Non, pas que je me souvienne.

– Sans acclimatation préalable, l'expérience est déconseillée. Évite aussi le vin à tout prix. Les Hongrois nous empoisonnent avec un truc qu'ils appellent le Sang de Taureau. Ça a beau être considéré comme le fin du fin, je subodore qu'ils se vengent pour la répression de leur soulèvement contre-révolutionnaire en 1956. La seconde guerre froide a commencé. A l'Est, le camarade Brejnev et l'Afghanistan, à l'Ouest les missiles de croisière et les Pershing. Si tu pouvais demander à ton M. Arnold de les pointer en priorité vers l'Allemagne de l'Est… »

Tout en parlant, Sasha vide méthodiquement sa serviette sur la table de conférence. Mundy a reçu le même lot six fois ces dernières semaines, et là rebelote : un album de photos floues des ballets du Bolchoï, une statuette en chrome d'un travailleur viril portant une casquette ample et une culotte de golf, une boîte en poterie bleue et blanche imitation Meissen au couvercle mal ajusté raccroché au bas par du scotch transparent. Et une touche originale : un paquet scellé de pellicules vierges Kodak Tri-X 35 mm, du genre que Mundy utilise dans son appareil pour toutes les photos qu'il compte montrer à Kate dès son retour.

« Ces précieux cadeaux sont tous pour toi, Teddy, avec l'affection profonde de ton vieil ami. Sauf qu'à Berlin-Ouest, ils devront être remis à M. Arnold. Ils renferment, entre autres, les termes et les conditions de mon recrutement par son organisation. La boîte en poterie contient des noix, que tu ne mangeras sous aucun prétexte pendant ton voyage, même si tu meurs de faim. Range les pellicules avec ton équipement photo. Elles ne sont pas pour toi, mais pour M. Arnold, comme le reste. Il y a un festival d'été de la danse qui commence à Prague le 1er juin. Le British Council se propose-t-il de t'y envoyer ?

– Pas que je sache. »

Le 1er juin, c'est dans six semaines, se souvient-il comme dans un rêve.

« Ils vont le faire. M. Arnold va s'arranger pour que tu y accompagnes des danseurs anglais. J'y serai aussi. Comme toi, je me serai découvert tardivement une passion pour la diplomatie culturelle. Je ne travaillerai qu'avec toi, Teddy. Je suis ce qu'on appelle dans le métier d'espion le toutou d'un seul homme, et tu seras cet homme aussi longtemps que j'aboierai. J'ai averti M. Arnold que je ne fais confiance à personne d'autre. Je suis gêné de t'imposer cette condition, mais tu es chauvin dans l'âme et tu seras heureux de servir ta fichue patrie.

– Qu'est-ce qui se passera s'ils trouvent tout ça quand on va être fouillés ? Ça les mènera tout droit à toi.

– Grâce à notre héros, Jan, la fouille du car et des effets de la troupe sera approfondie mais vaine. »

Mundy a enfin recouvré sa voix, du moins un semblant.

« Sasha, qu'est-ce que tu nous fais, là ? C'est de la folie pure !

– Après nos retrouvailles théâtrales à la réception de ce soir, la nature de nos anciennes relations sera connue de mes employeurs. Tu as passé une bonne journée avec le professeur Wolfgang ?

– J'étais trop préoccupé.

– Par la vitre de ma voiture, vous donniez l'impression de vous entendre comme larrons en foire, à Ilmenau. Le brave Professeur t'a à la bonne. Il te considère comme un excellent sujet à cultiver. Je l'ai prévenu que ta conquête ne sera pas simple. Il faudra organiser une cour dans les règles pour te séduire, et il a accepté d'en confier la responsabilité à ton vieil ami et mentor idéologique. A Prague, si j'estime le moment propice, je ferai les premières avances. Tu seras réticent, un rien choqué. C'est normal. Tu es Teddy, mon camarade étudiant, peut-être encore secrètement critique des valeurs capitalistes, mais parfaitement intégré dans la société consumériste. Après un temps de réflexion, toutefois, tu découvriras que les anciens feux de la rébellion brûlent toujours en toi, et tu céderas à nos flatteries. Tu es fauché, comme d'habitude ?

– Ben, je fais ce que je peux. »

Dans un rêve, on n'a pas à expliquer que les salaires conjugués d'une enseignante du public et d'un petit fonctionnaire ne laissent guère de marge après le règlement de lourdes traites mensuelles à un organisme de crédit. De toute façon, Sasha comprend.

« Dans ce cas, l'argent peut jouer un rôle discret dans ta motivation. Ça rassurera mes maîtres. Ils sont mal à l'aise face à un idéologue désintéressé. La belle accompagnatrice qu'on t'a fournie aujourd'hui te fait envie ou tu es décidé à rester désespérément fidèle à ta femme ? »

Mundy parle sans doute en faveur du mariage, car Sasha retire aussitôt son offre à propos de la belle interprète.

« Peu importe. Une aventure te mettrait plus sûrement sous la coupe de mes maîtres, mais on fera sans. En tout cas, tu exigeras de travailler uniquement pour moi, Teddy. Toi aussi tu seras le toutou d'un seul homme. Un de vos auteurs anglais a dit qu'avec les agents doubles on ne peut jamais séparer le bon grain de l'ivraie. Je donnerai le bon grain à M. Arnold, et en échange tu donneras l'ivraie au camarade Sasha.

– Comment diable as-tu réussi à venir ici, Sasha ? Pourquoi te font-ils confiance ? Je n'y comprends rien. »

Dans un rêve, on pose les questions trop tard, sans espoir de réponse.

« Tu as eu l'occasion de visiter le camp de concentration de Buchenwald pendant ton séjour à Weimar ?

– On nous l'a proposé, mais on a manqué de temps.

– Ce n'est qu'à huit kilomètres, pourtant. Dommage. Il n'y a pas que le fameux hêtre de Goethe, le crématorium du camp vaut vraiment le détour. On n'avait même pas besoin d'être mort pour y être incinéré. Tu savais que les Russes ont continué à exploiter le camp après l'avoir libéré du fascisme ?

– Non, j'ignorais.

– Eh oui ! Un bel exemple de pragmatisme socialiste, au passage. On l'a appelé Buchenwald 2. Ils y ont amené leurs propres prisonniers et leur ont infligé le même traitement que leurs prédécesseurs avant eux. Et leurs victimes n'étaient pas toutes des nazis, loin de là. La plupart étaient des sociaux-démocrates et autres éléments anti-Parti désireux de faire renaître le capitalisme et de restaurer l'autorité de la bourgeoisie. La tyrannie, c'est comme le circuit électrique dans une vieille maison. Un tyran meurt, le nouveau s'installe, et il lui suffit d'appuyer sur l'interrupteur. Tu es bien d'accord ? »

Mundy suppose que oui.

« Le British Council est une ruche de propagande antisocialiste, m'a-t-on dit, une fabrique de mensonges contre-révolutionnaires. Ça me choque de t'y savoir associé. »

Dans un rêve, les protestations sont futiles, mais on les fait malgré tout.

« C'est ridicule ! Comment du Shakespeare concentré peut-il être contre-révolutionnaire ?

– Ne sous-estime jamais notre paranoïa, Teddy. Tu seras bientôt un instrument vital dans l'éternel combat du peuple contre la subversion idéologique. Avec un peu d'imagination de la part de M. Arnold, tu comprendras que ton malheureux Council n'existe que pour servir de couverture aux saboteurs antiprolétaires. Ah ! j'entends l'infortuné Macbeth pousser ses derniers cris. Je te vois à la réception. N'oublie pas d'avoir l'air étonné, hein ? »

*

Un vieux car londonien qui fend la paisible campagne communiste en vomissant vapeurs de diesel et rock occidental incommodants, en arborant pâquerettes délirantes et ballons colorés, cherche à se faire arrêter, même si une Walkyrie de quatre-vingt-dix kilos aux cheveux roulés en macaron est assise près de vous à l'avant. Dans chaque village qu'ils traversent, des anciens froncent le sourcil et se bouchent les oreilles tandis que des gamins sautent autour du car en agitant la main comme pour accueillir un cirque. Le pot d'échappement doit être bouché, ou bien le silencieux, parce que le vacarme a augmenté de quelques décibels – ce qui peut expliquer pourquoi une voiture de police tous feux allumés suit le car depuis une demi-heure avec un policier à moto en éclaireur. A tout instant, songe Mundy, on va nous rabattre sur le bas-côté pour nous accuser d'une quinzaine d'infractions au code de la route du paradis des travailleurs, dont la présence à bord d'un acteur polonais fou d'amour emballé dans la toile de fond sur le toit, d'une boîte en poterie remplie de noix intouchables et d'un paquet de pellicules Kodak vierges à remettre au chef des services secrets anglais dès notre arrivée à Berlin-Ouest.

Ils roulent entre des champs d'un jaune terne, avec pour seule distraction à l'occasion un groupe de fermes délabrées, des églises décrépites ou un hideux pylône style soviétique bien placé pour agresser l'œil au maximum. Steve, leur chauffeur édenté, est à la barre, Mundy à sa place habituelle près de lui, avec passeports, visas, permis et attestations d'assurance dans une mallette coincée entre les genoux, Erna assise à côté de lui. Du fond du car s'élèvent de joyeux chants qui s'éteignent sans raison, jusqu'à ce que Sally-tire-l'aiguille attaque un air sur son concertina pour que tout le monde reprenne en chœur. Dans le rétroviseur au-dessus de lui, Mundy voit le bout de la toile de fond bleue qui bat contre la vitre arrière, puis la remorque cahotante et, à une centaine de mètres, la voiture de police, qui garde toujours la même distance, ralentissant en même temps qu'eux ou reprenant de la vitesse dans les lignes droites. A chaque virage, Mundy entend la toile de fond grincer sur ses amarres. Quand il monte à l'impériale s'assurer que tout le monde va bien là-haut, il évite de jeter un regard trop appuyé aux paquets en papillotes dans les porte-bagages ou au bras musclé de la statue argentée du travailleur socialiste qui sort de son emballage.

« Tout le monde a droit à une escorte policière, par ici ? demande-t-il à Erna en reprenant place à son côté.

– Seulement les hôtes de marque, Ted. »

*

Mundy s'est réfugié dans ses pensées. Les retrouvailles programmées à la soirée d'adieu officielle se sont déroulées exactement comme prévu par Sasha. Ils s'aperçoivent au même instant, leurs yeux s'écarquillent simultanément, Sasha le premier trouve les mots pour exprimer sa stupeur : « Mon Dieu, Teddy ! Mon cher vieil ami, mon sauveur, que fais-tu donc ici à Weimar ? » Et Mundy, l'air dûment troublé, ce qu'il n'a pas besoin de surjouer vu les circonstances, rétorque : « Sasha, mon vieux codétenu ! Si je m'attendais… C'est fou, ça ! Raconte. » Après les embrassades et les grandes claques dans le dos, la douloureuse séparation est aussi bien huilée, avec l'ostentatoire échange d'adresses, de téléphones et de vagues promesses de se revoir sous peu. Puis, retour avec la troupe à l'auberge de jeunesse, où il tourne et vire sur son lit d'écolier en fer au son des conversations étouffées de ses pupilles à travers les fines cloisons, en espérant que personne d'autre n'écoute, car combien de fois leur a-t-il répété que des bavardages inconsidérés peuvent coûter la vie ?

Il reste éveillé toute la nuit en retournant dans sa tête les questions sans réponse. Lorsqu'il essaie de dormir, il rêve que Jan le Polonais glisse une grenade à main dans le réservoir d'essence du car, mais quand il ne dort pas ses cauchemars sont pires encore. S'il doit en croire Sasha, leur passager clandestin et les colis passeront sans problème et tout finira bien. Mais doit-on croire Sasha ? Et si oui, le petit jeu auquel il joue va-t-il marcher ? A 6 heures du matin, alors qu'il fait encore nuit, Mundy se redresse sur son lit et martèle les cloisons de chaque côté en hurlant : « Allez, les enfants, debout là-dedans ! On oublie le petit-déj' et on prend la route ! » d'un ton militaire qu'il n'emploierait normalement jamais. Mais ce qu'il veut dire est clair pour tous : on fait passer le petit voyou en douce comme prévu, pas plus tard que tout de suite, et que ça saute ! Il a choisi Lexham, Viola et Sally-tire-l'aiguille comme assistants.

« Les autres, vous vous comportez naturellement, vous déconnez et vous essayez d'avoir l'air détendu », leur a-t-il dit quelque peu agressivement.

Tout ce que tu voudras, Papy.

Au point du jour, Viola en tête, Mundy, Sally et Lexham traversent la cour, grimpent dans l'impériale, tirent Jan de son sommeil, le déshabillent entièrement et l'enduisent de graisse à essieu de la tête aux pieds pour dérouter les chiens renifleurs. Viola, tu te charges des parties intimes. Après quoi, ils l'enroulent dans les rideaux de scène imprégnés de naphtaline et empilent des épaisseurs de kapok sur son cœur et autres points de pulsations, Mundy se rappelant avoir vu à leur entrée en Allemagne de l'Est des gardes-frontières munis d'écouteurs et d'énormes stéthoscopes pour inspecter les objets suspects. Une fois Jan empaqueté, Mundy plaque son oreille à l'emplacement de son cœur et n'entend rien. Il n'en a sans doute pas, dit-il tout bas à Sally. A présent, leur passager clandestin ressemble à une momie égyptienne. Ils lui ont laissé un trou d'aération, mais, au cas où il se refermerait par accident, Mundy lui enfonce un tube en métal dans la bouche avant de l'enrouler dans un tapis poussiéreux.

Ils sont encore sur l'impériale, et Jan n'est plus Jan mais un tapis droit debout. Le tirant et le portant à moitié, ils lui font descendre l'escalier et le sortent dans la cour, où les attend la toile de fond peinte en bleu, étalée sur le sol, parcourue de filets d'eau de pluie rougeâtre et empestant à distance la colle de poisson et l'enduit. Erna n'est pas encore là. On lui a dit 7 h 30 et il n'est que le quart. Sous l'œil de Viola, Mundy et Lexham posent leur tapis farci à un bout de la toile de fond, qu'ils roulent et roulent encore jusqu'à avoir enrobé Jan et le tapis dans un saucisson bleu de trente pieds que, aux cris de « Hardi, matelots ! » et « Ho hisse, les gars, ho hisse ! », Mundy, aidé de quelques volontaires, balance sur le toit du car et fixe à la galerie, avec une extrémité qui pendouille.

*

Au crissement de freins usés et de pneus lisses, une fumée noire obscurcit la vitre à gauche de Mundy et le car psychédélique s'arrête tant bien que mal à dix mètres d'une barrière rouge et blanche. Ils ont atteint leur premier poste de contrôle, pas le cinq étoiles, mais la version campagne : une demi-douzaine de Vopos armés, un chien renifleur, une *grüne Minna*, le policier à moto qui jusque-là roulait devant eux, et la voiture de police tous feux allumés qui les suit depuis Weimar. Mundy saute en bas du car, sa serviette à la main. Erna reste sereinement assise sur son siège et semble se désintéresser de tout cela.

« Messieurs, colonel, camarades, un grand bonjour à vous tous ! » crie-t-il d'un ton enjoué, tout en gardant ses distances car le colonel, en fait un capitaine, est de petite taille comme Sasha, et Mundy ne veut pas l'affoler en le dominant de toute sa hauteur.

Les gardes montent à bord, gratifient Erna de salutations bourrues et foudroient du regard les filles en tenue de fête, coiffées de drôles de chapeaux, puis font évacuer le car, arrachent les bâches de la remorque et fouillent les valises en laissant aux Occidentaux honnis le soin de tout ranger. Le capitaine examine les passeports en quête d'irrégularités, tout en bombardant Mundy de questions avec un fort accent silésien. Depuis quand êtes-vous à Weimar, camarade ? Quand êtes-vous arrivé en RDA, camarade ? Combien de temps avez-vous passé en Tchécoslovaquie, en Hongrie, en Roumanie, en Pologne ? Il compare les réponses de Mundy aux tampons sur les passeports, jette un regard éloquent au car psychédélique, un regard sévère aux filles pomponnées et un regard désapprobateur à la saucisse bleue sur le toit avec ses ballons, ses banderoles et sa bosse centrale qui, pour Mundy, ressemble à une souris à moitié digérée dans le corps d'un boa constricteur. Il fait enfin le geste que Mundy a appris à connaître : un petit hochement de tête méprisant et résigné, avec une moue à la fois haineuse, menaçante et envieuse. *Filez, nom de Dieu.* Mundy et la troupe s'entassent à nouveau dans le car, le concertina de Sally attaque « *It's a long, long way to Tipperary* » et, nom de Dieu, oui, ils filent.

Erna semble n'avoir rien vu. Ses petits yeux ronds regardent dehors avec curiosité.

« Il y a eu un problème ? demande-t-elle à Mundy.

– Tout va bien. Des gars charmants », l'assure-t-il.

La même scène se rejoue à trois reprises dans des paysages différents. A chaque fouille la tension monte d'un cran, si bien qu'à la troisième plus personne ne chante ni ne fait d'efforts de conversation. Faites de nous ce que vous voulez, on n'en peut plus, on se rend. Soudain Erna se lève, leur adresse à tous un joyeux signe de la main, descend du car et continue d'agiter la main jusqu'à ce qu'elle soit hors de vue. Quelqu'un l'a-t-il saluée en retour ? Mundy en doute. Ils franchissent une chicane, Mundy regarde dehors d'un œil torve : des soldats américains leur sourient à travers les vitres, des badauds s'ébahissent du cheval géant peinturluré qui a surgi des ténèbres de *là-bas*, quelques appareils photo se déclenchent et toutes les lumières de Las Vegas scintillent pour eux depuis les pavés mouillés. Ils sont en sécurité à Berlin-Ouest, mais aucun des passagers n'a rien à déclarer. Sauf peut-être Lexham qui jure, comme d'habitude avec tous les mots les plus grossiers mais sans l'énergie attendue. Et Viola, qui sanglote doucement de tout son cœur et dit : « Merci, merci à tous, merci, oh mon Dieu ! »

Là-haut sur l'impériale, l'un des garçons fait une crise d'hystérie, sûrement Polonius.

*

Le diplomate culturel anglais de très haute taille avec une barbe de trente-six heures qui entre dans le bureau du conseiller politique anglais près de l'ancien stade olympique de notre cher Führer, armé de deux énormes sacs et d'une mallette, semble débarquer tout juste d'un voyage en mer et sentir encore le pont tanguer sous ses pieds, ce qui est d'ailleurs son impression. La réceptionniste, une quinquagénaire anglaise grisonnante aux manières strictes mais courtoises, pourrait être enseignante comme Kate.

« Je dois parler à M. Arnold, lance Mundy en posant sur le comptoir d'un geste brusque son passeport et sa carte de visite du British Council. J'ai un car à impériale garé dans votre cour avec à bord vingt jeunes acteurs épuisés, et vos sentinelles disent au chauffeur de dégager.

– De quel M. Arnold s'agit-il, monsieur ? demande la réceptionniste en feuilletant le passeport de Mundy.

– De celui qui est arrivé à Tempelhof hier soir.

– Ah, celui-là. Merci. Le sergent va vous conduire dans la salle d'attente, et on va voir ce qu'on peut faire pour vos pauvres acteurs. Vos sacs sont-ils destinés à M. Arnold ou désirez-vous me les confier ? s'enquiert-elle en appuyant sur une sonnette avant de parler dans un Interphone : Pour M. Arnold, s'il vous plaît, Jack. Dès qu'il sera disponible. Et il faut s'occuper d'un car rempli de jeunes acteurs impatients dans la cour. C'est toujours pareil, le lundi matin, pas vrai ? »

En veste de sport, pantalon de flanelle grise et chaussures à bout renforcé soigneusement astiquées, le sergent est une version affable de celui qui gardait Mundy dans l'hôpital militaire dix ans auparavant, et la salle d'attente ressemble à la chambre individuelle de Mundy, mais sans le lit : murs blancs, fenêtres dépolies, la même photographie de notre chère jeune reine, les mêmes chrysanthèmes offerts par la police de Berlin-Ouest. Aucune surprise pour Mundy, donc, lorsque le même vice-consul à l'élégance décontractée entre d'un pas souple : Nick Amory, portant les mêmes souliers en daim et complet en tweed que pour ses visites à l'hôpital et arborant le même sourire malin d'autodérision. Il a une dizaine d'années de plus, mais dans un mauvais éclairage, comme Sasha, il pourrait paraître l'âge qu'il a encore dans le souvenir de Mundy. Un teint plus hâlé, peut-être, un front plus haut où le cheveu a commencé à se faire rare, un rien de givre sur les favoris roux. Et un nouvel air d'autorité indéfinissable. Mundy met quelques instants à s'apercevoir qu'Amory se livre à la même inspection de son visiteur.

« Eh bien, vous avez nettement meilleure mine que lors de notre dernière rencontre, dit négligemment Amory. Alors, de quoi s'agit-il ?

– On a un transfuge polonais sur le toit du car.

– Qui l'a mis là-haut ?

– Nous tous.

– Ce qui veut dire toute votre troupe d'acteurs ?

– Oui.

– Quand ?

– Ce matin. A Weimar. On s'y est produits hier. »

Amory va à la fenêtre et écarte prudemment le voilage.

« Il semble bien calme, pour un clandestin libéré. Vous êtes sûr qu'il est en vie ?

– Je lui ai dit de la boucler et de ne pas bouger jusqu'à ce qu'on le prévienne que la voie est libre.

– C'est *vous* qui lui avez dit ça ?

– Oui.

– Vous ne plaisantez pas sur la discipline, apparemment.

– Il le fallait. »

Pendant un moment, rien ne se passe. Amory a toujours son sourire en coin, et on entend le car manœuvrer dans la cour.

« Vous ne semblez pas fou de joie, finit-il par remarquer. Pourquoi sommes-nous tous bêtement là et pas en train de danser dans la rue et de siffler du champagne ?

– Ce garçon dit que sa famille subira des représailles s'il est identifié. Alors on a tous décidé de la boucler.

– Qui vous a dit de demander Arnold ?

– Sasha. »

Ce sourire n'est pas un vrai sourire, sinon il aurait déjà disparu, songe Mundy. Celui-là est celui qu'il arbore tout en vous observant et en réfléchissant.

« Sasha, répète Amory au bout d'une éternité. Le type avec qui vous logiez du temps où vous jouiez au rouge. Ce Sasha-*là*. Celui qui est venu ici un jour faire un esclandre.

– Il est à l'Est, maintenant. C'est un genre d'espion.

– Oui, je crois que nous en avons entendu parler. Savez-vous *quel* genre d'espion ?

– Non.

– C'est aussi lui qui vous a dit que j'étais arrivé à Tempelhof hier soir ?

– Oui. Pourquoi ?

– C'est un genre de petit code, quand un côté veut dire à l'autre quelque chose de terriblement important. Qu'y a-t-il dans ces sacs ?

– Des secrets, d'après lui. Il dit aussi que le Polonais est un agent infiltré, mais qu'il serait sage de ne pas s'en prendre à lui.

– Pour éviter de compromettre le camarade Sasha ?

– Il a dit que la fouille du car par la police était une mise en scène pour laisser passer ce garçon. Et que le contenu de ces sacs n'en serait que mieux protégé.

– Cela semble plein de bon sens, non ? Est-ce là tout ce qu'il nous donne ou s'agit-il d'échantillons avant une grosse livraison ?

– Il a dit qu'il en avait davantage.

– Avec vous dans le circuit ?

– Il vous a écrit. C'est à l'intérieur.

– Demande-t-il de l'argent ?

– Il n'en a rien dit. Du moins pas à moi. Ce serait une première, en tout cas.

– Et vous ?

– Non, absolument pas.

– Et où comptez-vous aller, là tout de suite ?

– Je rentre en Angleterre.
– Cet après-midi même ?
– Oui.
– Avec vos acteurs ?
– Oui.
– Vous permettez que je déballe mon bas de laine ? Je vais vous appeler Edward, si ça ne vous ennuie pas. Je crois bien que je l'ai déjà fait, non ? J'ai un oncle prénommé Ted que je ne peux pas souffrir. »

Toujours avec le sourire, Amory vide les sacs sur la table basse en plastique blanc : l'ouvrier socialiste viril, le livre sur le Bolchoï, le paquet de pellicules Kodak, la boîte en poterie bleue. Il étudie le travailleur socialiste sous toutes les soudures, renifle le livre, retourne le paquet de pellicules du bout des doigts, en examine la date limite d'utilisation, les tampons des douanes, place la boîte en poterie bleue contre son oreille et la secoue doucement, mais ne touche pas au ruban adhésif qui relie le couvercle au pot.

« Et ce sont des noix, à l'intérieur ?
– C'est ce qu'il a dit.
– Parfait, parfait. Bien sûr, ça a déjà été utilisé. Mais quoi de neuf sous le soleil, hein ? »

Il repose la boîte sur la table à côté du reste, et place une main à plat sur le haut de son crâne pour admirer sa collection.

« Vous avez dû faire dans votre froc.
– Tous les autres aussi.
– Mais juste à cause du Polonais, eux. Vous n'avez pas parlé à votre troupe de tout ça, là, fait-il avec un regard négligent vers la table. Ils ignorent tout de notre… butin ?
– Ils sont juste dans le coup pour le clandestin. Ils doivent être en train de faire une scène de tous les diables.
– Ne vous inquiétez pas. Laura leur donne des gâteaux et des sodas. Les Vopos ont vraiment fait une fouille dans les règles, à votre avis ? Ou c'était une mise en scène, comme l'avait annoncé Sasha ?
– Je n'en sais rien. J'ai évité de regarder.
– Pas de chiens-chiens ?
– Si, mais ils ne l'ont pas flairé. On l'avait enduit de graisse à essieux pour brouiller la piste.

– Une idée d'Edward ?
– Sans doute.
– On ne vous avait pas fourni d'escorte pour le voyage ?
– Si, mais elle faisait partie de la mise en scène.
– Pour aider à infiltrer l'agent ?
– Selon Sasha, oui. Elle disait s'appeler Erna. Une blonde. Catégorie poids lourd. »

Le sourire d'Amory s'élargit, en signe de reconnaissance amical.

« Et sommes-nous toujours gauchisant ou avons-nous laissé de côté les enfantillages ? »

En attendant une réponse qui ne vient pas, Amory repose la boîte de pellicules sur la table et lui sourit jusqu'à ce qu'elle soit bien alignée avec le reste de son butin.

« Et où loge-t-on ?
– A Hampstead.
– Et on travaille à plein temps pour le British Council ?
– Oui.
– On prend le bus 24 jusqu'à Trafalgar Square ?
– Oui.
– Des proches ? Femme, petite amie ou quoi ou qu'est-ce ?
– Une femme. Enceinte.
– Prénom ?
– Kate. Diminutif de Catherine.
– Avec un *C* ?
– Oui.
– Nom de jeune fille ?
– Andrews.
– Nationalité anglaise ?
– Oui. Enseignante.
– Lieu de naissance ?
– Doncaster.
– Vous connaissez la date ?
– Deux ans avant moi. Le 15 avril. »

Pourquoi me plier à cet interrogatoire ? Pourquoi ne pas prier Amory de se mêler de ses oignons ?

« Eh bien, bravo, dit Amory, toujours occupé à contempler son butin. Un grand bravo, au cas où j'oublierais de vous le dire plus tard. A croire que vous avez ça dans le sang. Je vais mettre tout ça au frigo, si vous permettez, et après vous pourrez m'emmener voir vos ouailles. Pour eux, je suis un simple larbin du Foreign Office, alors ne caftez pas sinon je serai vexé. »

*

Aux yeux de Mundy, le commissariat de Berlin-Ouest pourrait bien être celui où on l'avait tabassé, mais dans son état d'hébétude après la surexcitation peu lui chaut. Amory a téléphoné à l'avance pour arranger les choses. Lui et son sergent se sont adjugé la place attitrée de Mundy près de Steve le chauffeur et ont installé Mundy sur le siège derrière eux. C'est Amory, et non Mundy, qui donne l'ordre à la troupe de descendre dans le hangar sans fenêtres où le car est arrivé comme par magie. Et c'est encore Amory, aidé du sergent, qui leur fait faire cercle autour de lui pour s'adresser à eux avec juste le bon dosage d'insolence et d'avertissement.

Ils ont fait quelque chose de formidable, leur dit-il, et ils ont tout lieu de se féliciter.

« Mais nous avons un secret. Ou plutôt, deux. Le premier est sur le toit du car, parce qu'on ne voudrait pas que sa maman, son papa, ses frères et ses sœurs restés en Pologne aient des ennuis. Le second, c'est Edward ici présent, parce que si le British Council vient à apprendre ce qu'il a orchestré, ils vont péter un câble et il se fera vider. Faire passer des réfugiés clandestinement n'entre pas dans ses fonctions. Donc, on va vous demander l'impossible pour tout acteur, c'est-à-dire de la boucler. Pas juste pour ce soir, mais pour toujours. Amen ! »

Une fois que le sergent a lu à haute voix la Loi sur le secret officiel et que chacun a signé un formulaire imposant, Amory lance à travers le hangar un joyeux *Also los, bitte, meine Herren !* à une escouade de policiers en bleus de travail qui appuient aussitôt leurs échelles contre le car British Leyland, débarquent sur le toit et se lancent des ordres à pleine voix jusqu'à ce que la toile de fond soit déposée et déroulée avec d'infinies précautions sur le sol en béton telle une précieuse trouvaille archéologique. Des lambeaux de chiffons et de kapok surgit alors sous un tonnerre d'applaudissements un Adonis nu et goudronné, qui, l'œil exorbité par l'euphorie, se précipite vers ses sauveurs et étreint chacun d'eux, Viola en dernier et plus longuement. Après cet épisode, tout se précipite et s'organise. Les policiers enveloppent le jeune homme d'une couverture et l'emmènent rapidement. Viola se précipite derrière lui mais n'a droit qu'à un bref signe de la main depuis la porte. Debout sur le marchepied du car, Amory leur adresse à tous un dernier mot.

« Maintenant, la très mauvaise nouvelle, c'est que nous devons garder Edward à Berlin un jour ou deux. Vous allez devoir lui faire vos adieux ici et lui laisser le sale boulot. »

Étreintes, cris, larmes de comédiens qui deviennent de vraies larmes, et le car psychédélique à impériale file hors du hangar, laissant Papy faire le sale boulot.

*

A son retour à Estelle Road quatre jours plus tard que ce à quoi lui et Kate s'attendaient, Mundy se glisse facilement dans la peau de l'employé outré. Peu importe qu'il lui ait téléphoné chaque jour en lui criant son indignation. Ulcéré il était à Berlin, ulcéré il est encore ici.

« Enfin, ils n'auraient pas pu y penser plus tôt ? insiste-t-il une fois de plus – *ils* désignant comme toujours ses pauvres employeurs. Je ne supporte pas l'incompétence. Pourquoi faut-il que tout se fasse au jour le jour ? se plaint-il avant de se livrer à une imitation cruelle et injuste de sa bonne fée du Personnel. "Oh, *chic* ! Notre Ted Mundy chéri est à *Berlin*. Quelle *chance* pour lui ! Laissons-le quelques jours dans notre bureau là-bas pour qu'il fasse connaissance avec toute l'équipe." Depuis trois mois qu'elle savait que je partais pour Berlin, tout d'un coup, paf, elle fait le lien ! »

Kate a tout organisé depuis longtemps pour fêter dignement son retour après ces cinq semaines de séparation. Elle l'attend avec la voiture à l'aéroport de Londres et l'écoute avec un sourire patient fulminer durant le trajet. Mais, une fois à Estelle Road, elle lui met un doigt sur les lèvres, le fait monter direct au premier jusqu'au lit, s'arrêtant juste le temps d'allumer une bougie parfumée achetée pour l'occasion. Une heure plus tard, ils décident d'un commun accord qu'il est temps de dîner. L'entraînant à la cuisine, il met un point d'honneur à sortir lui-même le bœuf bourguignon du four et à rester constamment dans son chemin tant il veut lui éviter une fatigue inutile. Ses gestes, comme sa conversation, pourraient lui paraître un tantinet théâtraux, mais, après tout ce temps passé avec des gens de spectacle, c'était prévisible.

Au dîner, il exige avec le même empressement un compte rendu exhaustif sur sa grossesse, sa famille et les luttes intestines du parti travailliste de St Pancras. Mais tandis qu'elle s'exécute docilement, il se surprend à embrasser toute la cuisine du regard, se délectant du moindre précieux détail comme s'il venait de sortir de l'hôpital : le buffet en pin aux jointures à tenons et mortaises qu'avec l'aide de son beau-père il a construit selon les spécifications de Kate parce que, comme Des se plaît à le dire, il y a un vrai menuisier en notre Ted quand il s'y met ; les casseroles anti-adhésives que Reg, son beau-frère, et sa femme Jenny leur ont offertes pour leur mariage ; l'excellente machine à laver et sécher allemande que Kate a achetée avec ses économies parce qu'elle est du genre vieux jeu, confesse-t-elle sans honte : leur bébé aura de vraies couches, pas ces trucs style buvard sous des barboteuses en plastique.

Après lui avoir narré chaque heure des cinq dernières semaines, Mundy fait le tour de la table, l'embrasse et la caresse tant et si bien qu'ils n'ont plus qu'à remonter à la chambre faire l'amour jusqu'à ce que, petit à petit, il se lance dans une version censurée de ses aventures avec les gamins, interrompant son récit par de gros éclats de rire pour se laisser le temps de réfléchir, et imitant les voix des principaux acteurs au point que Kate jure qu'elle serait capable de reconnaître Lexham n'importe où.

« Et Dieu merci, je n'aurai pas à revivre tout ça avant le mois de juin, conclut-il avec un léger soupir de soulagement.

– Quoi ? Qu'est-ce qui se passe, en juin ?

– Oh, ils veulent me donner *Prague*, lâche-t-il comme s'il s'agissait d'une punition.

– Quelle drôle d'idée ! s'étonne-t-elle avec son humour cassant. C'est beau, Prague.

– Le Festival international de la danse. J'accompagnerai les participants anglais. Tous frais payés, plus une indemnité de responsabilité.

– Combien de temps ?

– Dix jours, hélas. Douze en comptant le voyage. »

Elle se tait un instant, puis tapote tendrement son ventre.

« Bon, après tout, ça va, non ? Tant qu'il ne décide pas de venir en avance.

– Si elle fait ça, je serai là avant elle », jure Mundy.

C'est leur petit jeu. Elle dit que ce sera un garçon, et lui une fille. De temps en temps, pour varier un peu, ils échangent leurs pronostics.

Chapitre 7

Le car psychédélique a repris poussivement la route, les derniers cris d'adieu déchirants de la troupe se sont fondus dans le vacarme de la circulation. Mundy et Amory sont assis face à face dans un placard insonorisé du couloir face au bureau dépouillé d'Amory, et un magnétophone posé entre eux sur la table en liège enregistre. A cette minute, remarque Amory, le butin s'envole déjà vers Londres. Les analystes ont hâte de mettre leurs doigts crochus dessus. Entre-temps, voici ce qu'ils attendent de nous pour hier : un autoportrait sans complaisance d'Edward, un rapport circonstancié sur l'histoire d'amour Sasha-Mundy du premier émoi jusqu'à Weimar, et une description du soi-disant professeur Wolfgang, sans omettre le moindre détail.

A la fois fourbu et surexcité, Mundy répond brillamment aux questions d'Amory une heure durant, puis de façon plus erratique l'heure suivante, avant de commencer à somnoler faute d'oxygène *in utero*. De retour à la réception, où il attend qu'Amory se soit débarrassé de la bande, il s'endort d'un sommeil profond, dont il sort à peine pendant le court trajet en voiture vers une destination connue du seul Amory, et se réveille pour s'apercevoir qu'il est rasé, douché, tient un whisky soda à la main et se trouve devant la fenêtre aux rideaux de dentelle d'un charmant appartement avec vue sur le Kleistpark quinze mètres en contrebas, où de dignes représentants de la petite bourgeoisie berlinoise, dont des mères à la conscience non éveillée poussant un landau, se promènent sous l'agréable lumière du soleil vespéral. S'il constitue un objet de curiosité pour Amory, il est devenu un mystère pour lui-même. Le stress, la prise de conscience des implications de ses actes et un tas d'angoisses accumulées, jusqu'ici occultées, l'ont laissé vidé et abasourdi.

« Il serait peut-être temps que vous téléphoniez à votre Kate pendant que je vais me refaire une beauté », suggère Amory avec son éternel sourire.

A quoi Mundy répond que oui, bien sûr, c'est son gros souci actuel, Kate, et que lui dire exactement ?

« La question ne se pose même pas, réplique gaiement Amory. Votre conversation sera surveillée par au moins six services de renseignements, alors ce que vous avez de mieux à faire, c'est d'y aller mollo.

– Mollo comment ?

– Vous êtes retenu ici par le British Council, on trouvera bien une raison. "Coincé, chérie. Des problèmes au boulot. Mes seigneurs et maîtres me supplient de rester jusqu'à ce que ce soit résolu. *Tschüss*, Edward." C'est une femme active. Elle comprendra.

– Et je loge où ?

– Ici. Dites-lui que c'est un foyer pour fonctionnaires célibataires, ça la rassurera. Le numéro est inscrit sur le téléphone. N'en rajoutez pas trop et elle vous croira. »

En effet. Amory s'éclipse, et Kate croit le boniment de Mundy avec une telle candeur que c'en est presque insupportable. Quelques minutes plus tard, il se retrouve dans la voiture d'Amory à échanger des plaisanteries avec le sergent Cliff au volant, puis l'instant d'après dans ce nouveau restaurant de poisson de Grunewald encore peu connu, Dieu merci, car les Berlinois ont un fâcheux côté grégaire, de nos jours. Pendant leur dîner en tête à tête dans une alcôve lambrissée à l'éclairage tamisé pour les amoureux et commodément envahie de musique live et de brouhaha, par un nouveau miracle Mundy retrouve son entrain, si bien que, lorsque Amory lui demande par jeu si le gauchiste invétéré qu'il est regrette d'avoir quitté le sanctuaire de l'Europe communiste pour l'Ouest décadent et capitaliste, Mundy surprend Amory et lui-même par une retentissante condamnation du communisme soviétique et de tous ses rouages.

Peut-être y croit-il vraiment ou peut-être éprouve-t-il un ultime frisson d'horreur en repensant à son intrépidité. Quoi qu'il en soit, Amory ne va pas rater l'occasion.

« Sans mentir, Edward, vous étiez fait pour être des nôtres. Alors, toujours plus loin, toujours plus haut, c'est la devise. Merci et bienvenue à bord. Santé ! »

A partir de là – par la suite Mundy ne sait pas trop pourquoi, mais sur le moment cela paraît tout naturel –, la conversation s'oriente vers la question purement théorique de savoir ce qu'un homme doit raisonnablement dire ou non à sa femme dans *une situation semblable*, sans qu'aucun ne précise à quelle situation ils font allusion. Le point de vue d'Amory, qui vaut ce qu'il vaut mais se fonde sur une certaine expérience, Edward, c'est qu'accabler les gens qu'on aime de renseignements dont ils n'ont pas besoin et ne sauront que faire est aussi cruel et égoïste, sinon plus, que de ne rien leur dire du tout. Ce n'est là que le point de vue d'Amory, et Edward est libre de ne pas le partager.

Mais il mérite considération, par exemple si la personne à laquelle on veut se confier est enceinte, poursuit Amory d'un ton dégagé.

Ou si elle est naturellement affectueuse, confiante et mal équipée pour garder enfermée en elle une chose aussi grave.

Ou si c'est une femme à principes, qui pourrait avoir du mal à concilier ses opinions politiques avec, euh, certaines activités dirigées contre un certain ennemi ou une idéologie qu'elle ne voit pas sous le même jour que nous.

Bref, s'il s'agit de Kate et qu'elle a assez de soucis, entre la gestion d'une école et de la maison, un mari à bichonner, un premier bébé en route et une bande de trotskistes à chasser du parti travailliste de St Pancras – ce qui signifie qu'à un moment Mundy a dû parler d'eux aussi à Amory.

L'appartement sur le Kleistpark n'est pas celui d'Amory, ni un foyer pour fonctionnaires célibataires. C'est un pied-à-terre pour amis de passage qui ne tiendraient pas forcément à annoncer leur présence en ville. Quoi qu'il en soit, Amory doit retourner une heure au bureau au cas où il y aurait des nouvelles de Londres.

Mais Cliff sera dans la chambre voisine si jamais vous aviez besoin de quelque chose.

Et Cliff sait toujours où me trouver.

Et si vous envisagez une petite promenade matinale, ce qui est votre péché mignon m'avez-vous dit, je suis partant. En attendant, allez dormir. Et encore bravo.

J'essaierai.

*

Mundy est allongé sur son lit, les yeux aussi grands ouverts que la nuit dernière à Weimar, à compter les quarts d'heure et demi-heures des horloges trop bien synchronisées de Berlin-Ouest.

Tire-toi, se dit-il. Tu n'as pas besoin de tout ça. Tu as Kate, le bébé, le travail, la maison. Tu n'es plus un fainéant de Taos, tu es sorti de l'ornière. Tu es Ted Mundy, diplomate culturel et futur père. Prends ton sac, descends sur la pointe des pieds pour ne pas réveiller Cliff et file à l'aéroport.

Tout en se donnant à lui-même ce conseil, il se souvient, et n'avait en fait jamais oublié, que Nick Amory a gardé son passeport – une formalité, Edward, vous le récupérerez demain matin.

Et il sait aussi qu'en donnant son passeport il était parfaitement conscient de la portée de son geste, ainsi d'ailleurs qu'Amory.

Il se ralliait. « Un des nôtres » s'engageait de lui-même dans « ce pour quoi il était fait ».

Ce n'était pas un acte de soumission, on ne lui forçait pas la main. C'était lui disant « J'en suis », comme déjà au dîner en déblatérant sur les horreurs de la vie communiste. Il s'enrôlait en tant que membre actif de l'équipe d'Amory parce que c'est ainsi qu'il se voyait dans l'ivresse de son succès et ainsi qu'Amory le voyait également.

Alors qu'on veuille bien me rappeler comment je me suis fourré dans ce guêpier, au départ. Ce n'est pas Amory qui m'a recruté, c'est Sasha. Amory ne m'a pas refilé une brassée de secrets en disant : « Tiens, prends tout ça et remets-le aux services secrets anglais. »

C'est Sasha.

Alors je fais tout cela pour la mère patrie ou pour un antiluthérien qui s'autoflagelle et fuit Dieu ?

Réponse : Je ne le fais pas du tout. Je quitte le navire.

D'accord, Sasha est mon ami. Pas forcément un ami que j'aime, mais un ami loyal, un vieil ami qui a besoin de ma protection. Et Dieu sait s'il l'a déjà eue. Un ami qui se trouve aussi être accro au chaos et qui mène à lui seul une guerre fanatique contre toute forme d'ordre établi.

Et voilà qu'il s'est trouvé un autre temple à déboulonner. Alors bonne chance. Mais il ne va pas me déboulonner avec.

Ni Kate.

Ni le bébé.

Ni la maison. Ni le travail.

Et c'est ce que je vais dire à Amory dans deux heures, au cours de cette promenade matinale dont il parlait. Je lui dirai : « Nick, vous êtes un grand professionnel, je respecte Londres et oui, je suis tout à fait d'accord, le communisme soviétique est un ennemi légitime, et je souhaite que vos efforts pour le contrecarrer soient couronnés de succès. Maintenant, si vous voulez bien me rendre mon passeport et peut-être me dénicher une voiture pour l'aéroport, vous pourrez toujours vous arranger de votre côté avec Sasha, on se serre la main et on arrête là. »

Mais il n'y aura pas de promenade matinale. Il y a Amory debout près de lui dans la grisaille de l'aube, qui lui ordonne de s'habiller sur-le-champ.

« Pourquoi ? Où allons-nous ?

– Au pays. Par le chemin le plus court.

– Pourquoi ?

– Les analystes vous ont donné un alpha plus plus.

– Qu'est-ce que c'est que ce truc ?

– Ce qu'il y a de mieux. Vital pour la sécurité nationale. Votre copain a dû stocker ses infos depuis des années. Ils demandent si vous préférez la Victoria Cross ou une pairie. »

*

Se faire convoyer.

Ne pas prendre de décisions.

Se carrer dans son siège et être le spectateur de sa propre vie. C'est aussi ça l'espionnage, apparemment.

L'aéroport de Tempelhof, à nouveau, en Jeep tôt le matin, un autre sergent.

Adieu, Cliff.

Adieu à vous, Ted. Et bonne chance.

L'avion de la RAF qui l'attend toutes hélices tournantes, Amory comme seul autre passager. Accrochez-vous, on décolle déjà. Les pilotes ne nous regardent pas. Ça fait partie de leur entraînement. Atterrissage à l'aéroport de Northolt, descente d'avion, transfert immédiat dans une fourgonnette verte avec rétroviseurs latéraux grand format et deux vitres fumées aux portes arrière.

A cette heure, elle part à l'école. Elle est à mi-chemin de la voie en béton entre la piscine en plein air de Hampstead et les beaux immeubles. Les grands élèves la baratinent, les petits s'accrochent à ses mains, et elle croit que je parle danses folkloriques au British Council à Berlin.

*

A travers les vitres arrière de la fourgonnette, Mundy reconnaît la route d'Oxford. Il a obtenu un alpha plus plus, alors on va lui remettre un diplôme. Dans son box d'anachorète, Ilse lui dit qu'il est un vrai bébé pour ce qui est du sexe. Arrivés dans une région de collines moutonnantes, ils passent entre des portants de brique surmontés de griffons en grès. La lumière joue à cache-cache entre les hêtres qui les entourent. La fourgonnette stoppe le temps qu'on fasse signe au chauffeur de continuer. Plus de hêtres, ici, mais des enclos derrière des barrières blanches, un club-house de cricket et un étang circulaire. La fourgonnette s'arrête à nouveau, les portes arrière s'ouvrent à la volée, un intendant aux lèvres pincées, en veste blanche et tennis, s'empare de la musette de Mundy et le conduit au-delà d'une grappe de voitures garées, le long d'un passage dallé, et en haut d'un escalier de service jusqu'au couloir des domestiques.

« Mon invité a la chambre nuptiale, sergent, dit Amory à l'intendant.

– Très bien, monsieur. J'envoie la mariée tout de suite. »

La chambre nuptiale a un petit lit à une place, une cuvette et un broc, une minuscule fenêtre face à un mur couvert de lierre. Durant sa dernière année de *prefect* à l'école, Mundy avait une chambre identique. D'autres voitures arrivent. Il entend des voix étouffées et des bruits de pas sur le gravier. Le plus important changement de sa vie est sur le point de se produire. Derrière des portes closes, pendant quatre jours non officiels, « l'un des nôtres fait pour ça » rencontre sa famille.

*

Ce n'est pas la famille qu'il s'attendait à voir, mais ce n'est pas une nouveauté pour lui.

Pas de messieurs à la mine sombre dont les regards en coin le jaugent. Pas de superdiplômées portant twin-sets et perles pour l'embrouiller avec des questions de prétoire. Ils sont ravis de le rencontrer, fiers, impressionnés, ils veulent lui serrer la main et ils le font. A première vue des gens bien, ordinaires, sympathiques. Pas de noms ni de titres, mais des visages ouverts, des chaussures confortables et des serviettes marron éraflées qui n'ont rien d'administratif, les femmes allant de l'étourdie – mais où donc ai-je bien pu mettre mon sac ? – à la maman sereine aux yeux humides et rêveurs, qui l'écoute tendrement des heures durant avant d'intervenir par une question sur un point qu'il avait totalement oublié jusqu'à ce qu'elle l'évoque.

Quant aux mâles, il y en a aussi une variété infinie, mais malgré tout au sein d'une même espèce. Intellectuels d'âge mûr, disons. Des archéologues travaillant en bonne entente sur le même site. Des médecins à l'indifférence étudiée mais bienveillante, signifiant on s'attaque à la maladie, pas au malade. De jeunes hommes anguleux au complet bon marché et au regard lointain – Mundy voit en eux les héritiers de la tradition de l'explorateur d'Arabie, traversant le désert à dos de chameau avec pour seules compagnes les étoiles, une bouteille de citronnade et une barre de chocolat aux noisettes.

Alors, se demande-t-il, au-delà de leur intérêt flatteur pour Ted Mundy, à quoi tient leur ressemblance ? Aux éclats de rire inattendus, à l'allant, à l'enthousiasme partagé, à l'œil un peu plus vif et au verbe un peu plus haut que la moyenne. A la discrète étincelle des comploteurs. A leur fraternité.

Ils remontent dans le passé de Mundy, d'abord en suivant le débriefing fait par Amory à Berlin, puis en partant dans différentes voies. Toute l'histoire de sa vie exposée sous ses yeux comme un cadavre et disséquée avec le plus grand tact britannique. Mais Mundy ne s'en formalise pas. Il en fait partie, en tant que joueur alpha plus plus sélectionné dans l'équipe d'Angleterre.

Des recoupements dans sa vie qu'il n'avait jamais conçus auparavant, arrachés aux entrailles de sa mémoire et offerts à son inspection et à ses commentaires : *Bon sang, eh bien, je crois que c'est vrai*, ou : *En y réfléchissant, oui, exact, en fait*. Et Amory toujours à son côté, prêt à le rattraper s'il tombe et à dissiper le moindre malentendu au cas où l'ami Edward prendrait la mouche, ce qui lui arrive parce que les questions incontournables ne sont pas toujours à son goût. Ils n'ont jamais prétendu que ce serait le cas, bien au contraire. C'est ça, la famille.

« Aucun auteur d'exploits dans votre genre ne peut être cuisiné à ce point sans que sa réputation en prenne un petit coup, Ted, lui assure aimablement une des mamans.

– D'accord, tout à fait d'accord. Posez vos questions, madame, je suis votre humble serviteur. »

Serait-ce une psy ? Comment savoir ? Il l'aurait bien appelée Flora, Betty ou autre s'il connaissait son nom, faute de quoi, dans l'esprit du moment, il s'adresse à elle comme à la reine, ce qui déclenche une cascade de rires amicaux autour de la table en acajou.

Ainsi se passe la première journée, au terme de laquelle, quand seuls quelques traînards s'attardent encore au bar, ils ont glorifié l'avatar que Ted Mundy appellera par la suite Mundy n° 1 : héros de Weimar, loyal fils unique du major, ancien capitaine de l'équipe de cricket de son école privée et vaillant deuxième ligne au rugby, devenu un rien gauchisant à l'université – quoi de plus naturel ? –, mais qui, ayant entendu l'appel du clairon, rallie le régiment familial avec l'élite.

Malheureusement, ce n'est là que le Mundy n° 1. Dans l'espionnage, il n'y a jamais un seul avatar.

*

Peut-on provoquer la schizophrénie ?

Assurément, à condition que le patient s'y prête.

A Weimar, Sasha a donné à Mundy un avant-goût de ce qui l'attendait. Ici, à Oxford, grâce à certaines instructions subrepticement transmises à M. Arnold par microfilm caché, on lui fait avaler tout l'écœurant repas. Si le Mundy n° 1 d'hier incarnait le meilleur de tout ce à quoi il pouvait aspirer, Mundy n° 2 est la caricature de tout ce qu'il craignait de devenir jusqu'à deux ans auparavant.

L'ex-écolier bolcho, l'ex-oxfordien gauchiste devenu anar qui a abandonné ses études, l'agitateur berlinois qui, après un passage à tabac bien mérité, a été chassé de la ville à l'aube, l'instituteur de primaire non diplômé renvoyé pour débauche qui a eu des démêlés avec un journal de province avant d'aller s'installer en tant qu'écrivain raté au Nouveau-Mexique pour finir par rentrer penaud en Angleterre se perdre dans les dédales de la bureaucratie culturelle, le has-been jusqu'au bout de ses ongles crasseux.

Son image dans ce miroir trop peu déformant lui est si familière d'emblée qu'il a grand-peine à la regarder sans faire des grimaces ridicules, s'arracher les cheveux, rougir, gémir et mouliner des bras. Pour quelle part ce portrait résulte-t-il de ses confessions à Amory et de recherches menées à Londres ces dernières quarante-huit heures, impossible pour lui de le savoir. Il n'en reste pas moins que Mundy n° 2 est bien trop ressemblant, qu'il soit esquissé affectueusement par les dames au regard rêveur ou à grands traits féroces par un universitaire enthousiaste d'âge mûr.

*

Un pasteur coiffé d'un feutre noir biblique vient d'arriver en hélicoptère. Par la baie de la salle de conférences, Mundy le regarde traverser la pelouse au pas de course, plaquant son chapeau sur sa tête et tenant sa serviette à bout de bras pour faire contrepoids. A son entrée, les messieurs se lèvent et les conversations cessent. Il prend place au centre de la table. Un silence respectueux s'installe lorsqu'il sort un dossier de sa serviette et l'étudie avant d'adresser un sourire malicieux à l'assistance puis à Mundy.

« Ted, j'ai une question à vous poser, cher ami », commence-t-il.

C'est déjà l'après-midi, et Mundy est fourbu, les coudes appuyés sur la table de conférence, ses longues mains enfouies dans sa chevelure ébouriffée.

« Je vous en prie, réplique-t-il.

– Kate vous a-t-elle jamais dit que votre beau-père, Des, avait une carte du parti communiste anglais jusqu'en 1956 ? lance-t-il comme il demanderait si Kate aime jardiner.

– Jamais.

– Et Des ?

– Non plus.

– Pas même pendant vos parties de billard du samedi soir au pub ? insiste-t-il, son sourire s'élargissant. Je suis choqué.

– Non, ni pendant une partie de billard ni à aucun autre moment. »

Et moi aussi je suis choqué, pense Mundy en son for intérieur, mais trop loyal envers Des pour l'avouer.

« L'invasion soviétique de la Hongrie l'a refroidi, comme bon nombre d'entre eux, déplore le pasteur en consultant à nouveau son dossier. Mais on ne quitte jamais *complètement* le Parti, n'est-ce pas ? On l'a toujours plus ou moins dans les veines, se réjouit-il.

– Sans doute », reconnaît Mundy.

Mais le dossier contient plein de bonnes choses, annonce le sourire du pasteur, qui s'y reporte. Des n'est qu'un début.

« Et Ilse. Que savez-vous de ses opinions politiques, de son étiquette, pour ainsi dire ?

– Elle était un peu tout. Anarchiste, trotskiste, pacifiste… Je n'ai jamais trop fait le tri.

– Elle, si. En 1972, sous l'influence de votre successeur, elle a pris sa carte à la section de Leith du parti communiste écossais.

– Grand bien lui fasse.

– Vous êtes trop modeste. C'est là votre œuvre, je peux vous l'assurer. Vous avez commencé le travail et votre successeur l'a achevé. Vous êtes le premier responsable de son illumination. »

Mundy secoue superbement la tête, mais le pasteur ne se laisse pas impressionner.

« Quant à votre Doktor Mandelbaum, prénom Hugo, votre camarade réfugié, votre mentor à la pension…, enchaîne-t-il en formant une voûte romane avec ses doigts. Que vous enseignait-il *au juste* ?

– L'allemand.

– D'accord, mais quelle *spécialité* ?

– Littérature et linguistique.

– Rien d'autre ?

– Qu'est-ce à dire ?

– Disons, un peu de philosophie ? Hegel, Herder, Marx, Engels ?

– Grand Dieu, non !

– Que vient faire Dieu là-dedans ? rétorque le pasteur en haussant sympathiquement ses sourcils arqués.

– Je n'étais pas prêt pour la philosophie, voilà tout. Pas à cet âge. Ni à n'importe quel âge, d'ailleurs. Et surtout pas en allemand, je n'y aurais rien compris. Ce n'est guère mieux aujourd'hui. Demandez à Sasha, dit-il avant de plaquer le dos de sa main sur sa bouche en émettant un toussotement.

– Je vais tourner la question autrement, Ted, et ne m'en veuillez pas d'être si contrariant. Aurais-je raison de dire que le Doktor Mandelbaum *aurait pu* vous enseigner la philosophie ? S'il l'avait voulu ? Si vous aviez été précoce ?

– Fichtre ! Vu comme ça, il aurait pu m'enseigner n'importe quoi ! Mais la vérité, c'est qu'il ne l'a pas fait. Vous me l'avez demandé, j'ai répondu non. Vous me reposez la question de façon hypothétique, et là je suis censé vous répondre oui ! lance-t-il, ce qui amuse le pasteur au plus haut point.

– Donc, pour nous résumer, Mandelbaum *aurait pu* vous laver le cerveau à coups de Marx, d'Engels ou autres, et, tant que vous n'auriez pas cafté à vos camarades ou au reste du personnel, personne n'en aurait rien su.

– Et je vous répète que ça n'est pas le cas. Tout ce qu'il a fait, dans le cadre légitime de ses fonctions quoique très indirectement, c'est de me transmettre un très vague souffle révolutionnaire, point final, conclut-il avant de se remettre à se masser le crâne.

– Ted, mon cher ami.

– Quoi ?

– Notre profession, que vous venez d'embrasser, n'est pas ancrée dans le monde réel. Elle ne fait que le traverser. Toutefois, dans le cas présent, la réalité est de notre côté. L'ensemble du clan Mandelbaum se composait de gauchistes purs et durs, et c'est tout à leur honneur. Trois d'entre eux ont combattu dans la brigade Thälmann pendant la guerre d'Espagne. Le frère aîné de Hugo était au Komintern. Staline l'a fait pendre, pour sa peine. Votre Hugo a rejoint le parti communiste à Leipzig en 1934 et y a cotisé jusqu'à sa mort à l'hôpital de Bath quarante ans plus tard.

– Et alors ?

– Alors, les maîtres de Sasha ne sont pas des imbéciles. Vous en avez rencontré un : le bon Professeur. Il a peut-être ses petites manies, mais il n'est pas né de la dernière pluie. Il va vouloir s'assurer qu'il a ferré le bon poisson, enfin, que Sasha l'a ferré. Il va commencer par vous désosser. Et ce qu'il va trouver, avec ses innombrables aides, c'est un gros fil rouge de militantisme radical qui part du Doktor Hugo Mandelbaum pour se dérouler sans se rompre *via* Ilse, Oxford et Sasha jusqu'à aujourd'hui. Bien sûr, vous n'avez pas adhéré au Parti, quelle idée ! Vous ne vouliez pas compromettre votre carrière. Mais votre mentor était un rouge, votre première petite amie est une rouge, vous êtes membre du parti travailliste de St Pancras, une organisation bien à gauche, vous êtes marié à une femme issue d'une famille de gauche dont le père était membre du PC jusqu'en 1956. Vous êtes un vrai miracle, mon garçon ! Si vous n'existiez pas, nous n'aurions pas pu vous inventer. Pour eux, vous serez un don de Dieu. Comme pour nous tous, dois-je ajouter. »

Approuvé par tous les présents qui rient de bon cœur, sauf Mundy. Il se redresse lentement sur son siège, se lisse les cheveux d'un geste, puis pose délicatement les mains sur la table et a un sourire d'homme heureux. Peu à peu, il comprend les règles de ce jeu familial. L'écrivain raté n'est finalement pas raté. C'est un créateur, comme eux. Il fait un détour par la réalité, comme eux, et en fouille les entrailles, pour l'amour de l'art.

« Vous avez oublié Ayah », lui reproche-t-il.

Ils échangent des regards hésitants. Aïe ? Aïl ? Où est le dossier sur Aille ?

« La nounou que j'ai eue en Inde, enchaîne Mundy, qui rectifie aussitôt : Au Pakistan. »

Ah, ce genre d'*ayah*. On peut lire le soulagement sur leur visage. Oui, bien sûr, vous voulez dire une *servante*.

« Parlez-nous d'elle, Ted, l'encourage le pasteur.

– Toute sa famille a été massacrée au moment de la Partition, dont mon père rendait responsable la mauvaise administration britannique. Ayah a fini ses jours en mendiant dans les rues de Murree. »

C'est à présent au tour du pasteur et de son équipe de comprendre l'idée. Splendide, Ted, s'accordent-ils à dire. Un mélo pareil, ils adorent ! Ayah devient une star. Ils unissent bientôt leurs efforts sur ce thème, intitulé *Influences de jeunesse*, se bombardant d'idées diverses pour pondre le scénario : le petit Mundy était un imposteur social, né d'une mère de la classe ouvrière, mais présenté comme le fils d'une aristocrate ; il a été adopté par une paysanne autochtone – grosse, Ted ? Parfait, on va la gonfler comme une baudruche ! – qui n'a jamais démenti l'histoire de ses origines ; cette paysanne énorme nommée Ayah – une nounou, *comme votre mère, bon sang !* – a été victime de l'oppression coloniale. Mais sans Ted, reconnaissent-ils tous plus tard au bar, ils n'auraient jamais atteint pareil résultat : ces petites touches supplémentaires font toute la différence entre le vrai *vécu* et une banale couverture.

« Nous sommes des carmélites, déclare Amory sans honte en faisant un tour de la propriété après le dîner. On ne peut pas parler de ce qu'on fait, on n'obtient aucune promotion officielle, on fait une croix sur la vie normale. Nos épouses doivent prétendre que leurs maris sont des ratés, et certaines le croient vraiment. Mais quand les capitaines et les pros du baratin s'en vont, on reste ceux et celles qui auront fait la différence. Et vous en êtes un autre, cela m'en a tout l'air. »

Mais qui est Mundy n° 3, quand le n° 1 et le n° 2 sont partis se coucher ? Qui est cette troisième personne qui n'est aucun des deux premiers, qui reste réveillé pendant qu'ils dorment, tendant l'oreille en vain pour entendre carillonner les cloches du pays ? Le spectateur silencieux. Le seul membre du public qui n'applaudit pas aux exploits de ses deux amis intimes. Il se compose des quelques petites miettes de sa vie dont il n'a pas fait don.

*

Y a-t-il jamais eu autant d'heures actives dans la journée d'un jeune époux ?

Que Mundy soit en train de trimer au QG du British Council à Trafalgar Square pour rédiger son rapport sur la tournée triomphale de la Sweet Dole Company ou préparer le terrain pour le Festival de danse de Prague, dans moins de quatre semaines à présent, ou qu'il se hâte de rentrer pour une séance destinée aux futurs pères à la maternité de South End Green ou une répétition des *Pirates de Penzance* que monte l'école, il jure qu'il n'a jamais été aussi débordé de sa vie et – osera-t-il le dire ? – aussi utile.

Et, au moindre instant de libre, il rejoint Des dans le bûcher pour aider à construire le berceau dont ils veulent faire la surprise à Kate, et pour lequel Bess, la mère de Kate, tricote une couverture au crochet. Des a déniché un superbe lot de vieux bois de pommier d'une texture et d'une couleur inouïes. Aux yeux de Mundy, ce berceau est devenu un objet mystique dans l'ordre des choses, à la fois talisman et but vital : pour Kate, pour le bébé et pour garder le bon cap. Comme toujours, Des aime parler politique.

« Ted, que feriez-vous de cette Margaret Thatcher, vous, en supposant que vous l'ayez entre les mains, hormis ce qui est évident ? » lui demande Des tout en travaillant.

Mundy sait qu'il n'est pas censé répondre, car c'est là le privilège de Des.

« Vous savez ce que je ferais, moi ? enchaîne Des.

– Dites.

– Je l'enverrais sur une île déserte avec Arthur Scargill et je les laisserais se débrouiller ! » lance-t-il, tellement hilare à l'idée d'imposer à Margaret Thatcher un mariage forcé avec le leader honni des mineurs que le travail sur le berceau est retardé de quelques minutes.

Mundy a toujours apprécié Des, mais son récent séjour à Oxford a donné du piquant à leur relation. Comment diable réagirait ce vieil ex-communiste s'il découvrait que son gendre espionne l'enfant le plus obéissant de Mère Russie ? Il y a fort à parier que Des ôterait cérémonieusement sa casquette pour lui serrer la main sans mot dire.

Le bébé n'est pas le seul motif d'excitation à l'horizon. Voici quelques jours, le parti travailliste a pris une veste aux législatives, et Kate en rejette l'entière responsabilité sur les militants et extrémistes qui en ont infiltré les rangs. Pour sauver son parti chéri, elle projette de se présenter comme candidate modérée officielle aux prochaines élections municipales en compétition directe avec les trotskistes, communistes et crypto-anarchistes qui sont la plaie de St Pancras. Elle met trois jours avant d'annoncer la nouvelle à Ted, tant elle craint qu'il s'inquiète. Mais elle a sous-estimé son bon cœur. Assis aux premières loges à la mairie de St Pancras une semaine plus tard, Mundy lui apporte tout son soutien lorsqu'elle annonce modestement sa candidature par quelques phrases concises et pertinentes qui ne sont pas sans rappeler le style de Sasha.

*

La bonne fée de Mundy au service du Personnel du British Council aimerait le voir quand il aura un moment, et suggère l'heure de fermeture des bureaux. Les mains à plat sur la table comme qui a juré de garder son calme, elle formule soigneusement ses phrases, à l'évidence bien répétées.

« Comment marche l'écriture ?

– Oh, euh, ça avance.

– Vous aviez un roman en préparation ?

– Oui. Hélas, il l'est toujours. »

Le papotage est terminé. Elle inspire à fond.

« Lorsqu'une autorité supérieure m'a informée que votre présence à Berlin était requise pour régler certaines questions de sécurité liées à votre tournée, je n'en ai pas été perturbée outre mesure, attaque-t-elle avant une nouvelle inspiration. Ce genre de choses n'est pas sans précédent, et l'expérience nous a appris à ne pas être curieux et à attendre que cela se passe. Toutefois... »

N'étant pas préparé à cette discussion, Mundy attend la suite du *toutefois*.

« Quand la même autorité supérieure m'a annoncé qu'il fallait vous donner Prague, j'en ai conclu, à tort je le sais maintenant, que vous aviez tiré des sonnettes. J'ai donc refusé d'entrer dans ce jeu, déclare-t-elle avant une nouvelle inspiration. Jusqu'à ce qu'une autorité *encore plus haut placée* m'enjoigne non seulement de faire ce qu'on m'avait dit, mais aussi d'obéir sans poser de questions à toute autre directive concernant votre avenir, sauf en cas de conflit si flagrant avec notre politique que cela en deviendrait *suspect vu de l'extérieur*, précise-t-elle avant un long temps d'arrêt. Hormis remettre ma démission, ce qui semble excessif vu que votre activité est à l'évidence vitale pour l'intérêt public, je n'ai d'autre alternative que de m'aplatir devant ce que je considère comme une immixtion *impardonnable*, *intolérable*, dans les affaires du Council. »

Voilà. Elle l'a dit.

« Puis-je vous poser une question ? enchaîne-t-elle.

– Je vous écoute », répond Mundy sans sa verve habituelle.

Jouez les imbéciles, l'a enjoint Amory. *Elle ne sait pas tenir sa langue. Elle ne doit absolument rien savoir.*

« A l'évidence, vous n'êtes pas obligé de répondre. A l'évidence aussi, je ne devrais même pas vous poser la question. Êtes-vous un cheval de Troie ?

– Un *quoi* ?

– A l'époque où vous êtes entré chez nous, est-ce que déjà – je ne connais pas le mot exact, et de toute façon si je le connaissais je n'aurais pas le droit de le prononcer –, est-ce que vous leur rendiez déjà de *menus services*, disons ?

– Non. Ni à eux ni à personne.

– Et ce qui s'en est suivi, quoi que ce soit, qu'à l'évidence je n'ai pas le droit de savoir et d'ailleurs je n'y tiens pas, est-ce arrivé par hasard ou à dessein, selon vous ?

– Tout à fait par hasard, lâche Mundy en gardant la tête baissée pour s'intéresser à ses mains. Les hasards de la vie. Une chance entre mille. Désolé.

– Et souhaiteriez-vous, *surtout* ne répondez pas si c'est trop pénible pour vous, souhaiteriez-vous secrètement que ce ne soit jamais arrivé ?

– A l'occasion, oui.

– Alors je suis désolée, moi aussi, Ted. J'ai cru vous aider en passant outre votre absence de diplôme, mais il semble à présent que je vous aie mis dans le pétrin. Enfin, j'imagine que nous travaillons tous pour la même reine. Sauf que, dans votre cas, elle ne doit pas le savoir, n'est-ce pas ?

– Je le pense.

– Je suis désolée de vous avoir offert ce toit. Quel gâchis ! Aurez-vous droit, et je suis *sûre* que vous ne pouvez pas me le dire, aurez-vous droit à une promotion venue d'ailleurs ? »

En rentrant chez lui par le chemin le plus long, Mundy réfléchit au prix qu'il en coûte de mener une double vie pour son pays. Il aime bien Personnel et en était arrivé à compter sur sa bienveillance. Mais il semble qu'il doive à présent s'en passer. Il commence à comprendre ce qu'Amory entendait quand il disait qu'on faisait une croix sur la vie normale. Mais le temps d'arriver chez lui, il a retrouvé sa bonne humeur.

Qui veut d'une vie normale, après tout ?

*

Note de service du British Council, de la part du chef du Personnel à l'attention de E. A. Mundy, avec la mention *Personnel et confidentiel* :

> Nous avons été informés que votre présence est requise à une Convention des organisateurs de festivals artistiques au McCullough Hall d'Édimbourg du 9 au 16 mai en prévision de votre participation au Festival de danse de Prague. Il est entendu que le voyage, le logement et les repas seront à la charge des organisateurs. Le salaire et les notes de frais seront soumis à examen.

« On appelle ça le Cours de maintien, explique Amory tandis qu'ils avalent des sandwichs au saumon fumé en faisant le tour de Hyde Park dans un taxi noir conduit par son sergent Cliff. On vous indiquera les dix excursions à faire à Prague par temps de pluie, plus quelques détails sur comment traverser la route tout seul.

– Vous y serez ?

– Vous abandonnerais-je en pareille circonstance, très cher ? »

Kate se montre moins enthousiaste.

« Une *semaine entière* pour parler de festivals ? s'étonne-t-elle, s'arrêtant de rédiger sa *promesse personnelle à l'intention de mes électeurs*. Vous autres, les bureaucrates culturels, vous êtes pire que les Nations unies ! »

*

Un bel après-midi de printemps en milieu de semaine, la veille du départ de Mundy pour l'Écosse. La nomination officielle de Kate est arrivée par la poste le matin même. Elle téléphone à Mundy au Council. Elle est parfaitement calme, mais il faut qu'il vienne immédiatement. Il quitte sa réunion et rentre en hâte, pour trouver Kate, l'air posé mais le visage blême, dans l'allée menant à la porte d'entrée. Il lui prend le bras et la fait avancer jusqu'au porche, où elle stoppe net tel un cheval devant l'obstacle et s'enfonce l'articulation de l'index droit dans la bouche.

« Je les ai dérangés. Ils ne m'attendaient pas. J'étais censée avoir cours toute la journée, dit-elle, impassible. Mais comme une de mes élèves a obtenu une grosse bourse pour Leeds, le directeur a accordé une demi-journée de congé aux terminales. »

Mundy lui passe un bras autour des épaules et la serre plus fort.

« Je suis rentrée à pied. J'ai ouvert la grille. J'ai vu des ombres derrière la fenêtre. Dans le salon.

– A travers les rideaux de tulle ?

– Ils avaient ouvert la porte de la cuisine, et ils faisaient des allées et venues entre les deux pièces.

– Ils étaient donc plusieurs ?

– Deux, peut-être trois. Ils étaient précis.

– Des ombres *précises* ?

– Non, précis dans leurs gestes. Elle m'a vue. La femme. Une jeune. Elle portait un genre de combinaison-pantalon. Je l'ai vue tourner la tête, et après elle a dû plonger par terre et ramper jusqu'à la cuisine. La porte de derrière était ouverte, dit Kate, tel un témoin au tribunal tant ses détails sont minutieux. J'ai couru dans le jardin pour essayer de les voir. Une fourgonnette s'éloignait, mais je suis arrivée trop tard pour relever le numéro d'immatriculation.

– Quel genre de camionnette ?

– Verte. Des vitres noires sur les portes arrière.

– Des rétroviseurs ?

– Je n'ai pas remarqué. Quelle importance ? Je n'ai pu que jeter un coup d'œil, nom d'un chien. Si ça se trouve, cette fourgonnette n'avait rien à voir dans cette histoire.

– Vieille ou neuve, la fourgonnette ?

– Ted, arrête l'interrogatoire, tu veux ? Si elle avait été visiblement vieille ou neuve, je te l'aurais dit. Mais ce n'était ni l'un ni l'autre.

– Qu'est-ce que la police a dit ?

– Ils m'ont passé la brigade criminelle, et le sergent m'a demandé s'il y avait eu vol. J'ai dit non. Alors il a dit qu'ils viendraient quand ils pourraient. »

Ils entrent au salon. Le bureau est une antiquité achetée pour une bouchée de pain à un escroc de Camden Town. Des prétend que ça sent le fourgue à plein nez. Le meuble se compose d'un plateau en similicuir et d'une colonne de tiroirs de chaque côté. La gauche est réservée à Mundy, la droite à Kate. Mundy ouvre ses trois tiroirs, l'un après l'autre, clac, clac.

De vieux tapuscrits, certains portant encore la lettre de refus.

Des notes éparses pour une nouvelle pièce qu'il a en tête.

Le dossier avec l'en-tête DOSSIER contenant les lettres de sa mère au major, les minutes du procès en cour martiale et la photographie de groupe des Stanhope triomphants.

Déplacé, tout.

Déplacé mais pas en désordre. Enfin, presque pas.

Rerangé *presque* dans le bon ordre par quelqu'un désireux de donner l'impression qu'on n'y a pas touché.

Kate le regarde faire et attend qu'il lui parle.

« Tu permets ? » lui demande-t-il.

Elle acquiesce d'un signe de tête. Il ouvre le tiroir du haut de son côté à elle. Elle respire si fort qu'il craint de la voir s'évanouir. Il devrait pourtant savoir que c'est sous l'effet de la colère.

« Ces salauds les ont remis à l'envers », dit-elle.

Ses livres d'exercices de terminale vont dans le tiroir du bas, le plus profond, explique-t-elle en hachant les mots. Le travail à corriger pour mercredi se range au-dessus de celui pour vendredi. Je distribue exprès des cahiers d'exercices de couleur différente à mes élèves. Jaune, élèves du mercredi. Rouge, du vendredi. Ces fichus cambrioleurs les ont remis à l'envers.

« Mais pourquoi une bande de trotskistes s'intéresserait aux devoirs de tes élèves ? raisonne Mundy.

– Ce n'est pas ça. Ils cherchaient des documents du parti travailliste. »

Quand la police arrive à 22 heures ce soir-là, elle n'est pas d'un grand secours.

« Vous savez ce que fait ma femme quand elle est enceinte, monsieur ? demande le sergent en buvant la tasse de thé que Mundy lui a préparée tandis que Kate est allée s'allonger dans la chambre.

– Non.

– Elle mange du savon. Je suis obligé de le cacher, sinon elle ferait des bulles toute la nuit. Bref, j'imagine qu'on pourrait arrêter tous les propriétaires de fourgonnettes vertes à vitres noires. Ce serait un début. »

En regardant s'éloigner la voiture de police, Mundy se demande s'il doit ou non utiliser le numéro d'urgence qu'Amory lui a donné. Mais à quoi bon ? Le sergent, bien qu'odieux, avait raison. Des milliers de gens possèdent des fourgonnettes vertes.

Kate a raison. C'étaient les trotskistes.

Ou deux jeunes voyous qu'elle a dérangés avant qu'ils n'aient eu le temps d'emporter quoi que ce soit.

Un incident normal dans une vie normale, et la seule chose anormale, c'est moi.

Chapitre 8

« Vous êtes fatigué, Teddy ? demande Lothar, le rouquin lourdaud, avant de commander une autre tournée de Pilsner.

– Juste un peu cuit, rien d'incurable, avoue Mundy. On a beaucoup dansé aujourd'hui, ajoute-t-il, soulevant des rires plus qu'approbateurs.

– Fatigué mais heureux », avance d'un air guindé Frau Doktor Bahr, du bout de la table, approuvée par son jeune voisin, l'intellectuel Horst.

Sasha reste silencieux, assis le menton dans une main, le sourcil froncé, le regard perdu. Il a enfoncé son béret sur son front, peut-être par ironie. C'est la deuxième soirée qu'ils passent ensemble, et Mundy connaît maintenant l'ordre hiérarchique : Lothar est le surveillant de Sasha ; Horst, l'intellectuel blond, celui de Lothar ; l'austère Frau Doktor Bahr, de l'ambassade d'Allemagne de l'Est à Prague, la surveillante des trois. Et tous quatre surveillent Ted Mundy.

La troisième journée du Festival de danse de Prague vient de s'achever. Ils sont assis dans un bar au sous-sol d'un hôtel pour congrès en lisière de la ville, un monstre de verre et d'acier style soviétique, mais dont la cave est censée recréer l'époque des Habsbourg, avec ses grosses colonnes en pierre et ses fresques représentant chevaliers et damoiselles. Quelques buveurs s'attardent à d'autres tables, quelques filles boivent du Coca-Cola à la paille, espérant encore ferrer un étranger. Dans un coin éloigné, un couple d'âge mûr sirote du thé, le même thé avec le même air tendre depuis une demi-heure.

Vous serez suivi, Edward, c'est l'usage. Une surveillance professionnelle, donc il est crucial que vous ne la remarquiez pas. Votre chambre sera fouillée, alors n'y mettez pas trop d'ordre sinon ils vont croire que vous jouez au plus malin. Si par inadvertance leur regard croise le vôtre, le mieux c'est de leur adresser un vague sourire en supposant que vous vous êtes rencontrés dans une soirée. Votre meilleure arme, c'est votre innocence. Compris ?

Compris, Nick.

*

Durant les dernières soixante-douze heures, Mundy a subi d'épuisantes démonstrations de danses du sabre, folklorique, tribale, de caractère et irlandaise. Il a applaudi à tout rompre des Cosaques, des Géorgiens, des Palestiniens exécutant le *dabke*, et d'innombrables florilèges du *Lac des cygnes*, de *Coppélia* et de *Casse-Noisette*, dans un théâtre baroque bondé et sans ventilation. Il a bu du vin blanc tiède dans les pavillons d'une demi-douzaine de pays, et dans celui de l'Angleterre a badiné avec les inévitables braves messieurs et épouses soumises, dont un premier secrétaire joufflu à lunettes rondes affirmant qu'il avait jadis été premier lanceur pour Harrow et que Mundy l'avait sorti d'emblée, ce qui est le mot de passe préétabli. Il a dû se débattre avec des sonorisations défaillantes, des décors expédiés dans le mauvais théâtre et des vedettes refusant de se produire parce qu'il n'y avait pas d'eau chaude dans leur hôtel. Et entre-temps, il s'est laissé courtiser de mauvaise grâce par Sasha et ses acolytes. Hier soir, ils ont voulu l'entraîner à une soirée privée en ville, puis, comme il déclinait l'offre en prétextant sa charge d'âmes, Lothar a suggéré une boîte de nuit, mais Mundy a également refusé.

Faites-leur en baver, Edward. Leur seule raison de venir à Prague, c'est de vous vamper. Mais vous l'ignorez. Vous ne savez rien du tout, sinon que Sasha est un vieux copain. Vous êtes déboussolé, malheureux, limite pochetron, solitaire. Tantôt collant, tantôt distant. Sasha vous a décrit comme tel, et il veut vous voir agir comme tel.

Ainsi parlait Nick Amory, répétiteur de Ted Mundy au Cours de maintien d'Édimbourg, relayant les jeux de scène exigés par Sasha notre producteur.

*

Avec la collaboration de Frau Doktor Bahr, Lothar essaie de faire parler Mundy, comme déjà hier soir à cette même table, à cette même heure, dans cette même atmosphère artificielle de délassement et de cordialité. Quand il a le vin triste, Mundy lâche à peine un mot ; quand il a le vin gai, il les régale de récits enjolivés sur son passé anticolonialiste et, pour la plus grande joie de son auditoire mais sa plus grande honte intime, sur l'énorme derrière d'Ayah. Il dépeint les horreurs d'une éducation bourgeoise anglaise et glisse au passage le nom magique du Doktor Hugo Mandelbaum, le premier à lui avoir donné à réfléchir, mais personne ne le relance sur ce sujet. Évidemment. Ce sont des espions.

« Alors, que pensez-vous du grand virage à droite de l'Angleterre, Teddy ? Le capitalisme belliqueux de Mme Thatcher vous inquiète-t-il un peu, ou êtes-vous un fervent partisan de l'économie de marché ? »

La question est si maladroite et les insinuations de Lothar si transparentes que Mundy n'y accorde même pas de réponse argumentée.

« Ce n'est pas un virage, mon vieux, pas même une petite embardée. On a changé le nom sur la vitrine, ça se résume à ça. »

Frau Doktor Bahr maîtrise mieux l'art de la conversation.

« Mais si l'Amérique bascule à droite, si la Grande-Bretagne bascule à droite, si la droite gagne du terrain dans toute l'Europe occidentale, ça ne vous paraît pas un peu dangereux pour l'avenir de la paix dans le monde ? »

Horst, qui se croit expert ès Angleterre, tient à faire étalage de son savoir.

« La fermeture des mines risque-t-elle de conduire à une vraie révolution, Teddy ? Façon marches de la faim des années trente qui dégénéreraient d'un coup ? Pouvez-vous nous dire comment l'Anglais moyen réagit en ce moment ? »

Tout cela ne mène nulle part, et ils en ont sûrement conscience. Mundy se met à bâiller et Lothar s'apprête à commander une autre tournée quand Sasha sort de sa léthargie comme un diable de sa boîte.

« Teddy ?

– Quoi ?

– Tout ça c'est des conneries.

– Qu'est-ce à dire ?

– Tu as apporté ta bicyclette ?

– Ben, non. »

Sasha se lève d'un bond, écarte les mains et en appelle à tous.

« C'est un cycliste, vous l'ignoriez ? Et il est fou. Vous savez ce que ce fou a fait à Berlin-Ouest ? On a sillonné les rues à vélo, on a couvert les anciens bâtiments nazis de graffitis et on a filé à toute allure pour échapper aux porcs. Et j'ai dû l'accompagner, oui, moi, avec mes petites jambes sur un fichu vélo, pour veiller sur lui. Teddy avait tout organisé. Un vrai génie. N'est-ce pas, Teddy ? Ne va pas nous faire croire que tu as oublié.

– Bien sûr que non, dit Mundy en cachant d'une main son sourire mélancolique. Ne sois pas ridicule. On s'est rudement bien amusés », affirme-t-il, adhérant résolument à cette réécriture de l'histoire.

Le plus dur pour Sasha, ce sera de réussir à vous voir seul, dit Amory. *Il va s'y employer, mais vous allez devoir l'aider. Vous êtes du genre qui ne tient pas en place, pas vrai ? Toujours partant pour une promenade, un jogging dans le parc, une balade à vélo.*

« Teddy, on a rendez-vous demain, annonce Sasha tout excité. A 15 heures devant l'hôtel. A Berlin, ça se passait de nuit. Ici, c'est de jour.

– Sasha, enfin, vraiment. J'ai cent six artistes anglais névrosés à gérer. Je ne peux pas me libérer, ni à 15 heures ni à n'importe quelle autre heure. Tu le sais bien.

– Les artistes survivront. Pas nous. On va sortir de la ville, tous les deux. Je vole les bicyclettes, toi tu apportes le whisky. On parlera de Dieu et du monde, comme au bon vieux temps. Allez !

– Sasha, écoute-moi.

– Qu'est-ce qu'il y a ? »

Mundy plaide sa cause, à présent. Il est le seul de toute la tablée à ne pas sourire.

« J'ai danse contemporaine tout l'après-midi, la réception à l'ambassade de Grande-Bretagne le soir, et des danseurs déjantés vingt-quatre heures sur vingt-quatre. Je ne peux vraiment..

– Tu te conduis en vrai trouduc, comme toujours. La danse moderne, c'est de la merde en barre. Sèche le ballet, je te ramènerai en ville à temps pour la reine. Ne discute pas. »

Sasha a conquis l'assistance. Frau Doktor Bahr donne sa bénédiction avec un grand sourire, Lothar glousse, Horst se propose de venir, mais Lothar agite un doigt réprobateur et déclare que les deux garçons ont bien le droit de se retrouver seuls.

Et ce qui est super avec la bicyclette, Edward, c'est que c'est infernal à suivre.

*

Les chambres d'hôtel ne sont pas des sanctuaires, Edward, mais des cages en verre. C'est là qu'ils vous épient, vous fouillent, vous écoutent et vous reniflent.

Et le mariage n'est pas non plus un sanctuaire, pas pour le has-been du British Council, radical refoulé et écrivain raté aigri qui hante les sous-sols de la bureaucratie culturelle. Ses appels téléphoniques à Kate en témoignent. Dès son réveil, il a rempli un interminable formulaire à la réception de l'hôtel : numéro d'appel à l'étranger, nom du correspondant étranger, but de l'appel à l'étranger, durée prévue de l'appel à l'étranger, voire teneur envisagée de l'appel à l'étranger – ce qu'il trouve assez crétin, étant donné qu'ils seront tous à l'écoute, prêts à couper la communication si la conversation devient graveleuse. Tapi sur le lit à côté du téléphone muet, il s'aperçoit qu'il frissonne. Quand enfin retentit la sonnerie, elle hurle si fort qu'il craint de voir l'appareil se suicider en se jetant du lit par terre. En parlant dans le combiné, il s'aperçoit que sa voix est plus aiguë et son débit plus lent qu'à l'ordinaire. Kate le remarque aussi et lui demande s'il est souffrant.

« Non, ça va, je t'assure. Juste un peu crevé, avec toute cette danse. Miranda est toujours aussi chiante », dit-il par allusion à sa supérieure, la directrice régionale.

Mundy s'enquiert du bébé. Kate répond qu'il donne des coups de pied. De sacrés coups de pied. Il deviendra peut-être footballeur dans l'équipe de Doncaster. Footballeuse, oui, approuve-t-il d'une voix blanche, mais la plaisanterie sonne aussi creux que sa voix. Et comment va la joyeuse troupe de St Pancras ? demande-t-il. Tous en forme, merci, réplique-t-elle, contrariée de le sentir déprimé. Ted a-t-il fait des rencontres ? suggère-t-elle d'un ton lourd de sous-entendus. Ou des choses distrayantes ?

Non, pas vraiment.

Ne lui parlez JAMAIS *de Sasha,* dit Amory. *Sasha reste dans votre jardin secret. Peut-être avez-vous le béguin pour lui, peut-être voulez-vous le garder pour vous seul, peut-être envisagez-vous déjà ce qu'ils visent : passer le Mur et vous enrôler chez eux.*

Mundy raccroche l'appareil et s'assied à la table, la tête entre les mains, façon « Dieu, que la vie est dure », mais c'est vrai. Il aime Kate. Il aime sa famille en gestation.

Je fais cela pour que notre futur enfant et ceux des autres puissent dormir en paix la nuit, se dit-il vaillamment.

Il va se coucher sans trouver le sommeil, mais il s'y attendait, d'ailleurs.

5 heures. Courage. Tous les espoirs sont permis. Dans deux heures, notre première ballerine de la journée jettera son tutu hors de son petit lit parce que son sèche-cheveux ne marche pas.

*

Pour Mundy, Sasha a déniché un vélo noir géant de policier anglais au guidon droit muni d'un panier, et, pour lui-même, le modèle équivalent version enfant. Ils roulent côte à côte entre les voies du tramway jusqu'à une gare de petite banlieue. Sasha a mis son béret, Mundy un anorak par-dessus son beau complet, et il a rentré son bas de pantalon dans ses chaussettes. Il fait beau sur la noble cité décatie dont la gloire habsbourgeoise fond au soleil. Il y a peu de voitures. Les gens marchent, l'air fatigué, sans se regarder. A la gare, Sasha et Mundy prennent un tortillard à trois wagons, Sasha insistant pour qu'ils voyagent avec leurs vélos dans le fourgon, dont la paille empeste le fumier. Sasha a gardé son béret. Il déboutonne sa veste et montre à Mundy un magnétophone dans la poche intérieure. Mundy fait un signe de tête. Sasha tient de menus propos, Mundy aussi : Berlin, les filles, le bon vieux temps, les bons vieux amis. Le train s'arrête à chaque réverbère. Ils pénètrent dans la campagne profonde. Le magnétophone est activé par la voix. Sa lampe témoin s'éteint quand tout est silencieux.

A un village au nom imprononçable, ils descendent leurs vélos sur le quai. Mundy pratiquement en roue libre et Sasha pédalant comme un beau diable, ils dévalent une route non goudronnée, dépassant des charrettes tirées par des chevaux, longeant des champs plats semés de granges rouges. Seuls un tricycle motorisé ou un camion les doublent à l'occasion. Ils font halte sur le bas-côté pour que Sasha consulte une carte. Un chemin jaune, rectiligne, s'étire entre de hauts sapins. Ils l'empruntent l'un derrière l'autre, Sasha en tête, coiffé de son béret, et atteignent une clairière jonchée de minières envahies par la mousse, de rondins et de vieilles briques. De grands iris ondulent à la brise. Sasha descend de sa bicyclette, la pousse pour passer les monticules jusqu'à ce qu'il en trouve un à son goût, la pose dans l'herbe et attend que Mundy ait fait de même. Puis il sort le magnétophone de sa veste, le place au creux de sa main et lance une conversation d'un ton qui se fait bientôt sec et sarcastique.

« Donc, tu es satisfait de ton sort, Teddy, attaque-t-il, s'assurant que la petite lumière rouge clignote. Excellente nouvelle. Tu as un emprunt sur la maison, une épouse, un petit-bourgeois en route, et tu nous laisses mener la révolution tout seuls. A une époque on méprisait ce genre d'individus, et à présent tu es devenu l'un d'eux.

– Ton portrait de moi tient de la caricature, Sasha, et tu le sais ! s'offusque Mundy le cabotin sans rater son entrée.

– Alors qu'est-ce que tu es ? insiste Sasha, inflexible. Pour une fois, dis-moi ce que tu es, et pas ce que tu n'es pas !

– Ce que j'ai toujours été, s'emporte Mundy tandis que tourne la cassette. Ni plus, ni moins. Il ne faut pas toujours se fier aux apparences. Ça vaut pour toi, pour moi, et même pour ton foutu parti communiste. »

On croirait une dramatique à la radio. Mundy trouve que ses répliques sentent la mauvaise improvisation, mais elles semblent satisfaire Sasha. La loupiote rouge s'éteint, la cassette ne défile plus, mais, par précaution, Sasha la sort, la fourre dans une poche et le magnétophone dans une autre. Alors seulement arrache-t-il son béret en poussant le cri libérateur de « Teddy ! » et en tendant ses petits bras pour une étreinte malaisée.

L'éthique du Cours de maintien d'Édimbourg impose à Mundy de poser quelques questions de routine à son agent avant qu'ils n'attaquent l'ordre du jour, et Mundy l'espion-né les a toutes prêtes en tête.

Quelle est la couverture pour cette rencontre ?

Quel est le rendez-vous de repêchage en cas d'interruption ?

As-tu des problèmes urgents ?

A quand notre prochain rendez-vous ?

Es-tu à l'aise, ou reconnais-tu des gens qui t'auraient suivi jusqu'ici ?

Mais au diable le Cours de maintien. Le monologue non censuré de Sasha balaie toutes ces considérations terre à terre. Son regard noir posé sans les voir sur les pins pleureurs par-delà la clairière bosselée, il déverse confessions et révélations en un flot d'indignation et de désespoir.

*

« Durant les mois et les années qui ont suivi ton départ forcé de Berlin-Ouest, je me suis retrouvé dans le noir total. A quoi servait d'incendier quelques voitures et de casser quelques vitrines ? Notre mouvement n'était pas inspiré par la volonté des classes opprimées, mais par la culpabilité des riches centristes. Dans mon désarroi, j'ai envisagé les voies pitoyables qui s'offraient à moi. Selon nos écrivains anarchistes, un conflit mondial devrait conduire à un chaos créatif qui, intelligemment exploité, engendrera une société libre. Mais en regardant autour de moi, j'ai bien dû constater que les conditions requises pour provoquer un tel chaos n'étaient pas réunies, non plus que les intelligences pour l'exploiter. Le chaos présuppose une vacance du pouvoir, or le pouvoir bourgeois gagnait partout du terrain, ainsi que la puissance militaire des États-Unis, dont l'Allemagne de l'Ouest était devenue l'arsenal et la veule alliée dans la guerre mondiale qui semblait inévitable. Quant auxdites intelligences exploitatrices, elles étaient bien trop occupées à s'enrichir et conduire des Mercedes pour profiter des occasions que nous leur avions fournies. A la même époque, le Herr Pastor prenait du galon parmi l'élite fascisante du Schleswig-Holstein. Il était passé de la politique *ex cathedra* à celle des urnes pseudo-centristes. Il s'est affilié à des sociétés secrètes de droite et a été admis dans certaines loges maçonniques très fermées. On parlait de le faire élire au parlement de Bonn. Son succès a attisé ma haine du fascisme. Son adoration à l'américaine du Veau d'or m'a presque rendu fou. Dans cette Allemagne de l'Ouest sous domination américaine, mon avenir s'annonçait comme un désert de compromis et de frustration.

» Si nous voulons bâtir un monde meilleur, vers qui nous tourner, quelles actions soutenir, comment enrayer l'avance incessante de l'agression capitalisto-impérialiste ? me demandais-je. Tu sais que je porte sur ma tête la malédiction luthérienne. Pour moi, la conviction sans l'action n'a aucun sens. Seulement, qu'est-ce que la conviction ? Comment la reconnaître ? Comment savoir si nous devons la laisser nous guider ? Se trouve-t-elle dans le cœur ou dans l'intellect ? Et que faire si elle loge dans l'un et pas dans l'autre ? J'ai longuement médité l'exemple de mon bon ami Teddy. Tu es devenu ma vertu. Tu imagines ? Comme toi, je ne ressentais pas de foi, mais si je me mettais à agir la foi suivrait. Je croirais parce que j'aurais agi. C'est peut-être ainsi que naît la foi, ai-je pensé : par l'action et non la contemplation. Ça valait le coup d'essayer. Tout était préférable à l'immobilisme. Tu t'étais sacrifié pour moi par altruisme. Mes séducteurs (tu en as rencontré un) ont eu l'intelligence d'en appeler aux mêmes sentiments chez moi. Aucune promesse de récompense ne m'aurait convaincu. Mais qu'on m'offre un long chemin ardu au bout duquel brille une faible lumière, qu'on y ajoute l'occasion de dénoncer l'hypocrisie du Herr Pastor, et je prêterai peut-être l'oreille. »

Redescendu de son monticule, il en fait le tour en clopinant impatiemment de sa curieuse démarche inégale, enjambant les vélos, faisant des gestes de ses mains ouvertes tout en parlant, les coudes plaqués au corps comme par manque de place pour les écarter. Il évoque des rencontres secrètes dans des appartements de Berlin-Ouest, des passages discrets de frontière pour rallier des maisons sûres à l'Est et des week-ends solitaires au grenier de Kreuzberg passés à se motiver pour le grand saut, tandis que ses camarades d'antan s'éclipsent pour s'enfermer à vie dans les geôles sans barreaux du matérialisme.

« Au bout d'innombrables jours et nuits de réflexion et avec l'aide de mes infatigables et rusés séducteurs, sans parler de quelques bonnes bouteilles de vodka, j'ai réduit mon dilemme à deux questions simplistes dont je t'ai fait part dans mes lettres. Question n° 1 : qui est notre pire ennemi de classe ? Réponse évidente : l'impérialisme militaro-industriel américain. Question n° 2 : comment nous opposer de façon réaliste à cet ennemi ? En comptant sur lui pour se détruire lui-même une fois qu'il aura détruit le monde ? Ou en ravalant nos objections contre certains travers de l'Internationale communiste pour rallier le seul grand mouvement socialiste capable, malgré tous ses défauts, de nous conduire à la victoire ? »

Suit un long silence que Mundy n'a pas envie de rompre. La théorie n'a jamais été son fort, comme l'a remarqué Sasha.

« Tu sais pourquoi je m'appelle Sasha ?

– Non.

– C'est le diminutif russe d'Alexandre. Quand le Herr Pastor m'a amené à l'Ouest, il voulait me rebaptiser Alexandre par souci de respectabilité. J'ai refusé. En gardant Sasha comme nom, je me prouvais à moi-même que j'avais laissé mon cœur à l'Est. Un soir, après de longues heures de discussion avec mes séducteurs, j'ai accepté de prouver la même chose par des actes.

– Le Professeur… ?

– Était l'un d'eux, confirme Sasha.

– Professeur de quoi ?

– De corruption, lâche Sasha.

– Pourquoi tenaient-ils absolument à te recruter ? s'enquiert Mundy, pas tant pour Amory que pour comprendre comment ils en sont tous deux arrivés là. Pourquoi avais-tu une telle importance à leurs yeux ? Pourquoi se donner tout ce mal juste pour Sasha ?

– Tu crois que je ne le leur ai pas demandé ? se rembrunit Sasha. Tu me crois assez imbu de moi-même pour penser que j'entraîne le monde entier dans mon sillage quand je franchis une frontière minable ? Au début, ils m'ont flatté. Gagner à leur cause un intellect aussi brillant que le mien marquerait une belle victoire morale pour les forces du progrès. Je leur ai dit que c'étaient des foutaises. Moi, le petit intello gauchiste ouest-allemand sans aucune perspective d'intégrer une université renommée, je n'avais rien d'une victoire pour qui que ce soit. Alors ils m'ont révélé ce qu'ils appelaient, l'air penaud, leur *petit secret*. Ma défection allait frustrer les activités contre-révolutionnaires du Herr Pastor à l'influence croissante et de ses co-conspirateurs fascistes du Schleswig-Holstein. Des millions de dollars américains transitaient par les filières de l'Église vers les coffres d'agitateurs anticommunistes en Allemagne du Nord. Les journaux régionaux, la radio et la télévision étaient infiltrés par des éléments subversifs et des espions capitalistes. Un retour volontaire et officiel du fils unique du Herr Pastor dans sa patrie démocratique porterait un coup aux saboteurs impérialistes, saperait la cote du Herr Pastor, voire obligerait la CIA à suspendre certains financements occultes de contre-révolutionnaires ouest-allemands. Je ne te cacherai pas que cet argument-là a porté plus que tout autre, affirme-t-il avant de s'interrompre pour jeter à Mundy un regard implorant. Tu comprends bien qu'il n'y a personne au monde à qui je raconterais cela à part toi ? Que tous les autres sont des ennemis jusqu'au dernier, des menteurs, des imposteurs, des informateurs qui vivent en permanence dans l'hypocrisie, comme moi ?

– Oui, je crois que je le comprends. »

*

« Je n'étais pas assez bête pour m'attendre à un accueil chaleureux en RDA. Notre famille avait commis le crime de fuir la République, et mes séducteurs savaient que je n'étais pas communiste par conviction. J'étais bon pour une période humiliante de rééducation – ils m'y avaient préparé. Quel avenir serait ensuite le mien, seul le temps le dirait. Au mieux, une place honorable dans le grand combat anticapitaliste. Au pire, une vie calme à la Rousseau, peut-être dans une ferme collective. Pourquoi ris-tu ? »

Mundy ne rit pas, mais il s'est permis un demi-sourire, oubliant un instant que Sasha prend mal la plaisanterie.

« C'est juste que je ne te vois pas traire des vaches, même dans une ferme collective.

– Peu importe. Ce qui compte, c'est que, dans un accès de folie coupable que je regretterai jusqu'à la fin de mes jours, sur les conseils de mes séducteurs, j'ai pris le S-Bahn jusqu'à la station Friedrichstrasse et je me suis livré aux gardes-frontières est-allemands. »

Il s'arrête de parler. C'est l'heure de la prière. Ses mains délicates se joignent sous son menton, il détourne son regard fervent de la clairière et le lève vers les cieux sans les voir.

« Tous des putes, murmure-t-il.

– Les gardes-frontières ?

– Les transfuges. Nous tous. Tant qu'on est de la chair fraîche, on passe de main en main et on se laisse exploiter. Quand on est connu dans le métier et sur le retour, on se fait jeter au rebut. Les premières semaines après mon arrivée, on m'a installé dans un appartement agréable des faubourgs de Potsdam et soumis à un interrogatoire serré mais inoffensif sur ma vie, mes souvenirs d'enfance en Allemagne de l'Est et le retour du Herr Pastor après son emprisonnement en Union soviétique.

– "On", c'est le Professeur ?

– Et ses sous-fifres. A leur demande, j'ai rédigé une lettre ouverte enflammée destinée à semer la consternation parmi les fascistes et conspirateurs du cercle intime du Herr Pastor. Cette tâche m'a procuré une intense satisfaction. J'ai clamé la futilité de l'anarchisme face aux réalités modernes et ma joie infinie de revenir dans le giron de la RDA. "L'anarchisme détruit, le communisme construit", ai-je écrit. C'était mon espoir, sinon encore ma conviction. Mais j'avais agi. La foi suivrait. J'ai aussi exprimé mon mépris pour les membres du mouvement luthérien ouest-allemand, qui, tout en se proclamant les messagers du Christ, acceptaient l'argent de Judas de leurs maîtres-espions américains. Ma lettre ouverte a trouvé un large écho dans les médias occidentaux, m'a-t-on assuré. Le professeur Wolfgang soi-même est allé jusqu'à affirmer qu'elle faisait sensation dans le monde entier, bien que je n'en aie jamais eu la preuve.

» Avant ma défection, on m'avait fait croire que mon arrivée à Berlin-Est serait marquée par une conférence de presse internationale. Toujours à la demande de mes hôtes, j'ai posé pour un photographe en m'appliquant à paraître aussi heureux et serein que possible, vu les circonstances. On m'a pris en photo sur les marches de l'immeuble où j'avais grandi à Leipzig, pour prouver par l'image que le fils égaré avait enfin retrouvé ses racines socialistes. Mais j'ai attendu en vain ma conférence de presse et, quand j'ai interrogé le Professeur lors d'une de ses rares visites à mon appartement, il s'est montré évasif, disant que les conférences de presse sont affaire de calendrier. Peut-être que le bon moment était passé et que ma déclaration et les photos avaient suffi. A nouveau, j'ai demandé où était parue ma lettre ouverte, s'il vous plaît ? Dans le *Spiegel*, le *Stern*, le *Welt*, le *Tagesspiegel*, le *Berliner Morgenpost* ? Il m'a répondu sèchement qu'il n'était pas expert en propagande réactionnaire et m'a conseillé d'en rabattre. Je lui ai dit, ce qui était vrai, que j'écoutais chaque jour les infos à la radio ouest-allemande et à celle de Berlin-Ouest et n'avais pas entendu un seul mot sur ma défection. Il a répliqué que, si je m'entêtais à m'abreuver de propagande fasciste, j'avais peu de chance d'arriver à une compréhension véritable du marxisme-léninisme.

» Une semaine plus tard, on m'a transféré dans un camp surveillé au fin fond de la campagne près de la frontière polonaise. Un lieu hors du monde, à la fois refuge pour exilés politiques, pénitencier et centre d'interrogatoires. Avant tout, un endroit où on vous envoie pour qu'on vous oublie. On l'avait baptisé l'"Hôtel blanc". Je ne lui accorderais pas cinq étoiles. Tu as entendu parler d'une prison est-allemande appelée le U-boat, Teddy ?

– Non, répond Mundy, habitué depuis longtemps aux sautes d'humeur de Sasha.

– Le U-boat est la perle de notre goulag est-allemand. Trois de mes camarades de l'Hôtel blanc en vantaient les services. Son nom officiel est la prison Hohenschönhausen de Berlin-Est, construite en 1945 par la prévenante police secrète soviétique. Pour que les détenus ne se ramollissent pas, l'architecture a été conçue de façon à les faire rester debout, sans possibilité de s'allonger ; pour qu'ils soient toujours propres, on inonde les cellules d'eau glacée jusqu'à hauteur de poitrine ; et pour les distraire, on envoie par haut-parleurs des sons perçants à des volumes divers. Tu as entendu parler du Bœuf rouge ? »

Non, Mundy n'a pas non plus entendu parler du Bœuf rouge.

« Le Bœuf rouge est situé dans l'antique ville de Halle. C'est l'établissement jumeau du U-boat, avec pour mission de reconstruire la conscience communiste des déçus de la politique grâce à la thérapie cognitive. Notre Hôtel blanc en Prusse-Orientale hébergeait quelques-uns de ses anciens pensionnaires, dont un musicien, je m'en souviens. Sa conscience avait été si bien reconstruite qu'il ne pouvait même plus tenir sa cuiller pour manger. Quoi qu'il en soit, après quelques mois à l'Hôtel blanc, toutes mes illusions mal placées sur le paradis démocratique allemand avaient été éradiquées jusqu'à la dernière. Je me suis pris d'une haine farouche mais secrète pour sa monstrueuse bureaucratie et son fascisme latent. Un jour, sans explication, on m'a enjoint de rassembler mes affaires et de me présenter à la salle de garde. Je dois reconnaître que je n'avais pas toujours été un pensionnaire modèle, et mon isolement injustifié, mon existence sans horizon et les histoires atroces que racontaient les autres détenus n'avaient pas amélioré mes manières. Non plus que les interrogatoires harassants concernant mes opinions sur n'importe quel sujet, politique, philosophique ou sexuel. Quand j'ai demandé à notre distingué directeur d'hôtel où on allait m'emmener, il m'a répondu : "Quelque part où on t'apprendra à fermer ta grande gueule." La balade de cinq heures dans une cage à l'arrière d'un fourgon d'entrepreneur ne m'a pas préparé à ce qui m'attendait. »

Il regarde droit devant lui, tel un pantin sans fils, puis se laisse tomber à côté de Mundy sur le monticule herbeux.

« Teddy, si on se buvait un coup de ton whisky, mon salaud ! »

Mundy en avait oublié jusqu'à l'existence. Extirpant la flasque en étain de son père des profondeurs de son anorak, il la tend d'abord à Sasha, puis en boit une lampée à son tour. Sasha reprend son récit, avec une expression craintive, comme s'il avait peur de perdre le respect d'un ami.

*

« Le professeur Wolfgang a un bien beau jardin, déclare-t-il, les avant-bras appuyés sur ses genoux grêles repliés. Et Potsdam est une bien belle ville. Tu as déjà vu ces vieilles maisons prussiennes où les Hohenzollern logeaient leurs édiles ? »

Peut-être, songe Mundy, mais seulement durant le trajet en car depuis Weimar, alors que son intérêt pour l'architecture du XIXe siècle était très limité.

« Toutes ces roses ! On s'est installés dans le jardin. Il m'a offert du thé et des gâteaux, et puis un verre du meilleur Obstler. Il s'est excusé de m'avoir abandonné et m'a félicité pour mon attitude dans des circonstances éprouvantes. Je m'étais très bien conduit face à mes interrogateurs, qui s'étaient fait une haute opinion de ma sincérité. Comme je les avais plus d'une fois envoyés se faire foutre, tu imagines que je me demandais où tout cela nous menait. Il m'a proposé de prendre un bain, après ce long trajet. J'ai rétorqué que, puisqu'on m'avait traité comme un chien, un plongeon dans la rivière paraissait plus adapté. Il a dit que j'avais le sens de l'humour de mon père, et j'ai répondu que ce n'était pas vraiment un compliment, vu que le Herr Pastor était un sale con et que je ne l'avais jamais vu rire de ma vie.

» "Vous le connaissez mal, Sasha. Votre père a un excellent sens de l'humour, mais il le cache. Dans la vie, les meilleures plaisanteries sont celles qui nous font rire quand on est seul, vous ne croyez pas ?"

» Non, je ne croyais pas. Je ne voyais même pas de quoi il parlait et je le lui ai dit. Alors il m'a demandé si j'avais jamais envisagé de me réconcilier avec mon père, ne serait-ce que par égard pour ma mère. J'ai répondu qu'à aucun moment cette pensée ne m'avait traversé l'esprit. J'avais la conviction que, loin de mériter de l'affection filiale, le Herr Pastor incarnait tout ce que la société a d'opportuniste, de réactionnaire et de politiquement amoral. J'ajouterai qu'à ce stade le Professeur avait cessé de m'impressionner intellectuellement. Lorsque j'ai exigé de savoir quand, d'après ses convictions marxistes, l'État est-allemand allait péricliter pour donner naissance à un véritable État socialiste, il m'a fourni la réponse toute faite de Moscou : aussi longtemps que les forces réactionnaires menaçaient la révolution socialiste, cette possibilité demeurait lointaine. »

Sasha passe une main dans ses cheveux noirs coupés court pour s'assurer qu'il a bien ôté son béret.

« De toute façon, je n'étais plus tant intéressé par le sujet de notre discussion que par l'attitude du Professeur, qui insinuait de façon indéfinissable mais perceptible, vu les faveurs dont il me comblait – l'Obstler, le jardin, le ton courtois de notre conversation –, que je lui appartenais de droit. Il existait entre nous un lien que lui connaissait, mais pas moi. Comme un lien de parenté. Dans mon trouble, je suis allé jusqu'à me demander si mon hôte était homosexuel et projetait de m'imposer ses attentions. Et j'interprétais sous le même jour son étrange indulgence envers le Herr Pastor. J'en ai déduit qu'en s'immisçant dans mes sentiments filiaux il s'offrait implicitement comme père de substitution, et, le cas échéant, comme protecteur et amant. En fait, mes soupçons étaient mal orientés. La familiarité du Professeur s'expliquait par des raisons bien plus terribles. »

Il s'arrête. Manque-t-il de souffle ? De courage ? Mundy ne risque pas un mot, mais son silence doit être réconfortant, car peu à peu Sasha se reprend.

« J'ai bientôt compris que le Herr Pastor était le seul vrai sujet de notre conversation. A l'Hôtel blanc, je n'avais pas touché à l'alcool, hormis une unique expérience de château la Frelate qui avait failli me tuer. Et voilà que le Professeur m'abreuvait de cet excellent Obstler et de questions orientées, j'irais jusqu'à dire respectueuses, sur le Herr Pastor. Il faisait allusion aux *petites manies* de mon père. Mon père buvait-il ? "Comment le saurais-je ? Je ne l'ai pas vu depuis presque vingt ans." Mon père parlait-il politique à la maison ? Par exemple en RDA, avant de fuir le pays ? Ou après, en Allemagne de l'Ouest, une fois revenu de son cours d'endoctrinement aux États-Unis ? Mon père se disputait-il avec ma pauvre mère ? Avait-il d'autres femmes, couchait-il avec des épouses de collègues ? Touchait-il à la drogue, fréquentait-il les bordels, jouait-il aux courses ? Pourquoi le Professeur m'interrogeait-il de la sorte sur un père que je ne connaissais pas ? »

Ce n'est plus le Herr Pastor, remarque Mundy, mais « mon père ». Sasha a perdu toutes ses défenses. Il lui faut se confronter à son père en tant qu'homme et non plus en tant que concept.

« On est passés à l'intérieur quand le soir est tombé. La décoration n'était guère prolétaire : meubles Empire, beaux tableaux, le fin du fin. "N'importe quel imbécile peut être mal installé, a dit le Professeur. Mais rien dans le *Manifeste du parti communiste* n'interdit un brin de luxe à ceux qui le méritent. Pourquoi les cordonniers seraient-ils toujours les plus mal chaussés ?" Dans une salle à manger au plafond très orné, on nous a servi du poulet rôti et des vins occidentaux. Une fois les dociles serveurs partis, le Professeur m'a emmené au salon et fait asseoir près de lui sur le canapé, ce qui a aussitôt ravivé mes craintes quant à sa sexualité. Il m'a expliqué que ce qu'il avait à me dire était top secret, et que, si sa maison était régulièrement passée au peigne fin pour déceler des micros, pas un mot de notre conversation ne devait être entendu par les domestiques. Il m'a aussi instruit de l'écouter sans piper et de garder tout commentaire jusqu'à ce qu'il ait terminé. Je peux te rapporter ses paroles exactes car elles sont restées gravées dans ma mémoire. »

Sasha ferme un instant les yeux, comme s'il se préparait pour le saut de l'ange, puis reprend en imitant le Professeur.

« "Comme vous l'aurez compris, mes collègues de la Sécurité d'État sont partagés sur la façon dont nous devons vous considérer, ce qui explique les regrettables incohérences dans le traitement que vous avez reçu. Vous avez servi de ballon de foot entre deux équipes adverses, et pour cela je vous présente mes excuses. Mais soyez certain qu'à partir de maintenant vous êtes en de bonnes mains. Permettez-moi de vous poser une question purement rhétorique : Qui préférez-vous avoir comme père ? Un *Wendehals*, un faux prêtre, un hypocrite corrompu qui fraie avec des agitateurs contre-révolutionnaires, ou bien un homme si dédié à un idéal, voué à la grande cause de la révolution et aux principes les plus élevés du léninisme qu'il est prêt à essuyer le mépris de son fils unique ? La réponse est évidente, Sasha, vous n'avez pas besoin de la confirmer. A présent, je vais vous poser une deuxième question. Supposons que cet homme, depuis son incarcération providentielle en Union soviétique, ait été choisi par les organes du Parti pour une vie d'abnégation suprême et qu'il soit maintenant sur son lit de mort loin derrière les lignes ennemies. Voudriez-vous, vous, son unique fils bien-aimé, lui apporter du réconfort pour ses dernières heures ou l'abandonneriez-vous à la merci de ceux dont il a passé sa vie à déjouer les complots ?" Heureusement qu'il m'avait interdit de parler, parce que j'étais sans voix, assis là à le regarder, médusé. Comme en transe, je l'écoutais me raconter qu'il connaissait et aimait mon père depuis quarante ans, et que le vœu le plus cher de mon père avait toujours été que je rentre en RDA reprendre le flambeau quand il lui tomberait des mains. »

Il s'arrête. Ses yeux s'élargissent en un regard suppliant.

« *Quarante ans*, répète-t-il l'air incrédule. Tu comprends ce que ça veut dire, Teddy ? *Qu'ils se connaissaient du temps où ils étaient tous les deux de bons nazis*, dit-il d'une voix de nouveau timbrée. Je n'ai pas fait remarquer au Professeur que, le but de mon retour en RDA étant de détruire mon père, je n'en revenais pas qu'on me demande de l'aduler. Peut-être qu'après m'être montré inflexible à l'Hôtel blanc, j'apprenais à cacher mes émotions. Je n'ai pas réagi non plus quand le Professeur m'a expliqué que, même si mon père avait toujours rêvé de mourir en RDA, les impératifs de sa mission l'obligeaient à rester en exil jusqu'au bout, dit-il avant de reprendre la voix du Professeur : "La lettre ouverte par laquelle vous avez renoncé à l'anarchisme pour embrasser le parti de la justice et du renouveau social a été la plus grande joie de la vie de votre bien-aimé père, récite Sasha, qui semble s'assoupir un instant, puis se réveille, toujours dans la peau du Professeur. Il n'y a pas de mots pour décrire son ravissement à la vue de la photo de son fils chéri sur le seuil de son ancien appartement. Quand notre intermédiaire de confiance la lui a montrée, votre père a été très ému. Son vœu et le mien étaient qu'une occasion se présente de vous faire venir en cachette à son chevet pour que vous lui preniez la main, mais cette demande a été rejetée à regret en haut lieu pour raisons de sécurité. En guise de compromis, il a été convenu que nous vous informerions de la vérité sur sa vie avant la fin, et que vous lui écririez une lettre de circonstance du fond du cœur. Vous adopterez un ton humble et conciliateur, lui demandant son pardon et l'assurant de votre respect et de votre admiration pour son intégrité idéologique. Rien d'autre ne pourrait l'aider quand son heure aura sonné."

» Je ne sais plus comment j'ai réussi à franchir la courte distance entre le salon et son bureau, où il m'a installé à sa table de travail et m'a fourni papier et stylo. Ma tête bouillait de ces révélations écœurantes reçues en bloc. *Depuis son incarcération en Union soviétique*. Tu sais ce que ces mots signifiaient pour moi ? Que, dès son arrivée dans un camp de détention russe, mon père était devenu un mouchard pour s'assurer la protection des *Politkomissars*, qui l'ont recruté comme espion et formé en vue d'une utilisation ultérieure par la Sécurité d'État est-allemande. A son retour en RDA, il a joué les bons prêtres à Leipzig, et, si ses ouailles à tendances réfractaires étaient tentées de les lui confier, elles ignoraient que c'était un Judas professionnel. Je croyais avoir sondé les profondeurs de l'ignominie paternelle, mais d'un coup mes œillères sont tombées. S'il y a bien un instant où j'ai été confronté à la stupidité de ma décision d'épouser la cause communiste, c'est celui-là. Si la conception d'un désir de vengeance peut se dater, pour moi, ça a été là. Je ne me souviens plus des mots d'adoration flagorneuse que j'ai écrits à travers mes larmes de rage et de haine, mais je me souviens de la main réconfortante du Professeur sur mon épaule. J'étais désormais détenteur d'un gros secret d'État, m'a-t-il informé, et le Parti n'avait d'autre choix que de me renvoyer à l'Hôtel blanc pour une période indéterminée ou de m'autoriser à franchir le portail de la Sécurité d'État à un rang subalterne pour que mes gestes puissent être surveillés en permanence. A court terme, on me reconnaissait une utilité temporaire en tant qu'autorité sur les groupes anarchistes et maoïstes déliquescents de Berlin-Ouest. A long terme, il espérait que j'aspirerais à devenir un tchékiste dévoué, faisant preuve des talents de conspirateur de mon père et marchant sur ses traces. Telle était l'ambition que nourrissait le Professeur à mon égard. Telle était la ligne de conduite que cet ami loyal et officier traitant de mon père avait recommandée à ses illustres camarades. "Maintenant c'est à vous de leur prouver que j'avais raison, Sasha." Il m'a affirmé que mon futur chemin à la Stasi serait long et ardu, que beaucoup dépendrait de ma capacité à soumettre ma personnalité fantasque à la volonté du Parti. Ses dernières paroles furent les plus ignobles. "Sasha, n'oubliez jamais que vous êtes devenu l'enfant préféré du camarade professeur." »

*

L'histoire se finit-elle ici ? C'est ce qu'il semble, pour l'instant, car Sasha, toujours aussi remonté, a consulté sa montre et bondi sur ses pieds avec un juron.

« Teddy, dépêchons-nous. Ils ne perdront pas de temps.

– Pour faire quoi ? demande Mundy, dont c'est à présent le tour de perdre le fil.

– Je dois te séduire. Te gagner à la cause de la paix et du progrès. Pas tout d'un coup. De mon côté, des avances appuyées, du tien, un rejet peu convaincant desdites avances. Et ce soir tu seras maussade. C'est d'accord, hein ? »

Oui, ce soir, c'est d'accord, je serai maussade.

« Et un peu saoul ? »

Et un peu saoul aussi, mais pas autant que j'en aurai l'air.

Sasha sort le magnétophone de sa poche, et une cassette neuve qu'il brandit sous le nez de Mundy pour le prévenir. Il glisse la cassette dans son logement, appuie sur le bouton d'enregistrement, remet le magnétophone dans la poche intérieure de sa veste, coiffe son béret et affiche la mine impassible de l'apparatchik dont la personnalité fantasque est soumise à la volonté du Parti. Sa voix se durcit et le ton se fait cassant.

« Teddy, franchement, es-tu en train de me dire que tu as tourné le dos à tout ce pour quoi on s'est battus ensemble à Berlin ? Que tu laisses la révolution se débrouiller seule ? Que tu la *sapes*, même ? Que tu es fou de ton compte en banque et de ta jolie petite maison au point de mettre ta conscience sociale en veilleuse ? D'accord, on n'a pas changé le monde de notre temps. On était des gosses qui jouaient aux soldats de la révolution. Mais que dirais-tu de participer à la *vraie* révolution ? Ton pays est tombé sous la coupe d'une va-t-en-guerre fasciste, *et toi tu t'en fous !* Tu es le valet rémunéré d'une machine de propagande antidémocratique, *et toi tu t'en fous !* C'est ça que tu diras à ton petit-bourgeois d'enfant quand il sera grand : *je m'en foutais ?* On a besoin de toi, Teddy ! J'en suis malade depuis deux soirs de te voir nous allumer, nous montrer un bout de sein pour le refourrer aussitôt dans ta chemise et exhiber l'autre ! Afficher un petit sourire narquois en restant le cul entre deux chaises ! lance-t-il avant de baisser le ton. Tu sais quoi, Teddy ? Je vais t'avouer quelque chose en confidence, juste entre toi et moi et les lapins : on n'est pas bégueules. On comprend la nature humaine. Si besoin est, on va jusqu'à *payer* les gens pour qu'ils écoutent la voix de leur conscience politique. »

*

Tout le monde est ravi de voir l'Anglais dégingandé arriver sur un vélo de flic aux grilles de l'ambassade britannique, portant un complet sombre, une cravate et des pinces de cycliste. Et Mundy, comme toujours quand on le lui demande, joue son rôle à fond. Il actionne la sonnette argentée sur le guidon en slalomant dangereusement entre des voitures qui se garent ou démarrent, crie : « Excusez-moi, madame ! » à un couple de diplomates qu'il manque de faucher, lève un bras pour accompagner le freinage et lance un « Woa, ma vieille ! » façon cocher en arrêtant sa monture, puis prend place au bout de la queue hétéroclite d'invités – officiels tchèques, représentants culturels anglais, maîtres et maîtresses de ballet, organisateurs, artistes. Poussant son vélo vers la guérite, il échange des mots plaisants avec tous ses voisins, et, quand vient son tour de montrer passeport et carton d'invitation, prend excessivement ombrage qu'on lui suggère de laisser sa bicyclette dans la rue plutôt que dans l'enceinte de l'ambassade.

« Jamais de la vie, mon vieux ! Vos nobles concitoyens la faucheraient en cinq sec. Vous n'auriez pas un abri à vélos, un râtelier ? Enfin, où vous voudrez sauf sur le toit. Tiens, là-bas, dans le coin ? »

Il a de la chance. Ses protestations ont été entendues par un membre du personnel diplomatique qui fait le pied de grue devant la marquise conduisant à la grande porte.

« Un problème ? » s'enquiert celui-ci d'un ton mielleux en jetant un vague regard au passeport de Mundy.

C'est l'homme joufflu à lunettes rondes qui s'était plaint que Mundy l'avait sorti dès le premier lancer.

« Oh, pas vraiment, monsieur l'agent, plaisante Mundy. Je cherche juste un endroit où garer mon vélo.

– Tenez, donnez-le-moi. Je vais le ranger derrière. Vous rentrez chez vous avec, j'imagine ?

– Bien sûr, si je n'ai pas trop bu. J'ai une caution à récupérer.

– Appelez-moi quand vous serez prêt à partir. Si je suis en vadrouille, demandez Giles. Pas de problème en chemin ?

– Aucun. »

*

Il marche. Un état d'esprit de pute. Qui es-tu, que veux-tu et combien me paieras-tu ? Il est à Prague par une superbe nuit avec clair de lune, et il arpente des ruelles pavées. Il est saoul, mais sur commande. Il pourrait boire le double sans être ivre. La tête lui tourne à cause du récit de Sasha, pas de l'alcool. Il éprouve le même sentiment d'apesanteur qu'à Berlin la veille de Noël, quand Sasha lui a parlé pour la première fois du Herr Pastor, cette honte qui l'étreint dès qu'il est exposé à une souffrance qu'il ne peut partager, juste imaginer. Il marche façon Sasha, une jambe portant tout le poids, la démarche déséquilibrée. Son esprit part en tous sens, tantôt vers Kate à la maison, tantôt vers Sasha à l'Hôtel blanc. Du linge ondule tels de sombres linceuls devant les lanternes en fer forgé qui éclairent les rues. Les maisons tarabiscotées ont un aspect négligé, des portes barrées et des volets clos. Le silence éloquent de la ville l'accuse, l'atmosphère de révolte étouffée est palpable. Alors que nous autres, vaillants étudiants de Berlin, hissions nos drapeaux rouges sur les toits, vous autres, pauvres cons, baissiez les vôtres et vous faisiez écraser par les chars soviétiques, pour votre peine.

Suis-je suivi ? *D'abord, le supposer, puis s'en assurer et se détendre.* Ai-je l'air assez maussade et troublé ? Suis-je en proie à un grand dilemme, en colère après Sasha pour m'avoir mis au pied du mur ? Mundy ne sait plus quelles parties de lui-même jouent la comédie. Peut-être lui tout entier. Peut-être n'a-t-il toujours été qu'un simulateur. Dissimulé. Un simulateur dissimulé.

Durant la réception à l'ambassade, il a simulé l'humour incarné. Le British Council devrait être fier de lui, mais Mundy sait que ce n'est pas le cas. *Je suis désolée aussi*, dit sa bonne fée du Personnel, la marraine qu'il n'a jamais eue.

De l'ambassade, il a regagné triomphalement son hôtel sur son vélo de flic, le laissant dans l'avant-cour pour que Sasha vienne le récupérer. Ce vélo lui a-t-il semblé différent après que Giles en a eu retiré le contenu ? Plus léger, peut-être ? Non, mais moi si. De sa chambre il a rappelé Kate, avec plus d'aisance cette fois, même si rétrospectivement ses propos tiennent de la lettre de pensionnaire envoyée aux parents.

Cette ville est encore plus belle que tu ne peux l'imaginer, ma chérie... Je voudrais tellement que tu sois ici avec moi, ma chérie... Je ne savais pas que j'aimais autant la danse, chérie... Tiens, il m'est venu une idée géniale ! Elle lui vient en fait sur le coup, il n'y avait pas pensé jusque-là. *A mon retour, on se prend deux abonnements pour le Royal Ballet. Si ça se trouve, le Council me les remboursera. Après tout, c'est leur faute si je suis devenu accro à la danse. Ah, je confirme : les Tchèques sont vraiment adorables. C'est toujours comme ça, les gens qui doivent se débrouiller avec presque rien, n'est-ce pas ?... Moi aussi, ma chérie, très fort... Et le bébé aussi. Dors bien. Tschüss.*

Oui, il est suivi. Il l'a supposé, il s'en est assuré, mais il n'est pas détendu pour autant. De l'autre côté de la rue, il a reconnu le couple bien tranquille assis dans un coin du bar hier soir. A une trentaine de mètres derrière lui, deux hommes trapus en imperméable et chapeau mou jouent à un-deux-trois-soleil avec lui. Abandonnant les principes du Cours de maintien d'Édimbourg, il s'arrête net, bombe le torse, se retourne, met ses mains en porte-voix et hurle à pleins poumons à ses poursuivants : « Lâchez-moi ! Barrez-vous tous ! » Sa voix résonne d'un bout à l'autre de la rue. Des fenêtres s'ouvrent à la volée, des rideaux s'écartent prudemment. « Taillez-vous, bande de nains ! Et tout de suite ! » Puis il se laisse tomber sur un banc habsbourgeois à portée et croise ostensiblement les bras. « Je vous ai dit quoi faire, alors exécution ! »

Les pas derrière lui se sont tus. Le couple tranquille a disparu au coin d'une rue adjacente. Dans trente secondes, ils vont en resurgir en feignant d'être quelqu'un d'autre. Super. Faisons tous semblant d'être quelqu'un d'autre et peut-être saurons-nous alors qui nous sommes vraiment. Une grosse voiture arrive lentement sur la place, mais Mundy met un point d'honneur à ne pas la remarquer. Elle le dépasse, s'arrête, revient en marche arrière. Grand bien lui fasse. Mundy a toujours les bras croisés, le menton sur la poitrine et les yeux baissés. Il pense à son futur fils, à son futur roman, au concours de danse du lendemain. Il pense à tout sauf à ce à quoi il pense actuellement.

La voiture s'est arrêtée à sa hauteur. Il entend une portière s'ouvrir sans se refermer. Il entend des bruits de pas se rapprocher. La place est située sur une pente, et il est assis en haut, ce qui explique un bruit de pas qui montent, puis se stabilisent en traversant l'étendue pavée et s'arrêtent à un mètre de lui. Mais il se sent trop écœuré, trop désorienté, trop exploité pour lever la tête.

D'élégantes chaussures allemandes. Cuir havane, bout renforcé. Un pantalon marron à revers. Une main se pose sur son épaule et la secoue doucement. Une voix qu'il refuse de reconnaître lui parle dans un anglais teinté d'allemand.

« Ted ? C'est bien vous, Ted ? »

Au bout d'une très longue pause, Mundy accepte de relever la tête et voit une berline noire garée le long du trottoir avec Lothar au volant et Sasha, coiffé de son béret, qui le regarde depuis le siège arrière. Mundy lève un peu plus haut les yeux et aperçoit l'élégante silhouette et la chevelure soyeuse du Professeur, qui le regarde avec une sollicitude toute paternelle.

« Ted, mon cher ami. Vous vous souvenez de moi. Wolfgang. Dieu soit loué, on vous a retrouvé. Vous avez l'air fourbu. J'ai cru comprendre que vous aviez eu une conversation fort intéressante avec Sasha, cet après-midi. Votre attitude n'est pas digne d'un disciple de feu le grand Doktor Mandelbaum. Pourquoi ne pas aller dans un endroit tranquille parler de Dieu et du monde ? »

Mundy le regarde un moment l'air perplexe, puis ça fait tilt. « Et pourquoi vous n'iriez pas aux pelotes ? » lance-t-il en restant assis, le visage enfoui entre les mains, jusqu'à ce que le Professeur, aidé de Sasha, le mette précautionneusement debout sur ses pieds et le conduise à la voiture.

Les traîtres sont des divas, Edward. Ils ont des dépressions nerveuses, des crises de conscience et des besoins exorbitants. Les Wolfgang de ce monde le savent. Si vous ne leur menez pas la vie dure, ils ne croiront jamais que vous valez la peine d'être acheté.

*

Une opération classique d'agent double de la guerre froide fait ses premiers pas mesurés vers son éclosion. Si la phase de séduction traîne à ce point en longueur, c'est que, parmi ses nombreuses facettes, Ted Mundy s'avère être expert en procrastination.

Lors d'une Convention internationale d'égyptologues à Bucarest, il exhibe un échantillon alléchant du genre de matériau qu'il pense pouvoir fournir : un projet top secret visant à perturber la future Fédération mondiale des syndicats à Varsovie – mais supportera-t-il l'idée de duper ses collègues ? Ses tentateurs s'empressent de le rassurer : dans le service de la vraie démocratie, semblables scrupules sont mal placés.

Lors d'une Foire du livre à Budapest, il fournit une synthèse prometteuse, quoique rétrospective, des modes de propagation de la désinformation anticommuniste dans la presse du tiers-monde. Mais le risque qu'il a pris le terrifie encore. Il va devoir réfléchir. Ses tentateurs se demandent à haute voix si 50 000 dollars capitalistes l'aideraient à réfléchir.

Lors du Festival de la paix et du chant à Leningrad, juste au moment où le Professeur et son équipe osent croire qu'ils ont enfin ferré le poisson, Mundy pique une colère force 10 des plus convaincante au sujet des conditions proposées pour sa rémunération.

Quelle assurance peuvent-ils lui donner que, lorsqu'il se présentera dans cinq ans à la banque Julius Bär de Genève avec le mot de passe magique le caissier lui remettra l'argent et n'appellera pas la police ? Il faudra rien moins qu'un symposium d'oncologues internationaux de cinq jours à Sofia pour régler les derniers détails. Un dîner copieux mais discret dans la salle à l'étage d'un grand hôtel donnant sur le lac Iskar marque la percée.

Prétextant des ennuis de santé auprès de Kate et de ses employeurs virtuels du British Council, Mundy se laisse emmener de Sofia à Berlin-Est. Dans la villa du Professeur à Potsdam, où Sasha a appris que son Herr Pastor de père était un espion de la Stasi, on trinque à la santé du nouvel agent vedette au sein de la machine de propagande subversive anglaise et à son recruteur, Sasha. Assis l'un à côté de l'autre au centre de la table éclairée aux bougies, les deux amis écoutent fièrement le Professeur lire tout haut le télégramme de félicitations envoyé par ses maîtres de Moscou.

Le triomphe d'un côté a son pendant de l'autre. A Londres, on acquiert une maison sûre dans Bedford Square, et on réunit une équipe chargée d'une part de traiter le matériau alpha plus plus de Sasha et d'autre part d'élaborer une désinformation astucieuse, plausible et assez alarmante pour satisfaire les appétits paranoïaques des maîtres de Mundy pendant les cent prochaines années au moins, chacun des deux camps sachant très bien que la guerre froide durera ce temps-là.

Les initiés, dont Mundy, baptisent bientôt la maison sûre la Poudrière, la poudre étant la substance qu'ils se proposent de jeter aux yeux de la Stasi.

*

L'effet de cette double victoire sur Mundy est mitigé. A trente-deux ans, le pseudo-artiste, pseudo-radical, pseudo-raté, pseudo-tout ce qu'il s'accuse d'être a enfin découvert son don créatif inné. Mais cela ne va pas sans quelques inconvénients. La tension nerveuse causée par le fait de mener en parallèle deux carrières brillantes et une vie de couple est bien connue, celle d'en mener trois de front, beaucoup moins – surtout quand l'une d'elles consiste en une mission top secret vitale à la sécurité de son pays, cotée alpha plus plus et inavouable à son conjoint.

Chapitre 9

Tout se passe à merveille pour Kate.

Ainsi que pour le jeune Jake, qui a maintenant huit ans.

C'est un petit dur turbulent qui, selon la famille, ne ressemble pas à ses parents mais est le portrait craché de son grand-père Des : costaud, franc, généreux – soupe au lait, toutefois, et peu raffiné. Contrairement à Mundy et à Sasha, Jake est venu au monde sans encombre. Après une petite enfance agitée, il a réussi brillamment sa première année d'école primaire, au soulagement de ses parents, qui commençaient à craindre de devoir l'emmener chez un pédopsychiatre. Leur sujet d'inquiétude actuel est la façon dont Jake va prendre le déménagement à Doncaster, la ville natale de Kate, où elle devra faire valoir ses racines si elle veut avoir une chance d'inverser la tendance conservatrice de sa circonscription disputée.

Ces dernières années, la carrière politique de Kate a fait des pas de géant. Elle est considérée comme l'une des rénovatrices montantes du parti travailliste. Sa fustigation des dynamiteurs de St Pancras – UNE COURAGEUSE ENSEIGNANTE S'ATTAQUE AUX « ENNEMIS DE L'INTÉRIEUR », selon le *Hampstead & Highgate Express* – n'a pas échappé à la direction du Parti. Son discours musclé de candidate travailliste aux législatives dans sa circonscription natale de Doncaster Trent, loué pour son réalisme sans complaisance, lui a valu les vivats des nouveaux centristes. Aussi désolée soit-elle de dire adieu à ses élèves et collègues de Hampstead – sans parler de déraciner Jake quand enfin il s'adaptait –, le collège le plus coté du South Yorkshire lui offre un poste avec une maison à la clé, proche d'une école primaire pour Jake et d'un centre sportif pour enfants où il pourra se défouler.

Mais c'est Ted, toute la famille en convient, qui traverse tout cela en brave petit soldat qu'il a toujours été, selon Des. Sans le soutien de Ted, Kate ne serait jamais sortie du box de départ, affirme Des, qui aime les courses de lévriers. Il pousse même un peu plus loin, lançant une blague qui restera à jamais dans la famille, au grand dam de Mundy.

« Je vais vous dire une bonne chose, et après je vais porter un toast, annonce-t-il tandis que Mundy découpe le rôti du dimanche et que Jake essaie de les convaincre tous de chanter en chœur une comptine. Quand notre Kate sera installée au 10, Downing Street, et cela arrivera, je suis sérieux – *Jake, tais-toi un peu, s'il te plaît* –, donc, quand elle sera au 10, Ted fera un boulot autrement meilleur que Denis Thatcher en ce moment, qui, soit dit en passant, n'en fiche pas une rame. Ted ne jouera pas au golf toute la journée, ne sera pas pompette à 16 heures, sinon plus tôt – *une minute, Jake, d'accord ?* Ted ici présent, contrairement à Denis-la-menace, occupera sa place au côté de ma fille chérie, à lui apporter un soutien moral inconditionnel – *boucle-la, Jake !* –, tout comme le prince Albert l'a fait pour la reine Victoria. Ne ris pas, Kate, je suis très sérieux. Il sera prince consort, voilà, et le meilleur qu'il y ait jamais eu, sans exception. Alors on lève nos verres à votre santé, mon vieux Ted, et que Dieu vous bénisse ! Bon, ça va, Jake, maintenant on peut chanter. »

*

Le déménagement à Doncaster entraîne des complications pour toute la famille, mais Kate et Ted, ayant tous deux un esprit rationnel, ne vont pas se laisser abattre pour autant. Une fois Jake endormi au premier, du moins l'espèrent-ils, Kate expose les données du problème. Ted ayant passé le cap de la quarantaine, ce serait pure folie qu'il renonce à ses droits à la retraite et à ses perspectives de promotion sans avoir en vue un poste équivalent, voire meilleur. Et ça, c'est la version optimiste, dit Kate, parce que franchement, Ted, vu ton âge et ta situation… Elle a le tact de laisser la phrase en suspens, comme déjà au cours d'une conversation sur le thème « notre mariage et ses problèmes », au premier rang desquels les fréquentes absences de Mundy et l'impression étrange qu'il donne d'être ailleurs avant et après, ce qui amènerait n'importe quelle autre épouse à en déduire qu'il a un autre centre d'intérêt, mais comme il jure que c'est faux, Kate laisse courir.

Pour en revenir à ses perspectives professionnelles, ou à l'absence desdites, Kate tient pour acquis que Ted plafonne, au British Council. Ce poste spécial de représentant itinérant en Europe de l'Est qu'on lui a confié voici tant d'années ne s'est pas avéré être le tremplin vers la gloire qu'on lui avait fait miroiter. Dit crûment, c'est une voie de garage, pour ne pas dire une impasse, poursuit-elle. Et qu'on le qualifie à présent de représentant itinérant *auxiliaire* la laisse pantoise. Elle en est réduite à supposer que Ted a commis une boulette dont il lui cache la nature, ou qu'après tout ils ont fini par découvrir qu'il n'avait aucun diplôme. Elle irait volontiers leur dire deux mots, à ces minables du Personnel qui, selon Ted, le regardent aujourd'hui sans le voir.

« Et toi, mon chéri, comme nous le savons tous, tu seras toujours le *dernier* à te défendre. C'est ton complexe d'école privée, le manque d'arrivisme. Mais de nos jours, on est *tous* obligés d'être arrivistes, merci le thatchérisme. »

Après quoi, Kate étudie en toute logique la faisabilité d'une navette quotidienne entre Doncaster, où Mundy habitera, et Londres, où il travaillera. Outre le prix exorbitant d'un abonnement Doncaster-King's Cross, ni l'un ni l'autre n'imaginent Ted assis dans un train quatre heures par jour, sans compter le métro – surtout si Thatcher met à exécution ses menaces concernant les Chemins de fer. Et puis, Kate va devoir engager quelqu'un pour s'occuper de Jake pendant qu'elle écume sa circonscription. Selon son agent électoral, mère de famille elle aussi, il y a un vivier de Sri-Lankaises si on frappe à la bonne porte, mais elles coûtent cher.

« Bon, en toute logique, si on cumule les week-ends, les jours fériés et tes congés payés, on arrive presque à la moitié de l'année, affirme Kate, qui a déjà fait ses calculs. Alors, voyons les choses comme ça, d'accord ? Et ne perdons pas de vue que, depuis ta prise de fonctions, tu as passé en moyenne neuf semaines par an à l'étranger, grâce au circuit de conférences universitaires et d'échanges estudiantins que, pour une raison mystérieuse, on t'a refilé en plus de tes festivals culturels. »

Ce n'est pas la première fois depuis quelques années que Mundy se demande qui est Kate. La femme qu'il a devant lui semble n'avoir rien en commun avec celle dont il se languit quand il est loin d'elle. Elle n'a pas évolué, elle a carrément été remplacée. Si cette femme était un sosie de Kate, cela ne l'étonnerait pas. Par ailleurs, l'idée lui vient que Kate pourrait bien avoir la même impression le concernant.

« La question suivante s'impose d'elle-même : pouvons-nous nous permettre d'entretenir deux maisons, et, partant, que faisons-nous d'Estelle Road, surtout maintenant que le marché immobilier s'effondre, après l'inflation délibérément créée par les banques de la City pour servir leurs intérêts ? On pourrait garder la maison mais louer les deux chambres d'amis, par exemple à des étudiants ou des infirmières du Royal Free Hospital ? Tu pourrais te réserver la chambre principale, le salon et la cuisine, et leur laisser le reste. »

Peu tenté par la perspective d'ajouter le rôle de tenancier d'une pension de famille à tous ceux qu'il a déjà, Mundy n'en dit toutefois rien. Ils conviennent de discuter des diverses options avec Des. Peut-être l'aménagement du grenier est-il la solution. Mais Mundy se sent obligé d'avoir une seconde opinion de la part d'Amory, qui, avec le Professeur, détient une participation majoritaire dans la SARL Mundy.

*

Amory trouve l'idée de deux foyers excellente à bien des égards. S'il y a un souci financier, avance-t-il, Londres pourrait dédommager Mundy. Et Londres peut se le permettre, aurait-il pu préciser. En tant que précieux agent de la Stasi, Mundy reçoit de jolis émoluments, bonus et primes, que les conventions du métier l'obligent à confier à ses véritables maîtres, dont les rémunérations sont plus modestes, puisque, contrairement à la Stasi, Londres tient sa loyauté pour acquise. Hormis d'obscurs fonds bloqués et assurances vie souscrites dans des banques de la City qui ne représentent pas grand-chose pour lui, il n'a droit qu'à une enveloppe brune mensuelle contenant ce qu'Amory appelle son « argent de poche », puisqu'une amélioration anormale de son train de vie attirerait l'attention non seulement de la Sécurité britannique, avec laquelle le Service d'Amory aime garder de bonnes distances, mais aussi de la comptable familiale, Kate.

« Ne pas mélanger les torchons et les serviettes, c'est la meilleure solution. Quand Jake se sera habitué à sa nouvelle classe, il s'adaptera en un rien de temps. Comment va son jeu de cricket ?

– Impeccable. Super.

– Quel est le problème ?

– Kate aime faire son porte-à-porte le week-end, quand les électeurs sont chez eux.

– Dites-lui de le faire les soirs de semaine quand vous n'êtes pas là », conseille Amory, qui a peut-être réellement une épouse à laquelle il peut parler ainsi.

*

Et soudain, c'est le grand départ. Mundy loue une camionnette, Des et Wilf, un de ses amis, aident à charger les meubles que Kate a étiquetés au préalable avec du papier collant rose. Opposé à cet exode, Jake se barricade dans sa chambre et en jette le contenu par la fenêtre, y compris son duvet, ses couvertures, sa caserne de pompiers et, comme apothéose, le berceau fabriqué pour lui avant sa naissance par Des et Mundy.

Sous les jurons de Jake à l'arrière de la camionnette, ils atteignent un lotissement flambant neuf en périphérie de Doncaster, dont l'attraction est une église en brique rouge dotée d'un campanile qui, aux yeux de Mundy, ressemble à un pendu se balançant à une potence. Le pavillon jumelé qui va devenir le foyer de la candidate est un cube à toit orange avec des baies vitrées et deux rectangles de gazon sur le devant et à l'arrière, telles des tombes toutes fraîches. Après deux jours de déballage actif ponctué par les cris d'enfants jouant au cricket sur le terrain communal, le répertoire complet des imitations de Mundy et les effusions d'accueil des voisins et autres électeurs, Mundy ramène la camionnette vide à Londres et commence sa nouvelle vie de pensionnaire hebdomadaire.

Tôt le matin, il arpente le Heath, essayant de ne pas penser aux matins où il accompagnait Kate à son travail, aux soirs où il venait l'attendre à la sortie des classes avec les mères des enfants, au bac à sable où lui et Jake rejouaient la bataille de Waterloo, au coin du terrain de jeux où ils se lançaient un Frisbee ou une balle de cricket façon *test match* Angleterre / Pakistan, jusqu'au jour où Jake n'a pas caché qu'il préférait ses pairs désobligeants à tout ce que Mundy avait à lui offrir.

Les accès de rage accusateurs de Jake semblent compenser ceux qu'évitent ses parents : sous l'effet de la colère, Kate se contente de pincer les lèvres, et la première ligne de défense de Mundy consiste à faire des plaisanteries stupides et à hurler de rire jusqu'à ce que l'orage soit passé. Mais Jake n'a hérité ni l'une ni l'autre de ces tactiques. Quand on l'oblige à se taire, il hurle. Quand il se sent agacé, perplexe ou rejeté, il hurle. A la consternation de Mundy, le message de Jake est limpide : *Papa, tu es un imposteur. J'ai bien étudié tes pitreries, j'ai bien écouté tes imitations et tes cris d'oiseaux merdiques. Je connais toute la gamme des expressions hypocrites de ton visage, et je t'ai percé à jour. Tu es un touriste révolutionnaire devenu espion capitaliste, et ta grande carcasse ne contient pas une once de vérité. Mais comme mon jeune âge m'empêche de formuler ces sentiments, je hurle. Signé : Jake.*

Voyons les choses du bon côté, s'exhorte Mundy, les yeux levés vers le ciel comme souvent ces temps-ci. D'accord, je ne suis pas vraiment le père que j'espérais être. Mais je ne suis pas un ivrogne exclu de l'armée indienne, et Jake a une vraie mère en vie et en pleine ascension sociale, pas une aristocrate défunte qui s'est révélée avoir été une domestique irlandaise bouseuse. Ce n'est pas ma faute si je suis six personnages différents.

*

Au début, la routine quotidienne de Mundy ne diffère guère d'avant. Toute la matinée, il est assis dans son bureau du British Council ou l'arpente, absorbé par ce qu'Amory aime appeler son travail de couverture, à savoir : donner quelques coups de fil, signer quelques mémorandums et se montrer aimable à la cantine, où on le considère comme un genre de parasite. Amory a exigé de lui qu'il offre quand on l'y pousse une image de marginal aigri, ce qu'il réussit à faire sans grande difficulté malgré sa nature affable. Les anciennes flambées rebelles ne crépitent plus vraiment, mais, grâce à Mme Thatcher, il reste encore pas mal de tisons.

Le déjeuner tant attendu peut revêtir diverses formes. Avec un peu de chance, son travail de couverture exigera qu'il soit invité par un collègue diplomate culturel d'une ambassade du bloc communiste, quelqu'un dont on peut imaginer qu'il a plusieurs casquettes. En de telles occasions, Mundy tient des propos encore plus séditieux, présumant à juste titre qu'ils reviendront aux oreilles du Professeur. Parfois son hôte lancera un ballon d'essai, que Mundy se gardera poliment d'attraper, pouvant difficilement expliquer qu'il est déjà engagé sur les deux bords du gouffre idéologique.

Le programme des après-midi est également variable. En vertu du mystérieux accord passé entre le Service d'Amory et le Personnel, ils sont consacrés officiellement à des rendez-vous extérieurs avec des artistes et leurs agents, officieusement à Amory, mais, rien n'étant clair dans la vie de Mundy, il se retrouve souvent avec quelques heures libres, qu'il occupait jadis en fréquentant la National Gallery, la Tate, le British Museum et autres hauts lieux de culture. Jouissant à présent d'une liberté accrue, il reporte son intérêt sur les petits strip-teases qui surgissent puis disparaissent comme autant de champignons bariolés dans les pâturages fertiles de Soho.

Ses motivations ne sont pas lubriques. Ce qui l'attire, c'est cette atmosphère religieuse de sanctuaire, la dévotion muette des fidèles et la bonne nature désintéressée des prêtresses de service. Assis dans la pénombre enfumée, il se sent aussi souverain et intouchable que les créatures qu'il observe. Quant à la honte, la contrition, la culpabilité, ou quoi que ce soit d'autre censé l'affecter, il n'en éprouve pas. Je mérite bien cela. Mundy n° 2 serait fier de moi. Et Doncaster ne m'a pas accordé de visa.

Vers 16 heures (il doit d'abord appeler un certain numéro depuis une cabine), il emprunte l'un de ses itinéraires pour Bedford Square, jusqu'à une rue bordée de belles maisons à colonnes abritant des éditeurs, des associations caritatives ou, dans le cas du n° 12, la SARL Recouvrement de créances étrangères, qui, à sa connaissance, n'a jamais rien recouvert d'autre que son porche par une plaque en cuivre.

Après s'être discrètement assuré de l'absence de tout visage connu ou suspect alentour – ses fréquents séjours au Cours de maintien d'Édimbourg en ont fait chez lui une seconde nature –, il pénètre avec sa clé personnelle dans sa résidence secondaire. Pas vraiment, d'ailleurs, car à l'intérieur il doit attendre devant une deuxième porte qu'une charmante personne appelée Laura, avec des taches de rousseur, un sourire de première communiante et la chevalière de son père à la main droite, l'introduise dans l'enceinte de ce que ses occupants ont baptisé la Poudrière.

*

Ici, à Bedford Square, les morceaux épars de Ted Mundy, acteur, romancier, fils du major, marginal, rêveur et simulateur, s'assemblent enfin pour composer un seul et même héros.

Ici, à la Poudrière, on l'accueille avec la vénération absente de ses autres vies. Adieu la veulerie contemplative des clubs de strip-tease. Bonjour, Mundy *erectus*.

Ici, on comprend ses véritables sentiments, on apprécie ses talents à leur juste mesure.

Par exemple, dans le vaste monde extérieur, quelqu'un sait-il que Ted Mundy est un pro de l'appareil photo miniature, avec un taux d'échec de moins de 9 % en huit ans sur des milliers de clichés ? Eh bien, ici, à la Poudrière, on le sait.

Toute opération de désinformation est affaire complexe, et en l'occurrence Mundy en est le pivot, le fer de lance, le pilote de course qui paiera le prix pour un boulon desserré ou un peu de jeu dans le volant.

Tout commence dans quelque lointaine catacombe du Whitehall occulte, où un petit groupe de mandarins détermine quels secrets d'État antédiluviens peuvent être divulgués sans risque ou subtilement remaniés pour induire en erreur. A cela ils ajouteront leur liste préférentielle de « contrevérités profitables », pures fabrications qui, si elles sont astucieusement glissées, gobées et utilisées, feront que l'adversaire pointera ses armes dans la mauvaise direction.

L'équipe créative de Bedford Square, *alias* les « artificiers », se met ensuite à l'œuvre. Il y a des dossiers ultrasecrets à forger, des brouillons de comptes rendus, des notes de service entre des comités dont la simple existence suffit à déclencher la paranoïa de l'ennemi. Il y a des conversations indiscrètes à surprendre au réfectoire, dans les toilettes pour hommes ou les pubs autour de Trafalgar Square, où les conspirateurs aiment noyer leur chagrin un soir de semaine.

Mais qui sont ces vauriens virtuels, ces rusés destructeurs et intrigants du monde secret de Whitehall ? Où et quand se retrouvent-ils pour faire leur sale boulot ? Qui sont leurs meneurs ? Quelles sont leurs origines sociales ? Quelles compétences offrent-ils ? Quels sont leurs aspirations, leurs rivalités, leurs travers ? Et comment Mundy n° 2, ce revanchard aigri, ce sans-grade qui hante leurs sombres couloirs, a-t-il réussi à mettre la main sur leurs documents ?

*

L'équipe travaille en théorie sous la direction d'Amory, mais c'est Mundy la vedette, la locomotive, qui arpente la pièce, une main fourrée dans les cheveux, lançant des idées, revenant dessus, testant la crédibilité d'histoires comme on essaie des vêtements. Parce que, quand on baisse le rideau, tout le monde dans la maison sait – de Laura qui lui ouvre la porte jusqu'aux faussaires et scénaristes qui fabriquent les documents qu'il est censé voler, en passant par les techniciens au sous-sol qui l'aident à photographier son butin avec juste ce qu'il faut de maladresse et les instructeurs qui lui font répéter son texte jusqu'à la minute où il monte dans le car pour l'aéroport de Londres –, oui, tous savent que Ted est seul, que c'est sa peau qui est en jeu si les choses tournent mal et que c'est lui qui passera les dix prochaines années à moisir dans une infâme geôle communiste.

Mundy le sait lui aussi, et il est mort de peur. Monter dans l'avion réclame toutes les belles qualités de Mundy n° 1, patriote, *prefect* d'école privée et fils de major, sans oublier quelques whiskies bien tassés au bar de la salle des départs. S'il escorte une délégation, il est pathétiquement reconnaissant à ses membres de leur protection. Mais, seul, il se ronge les sangs.

Une fois en l'air, tout change. Ses angoisses s'évaporent et une sorte de soulagement serein l'envahit. Très vite, Mundy n° 2 prend la place de Mundy n° 1. L'Angleterre qu'il laisse derrière lui devient son ennemie et, quand il franchit les sinistres chicanes de l'aéroport du pays de l'Est qui l'accueille, il pourrait presque étreindre les gardes-frontières revêches tant il s'est efficacement convaincu que la mascarade est finie, qu'il peut respirer librement et qu'il se retrouve enfin au milieu de ses vrais amis.

Et c'est le cas. La plupart du temps, leurs relations étant maintenant avérées, Sasha en personne l'attend à l'aéroport. Et si Mundy craint que cette vive amitié avec un officiel est-allemand ne fasse tiquer l'un de ses compatriotes, Sasha, Lothar le lourdaud ou Horst l'intellectuel organisent une réunion plus discrète dans un hôtel ou un appartement sûr loué pour l'occasion. Il en faudrait plus pour ébranler la solide camaraderie dont les deux toutous d'un seul homme continuent de jouir.

Fidèle aux directives de Sasha ratifiées par Amory, du jour où le Professeur l'a recruté, Mundy a refusé d'être contrôlé par nul autre que Sasha. En conséquence, il exclut tout rapport avec l'un des nombreux et excellents agents du Professeur attachés à l'ambassade d'Allemagne de l'Est à Londres. Pour rien au monde il ne traînera devant Harrods la nuit tombée, à attendre qu'une voiture avec un certain numéro d'immatriculation ralentisse pour qu'il jette un paquet à l'intérieur par la vitre. Pas question d'enterrer son microfilm dans un parterre de fleurs près de la Serpentine, ni de faire des marques de craie sur des grilles en fer, ni d'échanger des cabas avec une dame en chapeau vert faisant la queue pour le poisson chez Waitrose. Ce que fera tout au plus cet agent fantasque et exigeant de la Stasi sera de remettre en main propre ses documents à Sasha à chacune de leurs rencontres, c'est-à-dire quand et seulement quand le British Council juge opportun de l'envoyer dans un pays de l'Est.

C'est donc Sasha, personne d'autre, qui, dès les premières heures trépidantes du retour de Mundy au bercail communiste, prend livraison de sa moisson de microfilms cachés dans un quelconque objet fourni la fois précédente par l'équipe du Professeur (boîte de talc, tube de dentifrice, transistor). C'est encore Sasha qui interroge Mundy pour savoir comment au juste il a réussi à mener à bien un récent coup spectaculaire. Et aucun de ces voyages n'est bouclé tant que les deux amis n'ont pas eu un moment d'intimité comme au bon vieux temps, une promenade à pied dans la forêt, une balade à vélo ou un repas sans chaperon dans quelque auberge de campagne. Et Sasha, en bon officier traitant satisfait de son agent, n'oublie alors jamais de lui offrir un gage personnel de sa gratitude – rien qui risquerait de lui causer des problèmes bien sûr, peut-être un classique de la littérature allemande trouvé chez un antiquaire pour aller étoffer sa bibliothèque londonienne, une porcelaine de Saxe dénichée aux puces, ou encore une boîte de caviar russe.

En de rares occasions seulement, et non sans une évidente répugnance, Sasha consent-il à exhiber son poulain au Professeur. Par exemple au cours d'un interminable dîner dans sa villa de Potsdam. S'adressant à Mundy, et incidemment à Sasha assis près de lui, le Professeur évite d'évoquer les détails sordides de l'espionnage pour présenter sa grande vision des affaires mondiales.

« Le jour viendra, Teddy, et vous serez encore là pour le voir tous les deux, je vous l'assure, où les murs de la citadelle capitaliste s'effondreront de l'intérieur. »

Puisque le Professeur fait étalage de son anglais, Sasha n'a même pas à se donner la peine de dissimuler son ennui.

« La société consumériste se consumera d'elle-même. Vu votre industrie sur le déclin et votre secteur des services en pleine expansion, vous êtes déjà au pied du mur, et je ne parle pas d'un certain Mur non loin d'ici ! fait-il, risquant une plaisanterie osée. Teddy, en ces temps où, dans votre pays, les pauvres meurent de faim et les riches s'étouffent sur leur propre gloutonnerie, n'avez-vous pas l'impression que les rouages de l'industrie s'enrayent lentement ? »

Ce que Mundy répond à semblables banalités n'a que peu d'importance. Ce qui compte, ce sont les points qu'il marque dans l'examen oral rigoureux qui suit, au moment même où il se sentait décontracté.

« C'est un rapport très intéressant que vous nous avez fait le mois dernier, sur les activités de votre Comité clandestin de propagande noire. Nous avons été fascinés par cette idée de propager la rumeur d'une épidémie de typhus en Roumanie pour qu'elle coïncide avec le congrès de la Fédération mondiale des syndicats.

– J'en étais moi-même assez fier, avoue Mundy. Mais attention, il ne s'agit que d'un premier document de travail. Si le Foreign Office a son mot à dire, ça ne passera jamais.

– Et comment l'avez-vous obtenu, au juste ?

– Je l'ai photographié. »

S'ils se mettent à douter de votre intégrité, ce qu'ils feront périodiquement, refermez-vous comme une huître, lui a conseillé Amory voici longtemps. *Les traîtres ne supportent pas qu'on manque de confiance en eux. Et vous ne faites pas exception.*

« Ça, nous le savons, Teddy. Ce que nous ne voyons pas bien, c'est en quelles circonstances vous l'avez photographié.

– C'était dans le casier "arrivée" du courrier de Mary Outhwaite.

– Mary Outhwaite, qui est…

– Officiellement, la responsable du Bureau des étudiants étrangers. Officieusement, la directrice du Groupe d'intervention spéciale, qui sert de parapluie au Comité de propagande noire. »

Comme vous le savez très bien, manque-t-il d'ajouter.

« Et Mary a-t-elle pour habitude de laisser des documents top secret, arrivés par coursier et réservés aux initiés, traîner dans son plateau courrier pour que le premier venu d'un autre service puisse les photographier ?

– Non, lâche Mundy, hérissé par l'expression "premier venu".

– Dans ce cas, à quel heureux hasard devons-nous votre coup d'éclat ?

– Mary est amoureuse.

– Et alors ?

– Elle a une photo de lui sur son bureau.

– Merci, la moitié gauche de son visage apparaît sur le cliché. Joli garçon, à ce que l'on peut en voir, mais peut-être pas une flèche, intellectuellement. »

Joli garçon ? Qui diable lui a appris l'anglais ? Mundy imagine un pédagogue shakespearien gay enfermé dans l'école de langues de la Stasi.

« Il la trompe, réplique-t-il. Je suis passé la voir, et je l'ai trouvée en larmes à son bureau.

– Sous quel prétexte êtes-vous passé la voir ?

– Ce n'était pas un prétexte, siffle-t-il. Elle avait sollicité mon avis sur un spécialiste d'histoire contemporaine que j'avais accompagné à Budapest et qu'elle envisageait de faire entrer dans un de ses comités consultatifs. Quand je l'ai trouvée en larmes, j'ai voulu m'éclipser, mais elle m'a retenu. Elle avait besoin de parler. Elle s'est jetée à mon cou en sanglotant. Une fois calmée, elle n'était plus présentable et avait besoin de se rafraîchir. En tant qu'officier supérieur, elle a un bureau avec antichambre et toilettes privées. J'ai donc tenu à attendre son retour au cas où elle craquerait de nouveau.

– Très galant de votre part.

– J'ai eu de la chance.

– Comme disait Napoléon, puisque vous avez de la chance, vous êtes un bon officier », déclare le Professeur en affichant un large sourire.

Pour preuve de ce qu'il dit, il sort une petite boîte, et de ladite boîte une médaille voyante désignant Mundy comme héros deuxième classe du combat démocratique, à peu près l'équivalent au box-office des héros d'une médaille remise à Mundy à peine six semaines plus tôt lors d'une cérémonie privée à Bedford Square sur l'initiative du chef d'Amory, rien moins comme dignitaire, connu par Mundy sous le surnom de « le Prêtre », et, pour autant qu'il le sait, d'une autre médaille encore, remise la génération d'avant à un courageux major anglais pour avoir occis vingt cavaliers.

*

Ce n'est pas là le seul interrogatoire que doit subir Mundy, loin s'en faut, qu'ils soient menés par le Professeur et ses sbires ou par un certain Orville J. Rourke – un nom qui, s'il n'est pas inventé, devrait l'être.

Rourke est américain, et les gens ne l'appellent pas Orville, mais Jay. Il débarque à Bedford Square nimbé d'une aura de mystère, soi-disant détaché de la CIA à Langley, en Virginie.

« Eh ben, qu'il y retourne, explose Mundy quand Amory lui annonce que Rourke fait désormais partie de l'équipe.

– Vous voulez expliquer pourquoi ? »

Mundy cherche une bonne raison à son indignation. Rentré tout récemment d'une épuisante escapade à Kiev, il a encore une bonne dose de Mundy n° 2 en lui.

« Que suis-je censé dire à Sasha ? demande-t-il.

– Rien. Il y a des choses que nous ne vous disons pas, pour notre bien et pour le vôtre. Là, c'est quelque chose qu'il ne faut pas dire à Sasha. Il se doute bien que son matériau est transmis aux Américains, mais inutile de le lui mettre sous le nez.

– Quelle est la mission officielle de Rourke ?

– Agent de liaison, documentation, rentabilité… Qu'est-ce que j'en sais ? Occupez-vous de vos affaires. »

Naturellement, Rourke ne correspond pas au portrait qu'un Mundy bougon s'était fait du robot de la CIA à petite tête ronde et coupe de cheveux militaire. Beau, mince, civilisé, il a beaucoup voyagé. Un Celte aux cheveux noirs avançant en V sur le front. Un patricien flegmatique, qui vous met dans sa manche grâce à sa curiosité désarmante. « Oh, mon Dieu, vous croyez vraiment ? murmure-t-il avec son accent traînant irlando-bostonien. Vous êtes impayable, je vous jure. Racontez-moi ça. » Découvrant qu'une femme de l'équipe est française, il lui parle en excellent français. Son allemand s'avère aussi bon. Il a un visage large et honnête, une dégaine un peu négligée, un peu timide, qui ajoute à son attitude globalement sympathique. Il fait tailler ses complets à Dublin, porte des derbys aux semelles à trépointe, sans bout renforcé. Il se montre étrangement tatillon sur l'endroit où il pose ses grands pieds. Mundy apprend avec horreur qu'il a servi pour la CIA au Vietnam, crime que Rourke avoue joyeusement dès leur première rencontre dans le bureau d'Amory.

« Eh bien, moi, j'étais opposé à cette guerre, et je le suis encore aujourd'hui, déclare emphatiquement Mundy.

– Oh, mais vous avez bien raison, affirme Rourke avec un sourire désarmant. Ça a été bien pire que tout ce que vous autres, militants pacifistes, avez jamais su. On tuait tout ce qui bougeait, et après on niait en bloc. On a fait des trucs à vomir. Jusqu'où ça va aller, bon Dieu ? Personne ne nous l'a dit. Il n'y avait pas de panneau stop, alors on a foncé comme des bêtes. »

Face à pareille franchise, point de parade, encore moins pour un homme qui vit seul dans le mensonge à Londres et rejoint femme et enfant le week-end à Doncaster.

« Rourke propose qu'on dîne ensemble », annonce-t-il à Amory, s'attendant à une objection.

L'invitation est sans précédent. Le protocole de l'équipe et les intérêts de la sécurité exigent que seul Amory ait le droit de dîner avec son agent.

« Eh bien, acceptez.

– Ça signifie quoi ?

– Il a envie de dîner avec vous. Vous avez envie de dîner avec lui. Il a lu votre dossier. Il a sans doute lu tous nos dossiers. Il ne peut rien tirer de vous qu'il ne sache déjà. Alors allez lui pleurer dans le gilet si ça vous chante. »

Jalousie ? Indifférence ? Mundy n'en sait rien.

La maison est située sur Eaton Place, une belle demeure de trois étages dans une allée privée. Avant que Mundy ait pu sonner, un majordome en complet noir lui ouvre la porte. Dans un salon géorgien tout en longueur fraîchement réaménagé en style colonial américain, Rourke se penche élégamment au-dessus d'un chariot à boissons en cuivre. En s'avançant vers lui, Mundy manque de trébucher sur le tapis de haute laine. Dans un coin, un rocking-chair à coussin brodé ; aux murs, des photos de la Conquête de l'Ouest et des reproductions d'Andrew Wyeth ; dans une vitrine d'angle, une collection de sculptures sur coquillages de Nouvelle-Angleterre.

« Un martini dry, ça vous va ? demande Rourke sans lever la tête.

– Très bien.

– Allez donc jeter un coup d'œil à la carte, là-bas. Il semblerait que nous sommes presque voisins. »

Un atlas du *Times* posé sur une copie de pupitre à musique est ouvert à la page Irlande.

« Regardez au sud-ouest. Vous voyez la petite flèche rouge ?

– Oui.

– C'est là que votre défunte mère, Nellie O'Connor, a ouvert ses beaux yeux sur les monts Mullaghareirk. Regardez un rien plus au sud. Traversez le fleuve Blackwater. A vingt-cinq kilomètres à vol d'oiseau, si tant est que les oiseaux irlandais volent droit, ce dont je doute fort. La flèche blanche, là, vous la voyez ? »

Mundy la voit.

« C'est là qu'est né mon vénéré père, Orville senior. A l'ombre des monts Boggeragh, il a fait sa première partie de poker à l'âge de sept ans. Santé ! »

Rourke lui tend son martini, et Mundy a beau faire de son mieux pour ne pas succomber à cette familiarité immédiate qu'il sent qu'on lui impose, il l'éprouve néanmoins. Une amitié, quoique prudente, vient de naître.

*

Comme Mundy, Rourke a du temps libre. L'après-midi, si Mundy est disponible, Rourke l'est aussi. Les soirs où Mundy irait seul au cinéma ou dans un pub de Hampstead, Rourke, célibataire forcé dont l'épouse juriste est à Washington et la fille à l'université de

Yale, ne sait trop que faire lui aussi. Rourke, comme Mundy, aime la marche. Rester enfermé par une belle journée est un crime, affirme-t-il, opinion partagée par Mundy. Rourke adore Londres, même si certains de ses parents irlandais se feraient un plaisir de raser définitivement la ville. La famille de Mundy compte aussi de tels individus et, sans jamais les avoir rencontrés, il présume qu'ils ont les mêmes intentions. Le majordome qui ouvre la porte à Eaton Place joue aussi le rôle de chauffeur. Il s'appelle Milton. Avec lui au volant, ils sillonnent les parcs, les docks et les voies écartées de la City. Au cimetière de Highgate, ils rendent hommage à Karl Marx et à ses camarades défunts qui ont traversé la moitié du globe pour reposer à son côté. Mundy affirme que le Professeur serait fier. Ainsi d'ailleurs que le Doktor Mandelbaum, sauf que cela il ne le dit pas.

Ils bavardent de tout et de rien, mais le sujet récurrent est Ted Mundy, sa vie, ses amours, de Murree jusqu'à Bedford Square. Cela fait une éternité que Mundy ne s'est pas confié à un étranger, s'il l'a jamais fait. Mais le conseil d'Amory était sans équivoque, et Mundy n'a pas besoin qu'il le lui répète. Rourke est un bon auditeur, toujours impartial. Sa façon d'évoquer le passé est contagieuse. Ils marchent côte à côte. Sans échange de regards, la franchise est plus facile. Jusqu'au mariage de Mundy qui y passe, même s'il prend tous les torts à son compte et se fustige pour toutes sortes de fautes réelles ou imaginaires. Jamais n'est mentionné le nom de Sasha. Il devient « notre ami gallois », Berlin est « Cardiff » et l'Allemagne de l'Est « l'est du pays de Galles », pour ne pas éveiller l'intérêt d'une oreille indiscrète. Tous deux sont de vieux pros.

Quand Rourke se dépense physiquement, sa voix monte dans un registre aigu plaisant. Ses derbys frappent gaiement le sol et Mundy se surprend à marcher d'un même pas. Rourke mouline des bras, Mundy aussi. A voir ces deux escogriffes arpenter Regent's Park en gesticulant, on les prendrait pour deux frères quelque peu excentriques en train de refaire le monde.

Leurs dîners à Eaton Place prennent une forme d'intimité différente, mais tout aussi irrésistible. La routine ne varie jamais. La maison est nettoyée toutes les semaines, précise Rourke, et je ne parle pas de la femme de ménage. Après quelques martinis (que Rourke appelle des « p'tits coups »), ils en viennent au cœur de l'opération Sasha-Mundy. Allez, Ted, je dois tout savoir. Et pas de circonlocutions, cette fois. Rourke aura choisi un beau scoop récent, quelque joyau sorti du béret de Sasha. Le contenu importe peu, l'intérêt de Rourke étant purement technique. Mettons, les relations de la RDA avec la Chine, la routine quoi, sauf que c'est toujours du grain à moudre pour les services secrets.

« Je suis un tâcheron, Ted. Remontons pas à pas toute la filière, si vous voulez bien. Laissons-nous guider par le récit de Sasha expliquant comment il a mis la main dessus. »

En clair : retraçons le cheminement de ce petit bout de pellicule sur les relations de la RDA avec la Chine depuis le QG de la Stasi jusqu'à Bedford Square. Dites-moi quelle cache Sasha a utilisée et où il l'a obtenue. Jouit-il *vraiment* de pareil accès au magasin d'accessoires de la Stasi ? Peut-il *vraiment* se pointer là, voler un pain de savon Yardley trafiqué et glisser dedans un bout de microfilm non développé sans que personne crie : « Hé là ! » Et après, venons-en au moment où il fait passer ce microfilm à son ami Teddy.

Et pour finir, Ted, évoquons votre remise du microfilm à l'agent d'Amory sur le terrain. Ou, car il y a eu des occasions où une livraison discrète au représentant local était plus risquée que si Ted sortait lui-même en douce l'objet du Pays des Méchants, racontez-moi ce qui s'est passé quand vous êtes arrivé à la frontière.

Et Mundy fouille sa mémoire pour fournir à Rourke le moindre détail. Peut-être n'est-ce que vanité, mais il a l'impression de transmettre son expérience à la postérité. Il ne s'agit pas du Professeur essayant de le prendre en défaut, mais de jeunes espions novices qui un jour liront le dossier historique Sasha-Mundy, entre-temps devenu accessible à tous, et s'extasieront sur son intelligence, sa beauté pure. Et Rourke n'est pas le Professeur. Rourke a accès au courant et au contre-courant, alors que le Professeur, Dieu merci, ne connaît que le contre-courant.

« Ted. »

C'est après un de leurs dîners. Ils en sont au calvados, le digestif préféré de Rourke. Un de ses nombreux accrochages au fil des ans avec les petits comptables de l'Agence a eu lieu le jour où il avait payé 500 dollars une bouteille de quatre-vingts ans d'âge. C'était pour un *joe*, nom de Dieu ! Qu'est-ce qu'il était censé servir à ce pauvre bougre ? Du Perrier ?

« Vous avez très bien fait, approuve Mundy, le nez dans son verre à cognac.

– Ted, quand vous étiez à Taos, à la recherche de votre âme, vous souvenez-vous d'avoir rencontré un de mes amis artistes, un certain Luger ? Bernie Luger. Toiles immenses, techniques variées, scènes d'apocalypse... Il jouait de la guitare. »

Luger ? Bernie ? Un peu, que Mundy s'en souvient. Et pas sans honte, s'il est sincère, vu ses après-midi au lit avec Nita pendant que Bernie napalmisait le Minnesota du haut de son escabeau. Mais Ted se reprend. Il ne hurle ni ne rougit. C'est un espion entraîné à Édimbourg, il peut donc feindre.

« Bernie Luger, camé à la coke et rebut de Yale, fait-il, songeur, le nez dans son calvados. Il a renoncé à la dictature de la bourgeoisie pour profiter d'un demi-million par an sorti d'un fidéicommis familial. Comment l'oublier ?

– Vous êtes allé à une de ses petites fêtes ?

– Et comment ! J'y ai même survécu !

– A Taos, Bernie était-il actif politiquement ?

– A l'occasion. Quand il n'était pas trop pété ou déprimé.

– Extrémiste, toujours. Déchaîné ? Communiste ?

– Pas *vraiment* communiste pur jus. Plutôt rebelle que communiste. Si on était pour, Bernie était contre, affirme Mundy en portant aussitôt la main à sa bouche car il a l'impression passagère de trahir Bernie.

– Vous connaissez sa copine ? Une Cubaine ?

– Nita ? Bien sûr. »

C'est donc à propos de Nita, songe-t-il.

« Elle était communiste, elle aussi ?

– J'imagine. Mais pas avec un grand *C*.

– Elle aimait bien Castro ?

– Je pense. Elle aimait presque tous les hommes.

– Bernie ou Nita vous ont-ils jamais demandé un service ? Par exemple rencontrer un de leurs amis pour lui remettre une lettre, parler à quelqu'un en particulier quand vous retourniez en Angleterre ? Pourquoi riez-vous ?

– J'ai cru un instant que vous alliez me demander si j'avais bien fait moi-même ma valise. »

Rourke part d'un bon rire généreux tout en leur reversant à boire.

« Donc, c'est non ? Vous ne leur avez jamais rendu service ? Pas de petites commissions ? Je suis soulagé. »

Mundy est acculé, bien obligé de demander : « Pourquoi ? Qu'est-ce qu'ils ont fait ?

– Rien pour l'instant, mais ça va venir. Ils feront trente ans chacun pour espionnage prosoviétique. Heureusement, ils n'ont pas d'enfants. C'est pour les enfants que c'est le plus dur. »

Mundy regarde Rourke sourire dans le verre à cognac au creux de sa main, mais c'est Nita qu'il voit en souvenir, allongée à son côté dans l'hacienda, et le petit Bernie barbu penché sur elle, les yeux hagards, se vantant d'avoir pris le train de la révolution.

« Bernie est un doux dingue, réussit-il à contrer. Il raconterait tout ce qui lui passe par la tête juste pour faire son petit effet. Qu'est-ce qu'ils pourraient bien savoir qui intéresserait les Russes ? Il faudrait être idiot pour croire à ce que dit Bernie.

– Oh, ils ne sont jamais arrivés jusqu'aux Russes, on y a veillé. Bernie a téléphoné au consulat soviétique à Miami, il a donné un faux nom, il s'est dit procubain et désireux de servir la cause. Les Russkofs n'ont pas pris son offre au sérieux. Nous, si. Jolie petite arnaque, s'il en est. Il a fallu six mois avant que le brave Bernie s'aperçoive qu'il travaillait pour l'oncle Sam et pas pour les Russes.

– Et Nita, là-dedans ?

– Elle jouait les coursiers, dit Rourke en hochant la tête à ce plaisant souvenir. Elle est bien plus fine que lui, comme souvent les femmes, dit-il avant d'enchaîner cordialement : Ted…

– Jay ?

– Puis-je vous poser encore une question avant que vous m'écharpiez ? Une question très *moche*.

– S'il le faut.

– Vous sortez d'une école privée, n'est-ce pas ?

– Oui, mais ce n'était pas mon choix personnel.

– Un "enfant perdu", comme dans *Peter Pan* ?

– En ce temps-là, sans doute, oui.

– Orphelin.

– Ça dépend quand.

– A l'époque où vous êtes arrivé à Berlin.

– Oui.

– Ce qui nous donne un Rosbif et un Boche, tous deux sans famille, même si Sasha ne l'est pas mais aimerait l'être. Tous deux des enfants perdus – comment dirais-je ? –, turbulents, dynamiques, assoiffés de vie. Vous avez parlé d'Isherwood. Ça m'a plu. Je continue ?

– Je ne peux guère vous en empêcher, dit Mundy malgré tout le désir qu'il en a.

– Et vous vous liez l'un à l'autre. A vous deux, vous créez une société idéale. Vous partagez les mêmes rêves, la même vie militante, le même logement, la même fille – d'accord, on se calme, l'un après l'autre, pas *ensemble*, il y a une nuance que je respecte. Mais, Ted, la main sur la Bible, sans tabous, sans micros, entre hommes et entre ces quatre murs bien propres : me soutenez-vous vraiment que vous et Sasha n'avez jamais partagé le même lit ?

– Jamais, tonne Mundy en rougissant. Ni de près, ni de loin. Ça ne nous a jamais effleuré. Ça répond à votre question ? » lance-t-il en mettant la main devant sa bouche pour cacher son embarras.

*

« Alors, bonne séance avec Jay, hier soir ? demande Amory le lendemain après-midi.

– Très bonne. Excellente.

– Il vous a dit que vous étiez impayable ?

– Une fois.

– Vous lui avez bien pleuré dans le gilet ?

– Sans doute. Il veut m'emmener à Glyndebourne la semaine prochaine. J'ai pensé qu'il valait mieux que j'aie votre feu vert.

– Vous y êtes déjà allé ?

– Non.

– Alors c'est l'occasion. »

Mais celle-ci ne se présentera pas. Quelques jours plus tard, après un week-end éprouvant à Doncaster passé à convaincre le directeur de l'école de Jake qu'il doit lui donner encore une chance, tandis que Kate tenait sa permanence de candidate aux législatives, Mundy arrive à Bedford Square pour découvrir que le bureau de Rourke a disparu, la pièce est vide et la porte grande ouverte, comme pour aérer. Un bâton d'encens allumé est fiché dans une bouteille de lait par terre.

Pendant un mois sinon plus, Amory s'abstient de tout commentaire sur la disparition de Rourke, ce qui, en soi, n'est pas révélateur, d'autres membres de l'équipe ayant déjà disparu sans plus d'explication. Mais dans le cas de Rourke, c'est différent. Avec son objectivité, sa courtoisie, son oreille disponible, son implication autorisée, Rourke est presque devenu le confident que Mundy n'a jamais eu depuis des années, si l'on excepte Amory, bien sûr.

« Il a terminé sa mission et il est rentré chez lui. Vous n'avez pas besoin d'en savoir plus.

– Alors, c'était quoi, sa mission ? insiste Mundy, refusant de capituler. Pourquoi n'a-t-il pas au moins dit au revoir ?

– Vous avez été reçu, répond laconiquement Amory. Alors, estimez-vous heureux et bouclez-la.

– Pardon ?

– Sur les recommandations d'Orville J. Rourke, la CIA a décrété dans sa grande bonté que vous êtes un honnête agent britannique, double mais pas triple, et que Sasha, bien qu'allemand et déjanté, en est un autre, dit-il avant de laisser sa colère prendre le dessus, de façon exceptionnelle. Et pour l'amour de Dieu, arrêtez de pleurnicher comme si on vous avait volé votre nounours. Il y avait un doute légitime. Rourke a fait du bon travail. Vous êtes blanc comme neige. »

Alors pourquoi le bâton d'encens ? se demande Mundy.

*

Parmi tous ces Mundys, y a-t-il encore place pour un autre ? La réponse, hélas, est que la porte sur sa vie personnelle étant grande ouverte, tout le monde peut s'y introduire et aucun squatteur n'est éconduit.

Entre donc en scène Ted Mundy, héros de l'Autobahn Helmstedt et du Cercueil d'acier. Effaré par ce que ses avatars osent faire, il a chaque fois l'impression de se retrouver premier lanceur pour les écoles privées dans le célèbre stade de Lord's, multipliée environ par cent.

C'est d'une logique imparable. Il n'y a tout bêtement pas toujours assez de festivals d'art, de foires du livre et de colloques en Europe de l'Est pour suivre la productivité de Sasha. Il arrive aussi que Sasha ait un gros scoop en vue, mais qu'il n'y ait aucun événement programmé à temps sur le circuit culturel communiste pour satisfaire les clients d'Amory à Londres. D'autres fois encore, Amory estime prudemment que la fréquence des séjours de Mundy à l'Est rend les choses un peu trop faciles pour le Professeur, et qu'il est temps pour Mundy de se faire porter pâle, de piquer une colère parce qu'il n'a pas l'occasion de souffler entre deux voyages, ou d'être réaffecté en l'attente d'un remaniement parmi les espiocrates de la Propagande noire.

Mais Sasha refuse tout remplaçant. Il veut Mundy et personne d'autre, ne serait-ce que pour remettre une boîte d'allumettes. Sasha est le toutou d'un seul homme, mais, contrairement à Mundy, c'est la vérité vraie. Aussi un nouveau genre de rencontre doit-il être organisé tous les deux ou trois mois. C'est Sasha qui donne les consignes *via* le dernier lot de microfilms en date, et elles sont exécutées par Amory et son équipe avec le professionnalisme qui convient.

Ainsi donc, Mundy se retrouve au cœur de la nuit, affublé de lunettes de vision nocturne, à crapahuter dans un marécage frontalier laissé sans surveillance à la convenance d'un mystérieux agent de la Stasi venu d'Allemagne de l'Ouest passer quelques instants avec son officier traitant – en fait, pour que Sasha ait vent de l'arrangement et l'exploite à ses propres fins.

Ou bien Mundy devient simple soldat d'un jour, enfin le fils de son père, vêtu d'une capote de troufion, assis à l'arrière d'un 1 500 tonnes faisant partie d'un convoi de troupes britanniques en route vers la garnison de Berlin par le couloir de Helmstedt. Le convoi ralentit, sa queue se traîne, une estafette tape sur l'épaule de Mundy. Caché par les camions à l'avant et à l'arrière, Mundy enlève sa capote de soldat, puis, dans la tenue d'un ouvrier est-allemand, saute en marche et, dans la meilleure tradition d'Édimbourg, atterrit en courant. On lui lance une bicyclette, et il pédale à un train d'enfer sur une piste non goudronnée jusqu'à ce qu'un pinceau lumineux lui fasse signe depuis une étable. Les deux hommes s'étreignent et Sasha remet un paquet à Mundy. Laissant la bicyclette sur place, Mundy retourne par des sentiers non fréquentés attendre dans un fossé le passage du camion, de la voiture ou du poids lourd qui lui fournira de faux papiers et un siège récemment libéré pour le ramener clandestinement en lieu sûr.

Mais pire que tout est le Cercueil d'acier, sa Salle 101 façon *1984*, son pire cauchemar devenu réalité. Comme le major à la fin de sa vie, Mundy a une sainte horreur de l'enfermement, une phobie peut-être proportionnelle à sa grande taille. Grimper dans le Cercueil, s'allonger sur le ventre, la bouche collée aux trous d'aération, tandis que les hommes d'Amory vissent les boulons, demande plus de courage qu'il ne pensait en avoir. Les yeux écarquillés dans l'obscurité totale tandis qu'on l'amarre sous le wagon ouvert, il remet son âme de pécheur à Dieu et se rappelle le Doktor Mandelbaum lui conseillant de ne jamais vivre dans une bulle. Malgré le bouton d'alarme et bien qu'il n'y ait que quelques minutes à transpirer et à être bringuebalé à travers la frontière jusqu'à la gare de triage où l'attend Sasha, armé d'une clé anglaise, il ne peut s'empêcher de penser qu'il y a des façons plus agréables de passer un soir d'été à la fleur de son étrange vie.

Chapitre 10

Une ambiance de festivité contenue entoure la quarante-neuvième mission de Mundy derrière le Rideau de fer, et tout Bedford Square y participe.

« Plus qu'un voyage et vous aurez atteint la demi-tonne, Ted, déclare Paul le chef instructeur en procédant à une ultime inspection de ses poches, de sa valise et de son agenda pour y débusquer l'indice cauchemardesque qui pourrait sonner le glas de dix ans de matériau alpha plus plus. Après ça, vous ne daignerez même plus nous adresser la parole, pas vrai ? »

A la porte, les filles lui font un baiser et Amory, comme d'habitude, lui dit de prendre garde à ses fesses.

Il est 6 heures du matin par une belle journée. Le printemps est dans l'air, ainsi que la perestroïka de Gorbatchev. Les dictatures fantoches d'Europe de l'Est sont enfin sérieusement menacées. Quelques mois plus tôt, à New York, Gorbatchev a unilatéralement proposé des retraits massifs de chars et de troupes, répudié la doctrine brejnévienne d'interventionnisme dans les affaires des États satellites et signifié ainsi la mise à l'écart des vieux oligarques. Même si les relations entre Washington et l'Empire du Mal sont toujours aussi glaciales en surface, les frémissements sous la banquise suffisent à persuader les optimistes qu'un jour, peut-être pas pour cette génération mais pour la suivante, le bon sens percera. Et Mundy, qui va à la gare de Victoria prendre la navette de l'aéroport pour se rendre à la Convention des archéologues médiévistes à Gdansk, fait partie des optimistes. Peut-être Sasha et moi avons-nous joué un rôle là-dedans, songe-t-il. Peut-être avons-nous participé au dégel. Amory affirme que oui, mais venant de lui ce n'est pas surprenant.

Certes, Mundy a son trac habituel d'avant départ. Amory et les sages d'Édimbourg ne lui laissent jamais oublier que plus une opération dure, plus elle devient risquée et plus il y a gros à perdre. Mais dès qu'il compare son sort à celui de Sasha, comme chaque fois qu'il s'embarque pour un de ces voyages, et encore plus aujourd'hui, il s'estime un dilettante chouchouté et Sasha le vrai héros.

Qui briefe Sasha ? raisonne-t-il. Personne. Qui l'entraîne, qui l'accompagne au départ ? Personne. Qui prépare la prise de vues quand il dérobe des clichés ? Personne. Les ombres de doigts, le tremblement de l'appareil et les photos ratées surviennent dans le feu de l'action, alors qu'il guette les bruits de pas dans le couloir qui pourraient le mener tout droit vers une balle dans la nuque.

Considérez tout le chemin parcouru par cet homme, des kilomètres et des kilomètres couronnés de succès inouïs ! Comment diable a-t-il réussi à tenir la distance ? Comment un infirme est-allemand, enfant-réfugié-devenu-anarchiste-ouest-allemand, retraverse-t-il la frontière pour se retrouver, contre toute attente, à fournir des renseignements vitaux à la sécurité nationale (la nôtre et la leur), tout cela en l'espace de quelques années ?

Certes, à cause du Herr Pastor, le Professeur l'a adopté et, pour l'amour de son ancien copain, lui a mis le pied à l'étrier dans l'entreprise familiale. Mais cela ne comprend pas un billet gratuit pour écumer les Archives de la Stasi et y glaner tout ce qu'il croit susceptible de nuire à ses employeurs.

*

La délégation britannique de médiévistes que cornaque Mundy voyage indépendamment jusqu'à Gdansk. Demain, il les accueillera à leur arrivée. Sirotant son bloody mary dans le hall des départs, puis assis dans l'avion à moitié vide à contempler par le hublot le néant blanc, il rassemble les quelques fragments dont il dispose sur le voyage du pèlerin Sasha au long de ces dix dernières années. Le puzzle est loin d'être complet. Sasha n'apprécie guère les questions sur la façon dont il obtient ses renseignements. Peut-être sa susceptibilité cache-t-elle une certaine honte.

Au commencement était la colère. Sasha l'admet bien volontiers.

A l'origine de sa colère, la révélation qu'il avait été attiré de l'autre côté de la frontière sous de faux prétextes et détestait son père pour les mauvaises raisons.

Après la colère, la haine.

La haine de la bureaucratie fétide et implacable qui, par sa taille et son poids, étouffait la citoyenneté au nom de la démocratie.

La haine de l'État policier qui se faisait passer pour le berceau de la liberté. La haine de sa soumission aveugle à Moscou.

Et, par-dessus tout, la haine de sa trahison massive et systématique du rêve socialiste sacré.

Avec la colère et la haine vint la duplicité. Sasha était prisonnier d'un État bourgeois fasciste se prétendant le paradis des ouvriers. Pour vaincre ses geôliers, il retournerait contre eux leurs armes perfides. Il userait de faux-semblants, de mensonges et de flagornerie. Et pour frapper au cœur même de leur pouvoir usurpé, il leur volerait ce qu'ils aimaient plus que tout : leurs secrets.

Son plan d'origine était modeste.

Il porterait témoignage.

Il volerait leurs secrets et les archiverait pour la postérité.

Œuvrant en solitaire, il ferait en sorte que les mensonges, tromperies et hypocrisies perpétrés tout autour de lui par les nazis en chemises rouges ne puissent être dissimulés aux générations futures.

Et c'était tout. Les seuls bénéficiaires de ses efforts seraient les futurs historiens allemands. Là s'arrêtaient ses ambitions.

La question était de savoir comment y arriver. Pour y voir plus clair, il se rendit à la bibliothèque de la Stasi et consulta les autorités reconnues en matière de guérilla. *Se laisser porter par le courant de l'ennemi… Se fondre dans ses hordes… Utiliser le poids de l'ennemi pour le faire chuter.*

Après son incarcération à l'Hôtel blanc, Sasha passa des semaines inattendues de convalescence dans la maison de Potsdam, à promener les bergers allemands du Professeur dans le parc du Peuple, désherber ses plates-bandes ou véhiculer son épouse quand elle partait en courses. Car oui, le Professeur, qui n'était finalement pas homosexuel, avait une femme, un vrai dragon dont le seul mérite aux yeux de Sasha était qu'elle détestait son mari.

Même elle ne pouvait toutefois empêcher son époux d'exercer son rôle de mécène, mentor et protecteur autodésigné de Sasha. Si

Sasha promettait de se conduire en vrai camarade, selon les termes du Professeur, s'il tenait sa langue et se montrait constamment respectueux des autres protecteurs haut placés de l'État, le Professeur entreprendrait de guider ses pas vers la lumière. Car le Professeur ne se lassait jamais de répéter qu'il aimait le père de Sasha comme un frère et n'avait pas d'héritier.

Sasha serra les mâchoires et promit. Il se tint bien. Il emmena d'autres épouses faire des courses, porta leurs sacs jusqu'à leur appartement, parfois jusque dans leur chambre. Sasha ne se vantait jamais de ses conquêtes. La discrétion était son mot d'ordre. Mais, telle la victime d'un mariage forcé, il se couvrait la bouche d'un bâillon métaphorique pour ne pas hurler son dégoût. Dans le paradis du peuple, le silence docile était de rigueur.

« Tu y as pris un peu de plaisir ou c'était juste boulot-boulot ? lui demande Mundy lors d'une promenade dans un parc de Leningrad.

– Teddy, va donc faire un tour sur les docks de Smolny, siffle Sasha en se retournant vers lui, furieux, un bras tendu vers les tristes silhouettes grises de bateaux et de grues. Lève-toi une pute à dix roubles, et demande-lui si c'est pour le plaisir ou juste boulot-boulot. »

Sous les auspices du Professeur, Sasha le fils préféré acquit un minuscule studio et fut admis à la Stasi, au plus bas échelon de la hiérarchie. Au moment de cette intronisation, il avait déjà maîtrisé, du mieux que son corps difforme le lui permettait, la démarche officielle du Parti et, avec elle, le masque officiel du Parti : le menton levé, un regard vide rivé à quinze mètres sur le trottoir. Il l'arborait en poussant le chariot à boissons dans les couloirs désinfectés de l'empire en linoléum du Professeur pour aller déposer des tasses en porcelaine sur le bureau de protecteurs de l'État trop haut placés pour remarquer son existence.

Et en de rares occasions, lorsque Sasha ouvrait la portière d'une limousine pour un haut protecteur ou livrait un paquet à la somptueuse villa d'un camarade, une main lui attrapait le bras et une voix lui murmurait en confidence : « Bienvenue au pays, Sasha. Votre père était un grand homme. »

De telles paroles lui mettaient du baume au cœur. Elles lui signifiaient qu'il était devenu l'un d'eux et attisaient le feu de sa colère secrète.

*

Sasha a-t-il jamais pris du galon à la Stasi ? se demandait Mundy. Et si oui, à quel grade a-t-il été promu, dans quel bureau, et quand ?

Après toutes ces années, c'est une question que Sasha élude encore avec irritation. Et quand, à intervalles réguliers, les analystes de Londres ressortent de leurs tiroirs les organigrammes de la Stasi pour l'y retrouver, son nom ne figure pas plus parmi les distingués chefs de section que dans les catégories ancillaires d'archivistes ou de secrétaires.

« Je définirais la promotion comme inversement proportionnelle à la connaissance, Teddy, pontifie-t-il. Le majordome en sait plus que le seigneur du château, qui en sait plus que la reine. Et moi, j'en sais plus qu'eux tous. »

Sasha ne prend pas du galon, il prend racine, ce qui pour un espion est sans doute plus judicieux. Puisqu'il ne vise pas le pouvoir mais la connaissance, il se consacre à la collecte systématique de responsabilités subalternes, clés, codes secrets et épouses de protecteurs. Tout cela réuni donne un royaume de traître. Ce que Mundy n° 2 prétend faire dans un monde virtuel, Sasha l'accomplit dans le monde réel.

Il faut aménager une salle d'archives secrètes pour stocker les dossiers périmés mais non encore officiellement décédés ? *Mais bien sûr, camarade conseiller, à vos ordres, camarade conseiller, trois sacs pleins, camarade conseiller !*

Un programme de destruction immédiate doit être mis en place pour certains matériaux sensibles dont on aurait dû se débarrasser voici des mois ? *Aucun problème, camarade conseiller ! Sasha va sacrifier son week-end pour que les protecteurs de l'État accablés de responsabilités plus lourdes que les siennes puissent jouir d'un repos bien mérité.*

La Frau Oberst attend un visiteur important de Moscou et n'a personne pour tondre sa pelouse ? *Le gazon de la Frau Oberst n'attendra pas une minute de plus. Sasha est déjà tout pimpant sur le pas de sa porte avec une tondeuse et un serf robuste !*

Quand bien même, comment tout ceci peut-il avoir lieu au cœur d'un système de sécurité d'État aussi tentaculaire, omnipotent et vigilant que la Stasi ? se demande Mundy à maintes reprises au fil des ans. La Stasi n'est-elle pas ce modèle d'efficacité prussienne légendaire, qui sait où se trouve le moindre roulement à billes, le moindre bout de crayon et la moindre dent en or ?

A l'insistance de Londres, Mundy s'est résigné à poser la question à Sasha sous des dizaines de formes, pour obtenir chaque fois la même réponse : dans une bureaucratie pachydermique obsédée par le secret, les mieux placés pour observer les lignes de faille ne sont pas ceux qui regardent d'en haut, mais ceux qui sont tout en bas et lèvent les yeux.

*

L'enracinement de Sasha fournit bientôt des trésors inespérés. Parmi les premiers, un vieux coffre-fort, verrouillé et apparemment inutilisé, situé dans l'antichambre du bureau de l'assistante en chef obèse du Professeur, qui se trouve être une des conquêtes de Sasha. La seule fonction évidente dudit coffre était de servir de console pour un vase de fleurs en cire grâce auquel la dame égayait son environnement sinistre. Elle lui dit qu'il était vide depuis longtemps, et en effet, quand Sasha, à l'insu de son plein gré, le heurta avec son chariot à boissons, il sonna creux. Une nuit, au cours d'une fouille discrète du contenu fangeux de son énorme sac à main, Sasha tomba sur une clé orpheline avec une étiquette. Le coffre-fort devint son coffre à trésor, l'entrepôt réfutable de son butin sans cesse croissant.

En l'absence d'un autre sous-fifre parti en vacances, Sasha se vit confier la garde d'une remise remplie de gadgets opérationnels obsolètes attendant d'être expédiés chez un allié du tiers-monde dans la lutte commune contre l'ennemi impérialiste. Le temps que le collègue rentre de congé, Sasha était le propriétaire clandestin d'un appareil photo miniature, d'un mode d'emploi et de deux grandes boîtes de cartouches de pellicule *ad hoc*. Dorénavant, au lieu de se risquer à sortir en douce du bâtiment ses documents volés, Sasha pouvait les photographier avant de les détruire ou, au besoin, de les ranger à leur place. Emporter ses cartouches de pellicule ne posait aucun problème, sauf si on lui avait imposé une fouille au corps. Mais, par un édit tacite, le fils adoptif du Professeur n'était pas soumis à pareille indignité.

« Les doutes que j'aurais pu nourrir sur la durée de vie de mes pellicules non développées ont été levés par le mode d'emploi, se souvient amèrement Sasha. Je n'avais qu'à empaqueter les cartouches dans un préservatif et le cacher dans un bac de crème glacée. Les camarades opérant dans des conditions où réfrigérateurs, glace, électricité ou préservatifs ne sont pas disponibles devaient être censés consulter un autre manuel. »

Pour les comptes rendus de conversations surprises, il utilisait la même technique.

« Je couchais mes pensées sur le papier dans le confort de mon appartement. Avec mon appareil 35 mm de base, je photographiais le papier avant de le brûler, et j'ajoutais la pellicule non développée à ma collection. »

*

Arriva un vendredi soir béni, où Sasha exécutait sa corvée hebdomadaire de classement des demandes de visa des citoyens de pays non socialistes désirant entrer en RDA pour affaires. Il tomba sur les traits reconnaissables entre tous de Mundy, Edward Arthur, né à Lahore au Pakistan, époux de Kate née Andrews, profession : représentant itinérant du British Council. Attachés à la photo, les renseignements dénichés par les Archives centrales de la Stasi :

> 1968-1969 : membre du Club socialiste de l'université d'Oxford, membre de la Société d'échanges culturels avec l'URSS, activiste pacifiste, plusieurs manifestations… Participe à des défilés anticapitalistes et pacifistes pendant séjour d'études à l'Université libre de Berlin-Ouest… Passé à tabac par la police de Berlin-Ouest… Expulsé de Berlin-Ouest pour tendances anarchistes et perturbatrices (rapport de la police de Berlin-Ouest, source CESAR).

Le récit haletant de ce que Sasha fit ensuite résonnera à jamais dans la mémoire de Mundy. Ils sont installés dans un bar de Dresde pendant une conférence d'agrariens internationaux.

« A la vue de ton visage quelconque, Teddy, j'ai eu une révélation comparable à celle d'Archimède : mes pellicules non développées n'auraient finalement pas besoin de passer mille ans congelées dans des préservatifs. Le lundi matin, quand j'ai porté ta demande de visa au Professeur, j'avais les mains qui tremblaient, ce qu'il a remarqué, forcément. Elles avaient tremblé tout le week-end. "Sasha, pourquoi avez-vous les mains qui tremblent ?" m'a-t-il demandé.

» Je lui ai répondu : "Camarade Professeur, vendredi soir, la providence m'a fourni l'occasion dont je rêvais. Avec votre aide avisée, je crois que je vais enfin pouvoir vous rembourser de la confiance que vous avez investie en moi et assumer un rôle actif dans la lutte contre ceux qui souhaitent freiner l'avancée du socialisme. Je vous en prie, camarade, s'il vous plaît, vous mon mécène, le conseiller et l'ami de toujours de mon père héroïque, accordez-moi cette chance de prouver que je suis digne de lui. L'Anglais Mundy a beau être un incurable bourgeois, il se soucie de la condition humaine et il a des opinions radicales, quoique souvent à mauvais escient, comme le montre son dossier. Si vous me permettez de le prendre activement en mains grâce à vos conseils incomparables, je vous jure que vous ne serez pas déçu."

– Et ça ne te dérangeait pas ? demande Mundy, gêné.

– Quoi ? rétorque Sasha, aussi combatif que jamais.

– Eh bien, que je transmette tes renseignements aux capitalistes occidentaux honnis ?

– Tu es ridicule, Teddy. Nous devons combattre le mal partout où nous le trouvons. Un mal n'en justifie pas un autre, non plus qu'il ne l'annule. Comme je te l'ai déjà dit, si je pouvais espionner l'Amérique par la même occasion, je le ferais avec plaisir. »

L'hôtesse dit à Mundy de boucler sa ceinture. L'avion est sur le point d'atterrir à Gdansk pour sa quarante-neuvième rencontre avec son complice clandestin.

*

Ted Mundy est devenu un vétéran des conférences. Lâchez-le les yeux bandés dans n'importe quel pavillon ou palais des congrès bondé du circuit d'Europe de l'Est, laissez-lui quelques secondes pour humer les vapeurs de tabac ou de déodorant et écouter les bavardages, et il vous dira à l'heure près quel jour de la semaine on est, quels habitués de la tribu d'accompagnateurs et officiels culturels de quels pays sont présents, et si une déclaration finale consensuelle viendra étouffer les dissensions ou si se profile une kyrielle de contre-rapports contradictoires et de discours perfides lors du dîner d'adieu.

L'état des hostilités de la guerre froide est une variable importante. Si l'atmosphère politique est tendue, les délégués chercheront assidûment un terrain d'entente ; si elle est à la détente, une joute d'insultes cathartique éclatera sans doute, pour se résoudre en des accouplements frénétiques entre des adversaires qui une heure plus tôt menaçaient de se déchirer en pièces.

Mais ce soir à Gdansk, lors de la troisième réunion des archéologues médiévistes, l'atmosphère est unique en son genre : débridée, joyeuse, rebelle, fin de trimestre. L'hôtel où se tient la conférence est un édifice 1900 à multiples pignons qui se dresse sur des dunes de sable en bordure de la Baltique. Sous l'œil de policiers impuissants, des étudiants distribuent des samizdats aux délégués qui arrivent sur le perron. Depuis le bar, un jardin d'hiver donnant sur la plage, Mundy voit entre les têtes des convives le noir horizon marin et les lumières de bateaux lointains. A sa surprise, les médiévistes se sont avérés être une bande de joyeux drilles. Leurs hôtes polonais se grisent de leur propre audace et les noms glorieux de Lech Walesa et de Solidarnosc sont sur toutes les lèvres. Une télévision en noir et blanc et plusieurs radios se livrent une bataille de bulletins d'informations. Des clameurs de *Gorby ! Gorby ! Gorby !* fusent régulièrement dans la pièce.

« En supposant que Gorbatchev soit sincère, où s'arrêteront ces réformes, je vous prie ? hurle un jeune professeur de Lodz en anglais à son homologue de Sofia. Qui fera rentrer les démons dans la boîte de Pandore ? Qu'adviendra-t-il de l'État à parti unique si le droit de choisir est officiellement accordé ? »

Les discours débridés des congressistes racontent une version de l'histoire et les visages inquiets de leurs surveillants une autre. Quand de telles hérésies se multiplient autour d'eux, doivent-ils se ranger au côté des hérétiques ou les dénoncer à leurs supérieurs ? Les deux, mon capitaine.

Pour l'instant, Mundy a encore peu vu Sasha, hormis une accolade, quelques signes de la main, une promesse de boire un verre ensemble. Après les retrouvailles extatiques des premières années, le bon sens a dicté qu'ils limitent leurs effusions d'affection réciproque. Ni Horst l'intellectuel ni le macabre Lothar ne sont de service. Ils ont été remplacés six mois plus tôt par le fantomatique et sinistre Manfred. Demain, au dernier jour du congrès, la jolie Wendy de notre ambassade à Varsovie débarquera pour serrer les pinces du contingent britannique, évidemment sans oublier celle de Ted Mundy, représentant toujours vert du British Council. Cela n'ira pas plus loin que la pince. Mundy est attiré par Wendy et c'est réciproque, mais entre eux se dresse l'inébranlable interdit du Cours de maintien d'Édimbourg : pas de sexe au travail. Nick Amory, à qui Mundy a eu la bêtise de confier son attirance, formule la chose moins délicatement.

« Il y a beaucoup de façons de se faire hara-kiri dans votre métier, Edward, mais s'envoyer en l'air en territoire ennemi est sans nul doute la meilleure. Wendy n'est qu'une occasionnelle, ajoute-t-il en un nouvel avertissement. Elle est femme de diplomate, mère de deux enfants, et elle espionne pour rembourser son crédit immobilier. »

Un groupe de médiévistes a entonné la *Marseillaise* sous la direction d'une plantureuse Suédoise au décolleté plongeant, magnifiquement accompagné au piano par un Polonais saoul. Fraîchement débarqué d'une tournée d'autres soirées parallèles, les yeux brillants sous son béret, Sasha arrive à l'autre bout du bar, distribue claques sur le dos, poignées de main et accolades à quiconque se trouve à sa portée restreinte. Sur ses talons, le fantomatique Manfred.

*

Sasha a besoin d'une promenade sur la plage pour s'aérer la tête. Un vent chaud de printemps souffle depuis la mer. Les lumières des bateaux forment des guirlandes le long de l'horizon. De paisibles chaluts ou la 6e flotte soviétique ? Peu importe, à présent, semble-t-il. Une pleine lune éclaire les dunes en noir et blanc. Le sable profond est praticable, mais réserve quelques dénivelés soudains. Plus d'une fois, Sasha doit se raccrocher au bras de Mundy pour éviter de tomber, parfois sans succès. En une occasion où Mundy le remet sur ses pieds, il sent quelque chose de léger tomber dans la poche de sa veste.

« Je crois bien que tu as mal à la gorge, Teddy, remarque Sasha d'un ton grave. Peut-être chanteras-tu mieux grâce à ces excellentes pastilles communistes. »

En échange, Mundy tend à Sasha une flasque chromée fabriquée en Angleterre, refabriquée dans les ateliers du Professeur, puis bourrée de fabrications élaborées par Bedford Square et photographiées par Mundy n° 2. Cent mètres derrière eux, Manfred la lugubre sentinelle se tient au bord de l'eau, mains dans les poches, à contempler la haute mer.

« Le Professeur est terrifié, murmure Sasha avec excitation sous le souffle du vent. Il a peur, très peur ! Il a les yeux comme des billes, qui bougent tout le temps.

– Pourquoi ? Que croit-il qu'il va se passer ?

– Rien, et c'est bien ça qui le terrorise. Puisque tout est illusion et propagande, qu'est-ce qui pourrait mal tourner ? Le grand chef du Professeur lui-même est revenu de Moscou pas plus tard qu'hier avec les assurances les plus fermes que rien du tout n'est en train de se passer. Du coup, tu imagines à quel point il a peur ?

– Eh bien, j'espère juste qu'il a raison, déclare Mundy d'un ton sceptique, inquiet que Sasha ne voie une fois de plus ses beaux espoirs contrariés. Mais rappelle-toi la Hongrie en 56, la Tchéco en 68 et quelques autres fois où ils ont fait reculer le temps, dit-il, citant Amory qui cite ses maîtres : *Ne le laissez pas se bercer d'illusions, Edward. Il se peut que Gorbatchev refasse la vitrine, mais il n'est pas encore en train de vendre le magasin.*

– Il faut qu'il y ait deux Allemagnes, Teddy, s'entête Sasha. Deux, c'est un minimum. J'aime tellement l'Allemagne que je voudrais qu'il y en ait dix. Va donc dire ça à ton M. Arnold.

– Je crois que je le lui ai déjà dit plusieurs fois.

– Il ne faut pas que la RFA annexe la RDA. La première condition d'une coexistence constructive est que les deux Allemagnes expulsent leurs occupants étrangers respectifs, les Russes et les Américains.

– Sasha, écoute-moi, tu veux ? “Le gouvernement de Sa Majesté pense que la réunification allemande ne doit avoir lieu que dans le cadre d'une restructuration globale de l'Europe.” C'est la position officielle, et ça l'a été ces quarante dernières années. Officieusement, elle est encore plus forte : qui a besoin d'une Allemagne réunifiée ? Pas Thatcher, ni Mitterrand, ni une majorité d'Allemands, que ce soit à l'Ouest ou à l'Est. Et l'Amérique s'en contrefout.

– Dès le départ des occupants, chacune des Allemagnes organisera des élections libres et justes, continue Sasha dans un souffle comme s'il ne l'avait pas entendu. L'enjeu principal en sera la création d'un bloc non aligné au cœur de l'Europe. Une fédération des deux Allemagnes ne se conçoit que s'il y a un désarmement total des deux côtés. Une fois qu'on aura obtenu ça, on proposera des alliances du même ordre à la Pologne et à la France. Après tant de guerres et de déchirements, l'Europe centrale deviendra le berceau de la paix, dit-il en manquant tomber. Pas d'*Anschluss* de la RFA, Teddy. Pas de *Grossdeutschland* sous domination de l'une ou l'autre des superpuissances. Là, on pourra enfin lever nos verres à la paix. »

Mundy cherche toujours une réponse rassurante quand Sasha lui saisit le bras des deux mains et lève vers lui des yeux implorants. Ses paroles sortent par à-coups. Il tremble de tous ses membres.

« Pas de IVe Reich, Teddy. Pas avant un désengagement total des deux côtés. Jusque-là, les deux parties restent souveraines et indépendantes. D'accord ? Dis oui !

– On est en train de parler de quelque chose qui n'est pas à l'ordre du jour, répond-il gentiment mais fermement en secouant la tête d'un air triste, presque las. Le glacier bouge, mais il ne fond pas.

– Tu cites encore cet imbécile de M. Arnold ?

– J'en ai bien peur.

– Salue-le pour moi et dis-lui que c'est un gros con. Maintenant, ramène-moi à l'intérieur et saoule-moi. »

*

Mundy et Kate ont convenu d'en discuter en adultes. Au bout de onze ans, ils se doivent bien ça, affirme Kate. Mundy prendra un jour de congé pour venir exceptionnellement à Doncaster, Kate a vérifié les horaires des trains. Elle ira le chercher en voiture et l'emmènera déjeuner au Troutstream, un restaurant intime en dehors de la ville. A moins que les goûts de Mundy n'aient récemment changé, tous deux aiment la truite. La dernière chose dont ils ont besoin, ajoute-t-elle, ce serait de tomber sur des journalistes locaux ou, pis encore, sur un membre de la section locale du parti. Pourquoi tant de nervosité à l'idée d'être surprise en flagrant délit avec son époux ? Mystère, mais Mundy ne discute pas.

Et une fois qu'ils auront parlé à fond et établi des règles, dit-elle, ce serait gentil si Ted revenait à la maison à temps pour jouer un peu au foot avec Jake dans le jardin, et peut-être que Philip passera boire un verre, comme souvent, pour discuter de la ligne du parti. Et quand Philip verra le match en cours, poursuit Kate, il pourra s'y joindre, comme ça, Jake verra bien qu'il n'y a pas de malaise. Les choses ont pu changer un peu, mais nous sommes tous bons amis et Jake est notre première priorité. Il aura deux foyers heureux au lieu d'un et apprendra à l'accepter rationnellement à long terme. S'il y a bien une chose entendue, dit Kate, c'est que jamais nous ne nous disputerons l'affection de Jake.

De fait, il y a tant de choses entendues à l'avance que, lorsqu'il embarque à la gare de King's Cross, Mundy ne peut s'empêcher de douter de la nécessité de son voyage, vu l'ébullition en Europe de l'Est et le besoin qu'a Sasha de faire des rapports deux fois plus souvent que Mundy ne peut le rencontrer. Mais, à sa surprise, le voyage est nécessaire. En y réfléchissant dans le train, il se rend compte qu'il accepte sans conditions toutes les exigences de sa femme.

Définitivement. Passionnément.

L'amour de Jake pour sa mère compte plus aux yeux de Mundy que tout l'amour du monde. Il fera tout pour le préserver.

Et c'est ce qu'il déclare à Kate dès qu'il monte dans la voiture. Comme toujours très mauvais négociateur quand ses intérêts sont en jeu, il lui demande, il la supplie de lui permettre d'endosser l'entière responsabilité de l'échec de leur couple. Si garder profil bas pendant les premiers mois de la séparation doit aider, il le fera. Si jouer au ballon dans le jardin avec le dernier apôtre en date de la nouvelle direction du parti travailliste doit convaincre Jake que sa mère a fait un bon choix de carrière, Mundy tapera dans le ballon jusqu'à épuisement. Et ce n'est pas de l'altruisme, c'est de l'instinct de survie. La sienne autant que celle de Jake. Pas étonnant qu'avant même qu'ils s'attablent pour déjeuner Mundy ait un état d'esprit plutôt post-coïtal que post-marital.

« On s'y prend vraiment bien, l'assure Kate en dégustant son entrée d'avocat au crabe. Si seulement tout le monde était aussi civilisé que nous.

– En effet », acquiesce chaleureusement Mundy.

Ils évoquent l'éducation de Jake. A titre *exceptionnel* dans son cas, Kate est *presque* tentée d'oublier ses objections aux écoles privées. Le caractère turbulent de Jake réclame une attention individualisée. Elle en a discuté avec Philip, bien sûr, ainsi qu'avec ses électeurs, et tout le monde a convenu que la chose est acceptable dans la mesure où il s'agit d'un cas très particulier, où il n'existe aucune autre institution locale adaptée et où on évite toute publicité malheureuse. Mundy déteste les écoles privées, mais il lui assure que, si c'est ce que veut Jake, il trouvera l'argent pour les frais de scolarité.

« Je suis vraiment désolée, à propos du British Council, déclare-t-elle pendant sa truite aux amandes sur lit de salade. Ça m'ennuie vraiment, leur manque d'estime envers ton travail.

– Oh, il ne faut pas en vouloir à ce pauvre vieux Council, s'exclame loyalement Mundy. Ils m'ont bien traité, à leur façon. Ce n'est pas de leur faute.

– Si seulement tu arrivais à te battre pour tes intérêts.

– Oui, je sais, je sais », acquiesce Mundy d'un ton las par égard pour leur ancienne complicité.

Ils abordent ce que Kate appelle le « droit de visite », et que Mundy interprète dans un autre contexte avant de se ressaisir.

« Philip sort un nouveau livre au printemps, lui apprend-elle pendant le crumble aux pommes à la crème anglaise.

– Génial. Formidable.

– Un essai, bien sûr.

– Bien sûr. »

Ils parlent (ou plutôt Kate parle) de *causes*. A l'évidence, en tant que candidate aux législatives, elle ne peut envisager de reconnaître l'adultère. Si Ted caressait cette idée, elle n'aurait d'autre choix que de plaider la cruauté mentale et l'abandon du domicile conjugal. S'ils optaient pour l'incompatibilité d'humeur ?

Incompatibilité d'humeur, c'est parfait, approuve Mundy.

« Tu as bien quelqu'un dans ta vie, Ted ? s'enquiert Kate d'un ton un peu brusque. Enfin, depuis toutes ces années, tu n'es pas resté à Londres sans *personne* ? »

En gros, si, mais Mundy est trop poli pour l'admettre. Ils conviennent qu'il est plus sage de ne pas parler argent. Kate se trouvera un avocat, Ted devrait faire de même.

Tous les juristes sont des enfoirés.

« Je me suis dit qu'on pourrait attendre que Philip obtienne son nouveau poste, si ça ne te dérange pas, annonce Kate pendant le café final.

– Pour se remarier ?

– Pour divorcer. »

Mundy demande l'addition, qu'il règle avec l'enveloppe d'Amory. En raison de la pluie et du reste, ils conviennent que ce n'est sans doute pas le bon soir pour jouer au foot avec Philip. D'un autre côté, Mundy a plus envie que jamais de voir Jake, alors il se propose de passer quand même pour une partie de dames ou autre, et après il prendra un taxi jusqu'à la gare.

Une fois à la maison, Kate met de l'eau à bouillir et Mundy attend au salon façon démarcheur en assurances, repérant les endroits où il mettrait des fleurs s'il habitait encore là, notant la disposition malheureuse des meubles qui ne prendrait pas cinq minutes à rectifier si Jake lui donnait un coup de main, songeant qu'il se préoccupe bien trop de soucis domestiques dont Kate se dispense à merveille, mais aussi Kate a grandi au sein d'une famille alors que Mundy a passé sa vie à s'en inventer une. Ses pensées suivent toujours cette voie lorsque la porte d'entrée s'ouvre à la volée et que Jake déboule dans la pièce en compagnie de son amie Lorna. Sans un mot, il passe en trombe devant son père, allume la télévision et s'affale sur le canapé à côté de Lorna.

« Comment ça se fait que tu rentres si tôt de l'école ? demande Mundy d'un ton soupçonneux.

– On nous a renvoyés chez nous, rétorque Jake sans quitter l'écran des yeux.

– Pourquoi ? Qu'est-ce que tu as fait ?

– La maîtresse dit qu'on doit regarder l'histoire se faire en direct, explique Lorna avec supériorité.

– Alors on la regarde, ça te dérange ? Qu'est-ce qu'il y a pour le goûter, maman ? » enchaîne Jake.

La maîtresse a raison. L'histoire est bien en train de se faire. Les enfants regardent, Mundy regarde, et même Kate, qui ne considère pas la politique étrangère comme un gros enjeu électoral, regarde depuis la porte de la cuisine. Le mur de Berlin est en train de tomber, et les hippies des deux bords dansent sur ce qu'il en reste. Ceux de l'Ouest ont les cheveux longs, remarque Mundy dans son hébétude. Les hippies nouvellement libérés de l'Est les portent encore courts.

*

A minuit, le train de Mundy l'amène à King's Cross. D'une cabine téléphonique, il appelle le numéro d'urgence. La voix d'Amory lui dit de laisser son message *maintenant*. Mundy explique qu'il n'a pas de message, mais se demande juste s'il y a quelque chose qu'il puisse faire. En clair, il se fait un sang d'encre pour Sasha mais a été trop bien entraîné pour le dire. Il obtient un genre de réponse en arrivant à Estelle Road, mais elle a été laissée sur le répondeur six heures plus tôt. « Pas de squash demain, Edward. Les courts sont en rénovation. Restez chez vous et buvez un grand coup de flotte. *Tschüss*. » Il allume la télévision.

Mon Berlin.

Mon Mur.

Mes foules qui le détruisent.

Mes foules qui prennent d'assaut le QG de la Stasi.

Mon ami retranché à l'intérieur, attendant d'être pris à tort pour un ennemi.

Des milliers de dossiers de la Stasi éparpillés dans les rues.

Attendez un peu de lire le mien : Ted Mundy, agent secret pour la Stasi, traître britannique.

A 6 heures du matin, il se rend à une cabine téléphonique de Constantine Road et rappelle le numéro d'urgence. Où sonne-t-il ? A la Poudrière ? Qui se soucie encore de tromper la Stasi ? Au domicile d'Amory, où qu'il se trouve ? Il laisse un nouveau message sans queue ni tête.

De retour à Estelle Road, il prend un bain en écoutant une radio du nord de l'Allemagne. Il se rase avec une concentration intense, se mitonne un petit déjeuner de fête mais, faute d'appétit, laisse le bacon sur le pas de la porte pour le chat des voisins. Soudain démangé par le besoin d'exercice, il part pour le Heath et se retrouve à Bedford Square. Sa clé de la porte d'entrée fonctionne, mais, quand il sonne au sas intérieur, aucune charmante Anglaise portant la chevalière de son père ne vient l'accueillir. Au comble de l'exaspération, il secoue violemment la porte, puis la martèle de coups de poing, ce qui déclenche une sirène d'alarme. Une lumière bleue clignote sur le perron quand il ressort. Le vacarme de la sirène est assourdissant.

D'une cabine dans la station de métro Tottenham Court Road, il rappelle une fois de plus le numéro d'urgence et tombe enfin sur Amory. En bruit de fond, il entend des hurlements en allemand et suppose que son appel a été relayé à Berlin.

« Non mais ça va pas d'être allé à la Poudrière ? lance Amory.

– Où est-il ? demande Mundy.

– Il a disparu de nos écrans. Il n'est ni à son bureau ni à son appartement.

– Comment le savez-vous ?

– Ben, on a vérifié, tiens. Qu'est-ce que vous croyez ? On est allés à son appartement et on a fait peur à ses voisins. On suppose tous qu'il a senti le vent tourner et qu'il s'est barré avant de se faire tabasser dans la rue ou je ne sais quoi.

– Laissez-moi le chercher.

– Génial. Faites donc. Prenez votre guitare et allez chanter devant la prison jusqu'à ce qu'il entende votre voix de velours. On a votre passeport, au cas où vous l'auriez oublié. Ted ?

– Quoi ?

– On tient à lui, nous aussi, compris ? Alors arrêtez de jouer les martyrs. »

*

La lettre de Sasha n'arrive que cinq longs mois plus tard. Après coup, Mundy ne conçoit même pas comment il les a occupés. Des après-midi de football avec Jake à Doncaster. Des après-midi de football avec Jake et Philip. D'atroces dîners à trois avec Philip et Kate auxquels Jake refuse d'assister. De pénibles week-ends seul avec Jake à Londres. Des films que Jake tient à voir et que Mundy exècre. Des balades printanières sur le Heath avec Jake à la traîne. Des journées oisives au British Council tandis que se rapproche le jour béni de la retraite anticipée par consentement mutuel.

La même écriture. Du papier à lettres bleu par avion. Cachet de la poste de Husum dans le nord de l'Allemagne, adressée à Estelle Road, NW3. Comment diable connaît-il mon adresse ? Ah oui, bien sûr, j'ai fait une demande de visa voici mille ans. Il se demande pourquoi Husum lui évoque quelque chose. Ah oui, bien sûr, Theodor Storm, auteur de *L'Homme au cheval blanc*. Le Doktor Mandelbaum me l'a lu.

> *Cher Teddy,*
>
> *J'ai réservé deux suites grand luxe à ton nom à l'hôtel Dreesen de Bad Godesberg pour la nuit du 18. Amène tout ce que tu possèdes, mais viens seul. Je ne souhaite dire ni bonjour ni au revoir à M. Arnold, qui peut aller se faire foutre. Je suis venu à Husum m'assurer que le Herr Pastor est bien mort et enterré. Je regrette tant qu'il ne soit plus en vie pour assister au spectacle exaltant de notre cher Führer qui annexe l'Allemagne de l'Est grâce au tout-puissant deutsche Mark.*
>
> *Ton frère dans le Christ,*
>
> *Sasha*

*

Sasha a perdu du poids, alors qu'il ne lui en restait déjà plus beaucoup. Le super-espion occidental est recroquevillé comme un enfant famélique dans un fauteuil à oreillettes qui en logerait trois comme lui.

« C'était dans la nature des choses, insiste Mundy d'un ton qu'il aimerait moins implorant. C'était là, enfermé, prêt à arriver. Et une fois le Mur tombé, il n'y avait plus moyen d'arrêter la machine. On ne peut en vouloir à personne.

– Moi, je leur en veux, Teddy, si ça ne te fait rien. J'en veux à Kohl, à Reagan, à Thatcher et à ton hypocrite de M. Arnold qui m'a fait des promesses de Gascon.

– Il ne t'a jamais fait de promesses. Il t'a dit la vérité telle qu'il la connaissait.

– Alors, vu son métier, il devrait savoir que la vérité telle qu'il la connaît est toujours un mensonge. »

Ils se taisent à nouveau, mais le Rhin, lui, ne se tait jamais. Malgré l'heure tardive, des caravanes de péniches défilent sans arrêt sous leurs fenêtres et, à en juger par leur vacarme, elles pourraient tout aussi bien être en train de traverser la pièce. Mundy et Sasha sont assis dans le noir, mais le Rhin, lui, n'est jamais noir. Les lampes au sodium qui bordent le chemin de halage illuminent l'ovale du plafond. Les lumières des bateaux de croisière balaient au passage les murs à pilastres. A l'arrivée de Mundy, Sasha l'a entraîné devant la fenêtre pour la visite guidée : sur l'autre rive, Teddy, tu verras l'hôtel de montagne où ton révéré Premier ministre Neville Chamberlain résidait quand il a offert à Hitler la moitié de la Tchécoslovaquie. Dans cet hôtel où nous nous trouvons, dans cette suite même, comme j'aime à le croire, notre cher Führer et son escorte ont daigné accepter le généreux présent de M. Chamberlain.

« Le Führer aurait adoré se trouver avec nous ce soir, Teddy ! L'Allemagne de l'Est annexée, la *Grossdeutschland* réunifiée, le péril rouge écrasé, et demain, le monde.

– J'ai des messages pour toi de la part de M. Arnold, annonce Mundy. Je te les transmets ?

– Vas-y.

– Dans les limites du raisonnable, tes désirs sont des ordres : déménagement, nouvelle identité, à toi de dire. Il semblerait que tu leur aies annoncé d'emblée que tu ne voulais pas d'argent, mais ils sont tout prêts à l'oublier.

– Quelle générosité !

– Ils voudraient te rencontrer pour discuter de ton avenir. J'ai un passeport pour toi dans ma poche et deux billets sur le vol pour Londres de demain matin. Si tu ne veux pas aller à eux, ils viendront où tu voudras les rencontrer.

– Je suis comblé. Mais pourquoi tant de sollicitude alors que je ne leur suis plus utile ?

– Peut-être ont-ils le sens de l'honneur. Peut-être qu'ils n'aiment pas te savoir en train d'errer comme une âme en peine après tout ce que tu as fait pour eux. Ou bien peut-être qu'ils n'ont pas envie de lire tes mémoires. »

Un autre long silence, un autre coq-à-l'âne agaçant. Sasha a posé son verre de whisky pour prendre un chocolat à la menthe, dont il ôte fastidieusement l'enrobage d'aluminium de ses doigts effilés.

« J'étais à Paris, ça c'est sûr, se rappelle-t-il, du ton objectif de qui cherche à reconstituer un accident. J'ai une étiquette indiquant Paris sur ma valise, ajoute-t-il en choisissant un coin du chocolat pour le grignoter. Et à Rome, j'ai été portier de nuit, c'est certain. Voilà une profession pour espion à la retraite, Teddy. Surveiller le monde pendant qu'il dort. Dormir pendant qu'il part à vau-l'eau.

– Je pense qu'on peut te trouver mieux que portier de nuit.

– De Rome, j'ai dû prendre le train pour Paris, et de Paris pour Hambourg, et de Hambourg à Husum, où, malgré mon apparence dépenaillée, j'ai persuadé un chauffeur de taxi de me conduire à la maison de feu le Herr Pastor. La porte d'entrée m'a été ouverte par ma mère. Elle avait du poulet froid qui m'attendait au frigo et un lit chaud à l'étage. Nous pouvons donc en déduire que je lui avais téléphoné pendant mes pérégrinations pour l'avertir de mon intention de lui rendre visite.

– Cela paraît assez logique.

– J'ai lu un jour que, selon une croyance primitive, il faut qu'une personne meure pour qu'une autre puisse naître. La renaissance de ma mère le confirme. Elle s'est occupée de moi à merveille pendant quatre semaines. Je n'en revenais pas, dit-il alors qu'une chaîne d'ancre plonge en hurlant et qu'une sirène de bateau pleure sa disparition. Que va-t-il advenir de toi, Teddy ? M. Arnold est-il aussi généreux avec ses compatriotes ? Par exemple, valet de la reine ?

– Ils envisagent de m'acheter des parts dans une école de langues. On en discute.

– Ici en Allemagne ?

– Sans doute.

– Enseigner l'allemand aux Allemands ? Il serait temps. Une moitié du pays parle l'amideutsch, l'autre le stasideutsch. Mets-toi au boulot le plus vite possible, je t'en prie.

– Non, l'anglais.

– Ah, évidemment. La langue de nos seigneurs et maîtres. Très sage. Ton mariage est fini ?

– Pourquoi cette idée ?

– Parce que sinon tu te serais réfugié dans le giron de ta famille. »

Si Sasha espère piquer Mundy au vif, il a réussi.

« Alors on a tout perdu ? lâche-t-il. On est ruinés, amen. Deux vétérans de la guerre froide en voie de clochardisation. C'est vraiment nous, Sasha ? Vraiment ? Si c'est ça, on se pleure un grand coup dans le gilet, on baisse les bras, on s'apitoie sur notre sort et on abandonne tout espoir. C'est ça qu'on est venus faire ?

– Ma mère veut que je la ramène à Neubrandenbourg, sa ville natale. Il y a une maison de retraite qu'elle a contactée. M. Arnold paiera le loyer jusqu'à la mort de ma mère, qui ne saurait tarder, dit-il en sortant de sa poche une carte qu'il pose sur la table et où Mundy lit *Couvent des Ursulines de sainte Julie*. L'argent de M. Arnold n'est peut-être pas très propre, mais celui du Herr Pastor est intouchable et sera distribué aux nécessiteux. J'aimerais que tu m'accompagnes, Teddy. »

Le trafic fluvial est si bruyant à cet instant que Mundy ne saisit pas les derniers mots de Sasha. Puis il constate que celui-ci s'est levé d'un bond et se trouve devant lui.

« Qu'est-ce que tu racontes, Sasha ?

– Tu n'as pas défait tes bagages, moi non plus. Nous n'avons qu'à payer la note et à partir. D'abord on emmène ma mère à Neubrandenbourg. C'est une femme adorable, avec de très bonnes manières. Si tu veux la partager avec moi, je ne serai pas jaloux. Et puis après, on s'en va.

– Où ça ?

– Loin du IVe Reich. Quelque part où il y a enfin de l'espoir.

– Et ce serait où ?

– Là où l'espoir est le seul luxe que les gens peuvent s'offrir. Tu crois que la guerre est finie parce qu'une bande d'anciens nazis est-allemands a remplacé Lénine par le Coca-Cola ? Tu crois vraiment que le capitalisme américain va faire du monde un endroit sûr et beau ? Non, il va le ronger jusqu'à l'os.

– Et qu'est-ce que tu te proposes d'y faire ?

– Y résister, Teddy. Qu'est-ce qu'il y a d'autre à faire ? »

Mundy ne répond pas. Sasha tient sa valise, qui semble plus grosse que lui dans la pénombre, mais Mundy ne se lève pas pour l'aider ni le retenir. Il reste assis à passer en revue mille petites choses soudain très importantes à ses yeux. Jake veut aller faire du ski sur glacier au mois de mai. Kate veut récupérer Estelle Road.

Elle se propose de s'établir à Londres et de faire la navette avec sa circonscription, pour que Philip soit plus près du siège du pouvoir. Et si je me trouvais un cours intensif quelque part pour décrocher enfin un diplôme ? Avec tous les klaxons et les sirènes sur le fleuve, il n'entend même pas la porte se refermer.

*

Il reste là, vautré dans son fauteuil, à descendre méthodiquement un verre de scotch presque sec, à écouter le vacarme d'un monde dont il ne fait plus partie, à savourer la vacuité de son existence, à se demander ce qu'il reste de lui maintenant que son passé l'a abandonné, et ce à quoi il peut encore être utile, s'il l'est encore, ou s'il vaut mieux oublier tout ce gâchis et repartir de zéro.

A se demander aussi qui il était quand il a fait toutes ces choses qu'il ne refera jamais plus. Les tromperies et les mensonges, au nom de quoi ? Le Cercueil d'acier et la capote militaire sur l'Autobahn, pour qui ?

A se demander si ce qu'il a fait valait un mariage fichu, une carrière fichue et un fils que je n'ose même pas regarder dans les yeux.

Tu le referais, papa, si le clairon sonnait encore demain ? Là n'est pas la question. Il n'y a pas de demain. Pas de demain comme hier, en tout cas.

Il remplit de nouveau son verre et boit à sa santé. Mieux vaut être une salamandre et vivre dans les flammes. Très drôle. Alors, qu'est-ce qui se passe quand le feu s'éteint ?

Sasha va revenir. Il revient toujours. Sasha est un boomerang dont on ne peut pas se débarrasser. Encore deux minutes, et il va cogner à la porte, me dire que je suis un trouduc et me demander de lui servir un autre scotch, et moi je vais m'en servir un aussi, tant que j'y suis.

Et Mundy fait exactement cela, sans prendre la peine d'ajouter de l'eau.

Et quand on aura bu un ou deux p'tits coups, comme dirait ce cher vieux Jay Rourke, on passera aux choses sérieuses, c'est-à-dire fêter notre réussite : la guerre froide est finie, le communisme est mort, et tout ça grâce à nous. Il n'y aura plus jamais d'espions, et tous les gens terrorisés dans le monde peuvent dormir tranquilles parce que Sasha et Teddy en ont enfin fait un monde plus sûr pour eux, alors, santé, mon vieux, bravo à nous deux et vive la salamandre, et Mme Salamandre et tous les petits salamandreaux à venir.

Et au matin, on se réveillera avec une gueule de bois carabinée, et on se demandera ce que c'est que tout ce bordel de chansons, de vivats, d'applaudissements et de klaxons le long des berges du fleuve. Et on ouvrira les portes-fenêtres, on sortira sur le balcon, les bateaux de croisière et les péniches seront couverts de drapeaux et feront retentir leurs sirènes pour nous et les foules agiteront la main et crieront : « Oh, *merci*, Sasha ! *Merci*, Teddy ! C'est notre première nuit de vrai sommeil depuis que notre cher Führer a eu ce qu'il méritait et c'est à vous deux que nous le devons. Un ban pour Teddy et Sasha ! Hip hip hip ! »

Et santé à vous aussi.

Mundy se lève un peu trop vite vu son état, mais arrive à atteindre la porte et à l'ouvrir en grand. Le couloir est désert. Il va jusqu'à l'escalier et hurle : « Sasha, reviens, espèce de trouduc ! » Mais au lieu de Sasha, c'est un vieux portier de nuit qui apparaît pour le reconduire respectueusement à sa suite. Entre-temps, la porte s'est refermée, mais le portier de nuit a un passe. Sûrement un espion à la retraite, songe Mundy en lui tendant cinquante marks. Qui surveille le monde pendant qu'il dort. Qui dort pendant que le monde part à vau-l'eau.

Chapitre 11

Sur les rives du lac bavarois en contrebas, le manège crache toujours ses flonflons et le matador silésien susurre toujours l'*amor*. Une roquette sol-air inoffensive explose à l'occasion parmi les étoiles, faisant trembler dans son sillage rouge et or les montagnes alentour. Mais il n'y a pas de tir de riposte, pas de volutes de fumée noire quand l'avion ennemi s'écrase au sol. Ceux sur qui on tire détiennent la suprématie des airs. *Pour Karen, un terroriste est quelqu'un qui a une bombe mais pas d'avion*, Mundy entend-il Judith lui dire à l'oreille. Cela fait longtemps qu'il n'a pas laissé Judith entrer dans sa vie, mais, avec un whisky à la main, un plafond mansardé au-dessus de sa tête et le dos tordu de Sasha à moins de trois mètres, il lui est difficile de contrôler les souvenirs qui bouillonnent en lui.

C'est le soir de Noël à Berlin, décide-t-il, sauf qu'il n'y a ni chants de circonstance ni cierges brûlant sur des piles de livres volés. Et Sasha ne cuisine pas un pavé de gibier dur comme de la semelle, mais le plat préféré de Mundy, du *Wienerschnitzel*, sorti du sac en plastique qu'il serrait sur son cœur en montant le colimaçon. Le meublé mansardé s'enorgueillit de poutres apparentes, de murs en brique nus et de vasistas, mais là s'arrête la ressemblance. Une cuisine moderne toute de carrelage et d'acier brossé occupe un coin de la pièce. Une fenêtre en ogive donne sur les montagnes.

« C'est à toi, cet endroit, Sasha ? »

Quand Sasha a-t-il jamais possédé quelque chose ? Mais, comme lors de toutes retrouvailles de deux amis après plus de dix ans, leur conversation peine à s'élever au-delà du simple bavardage.

« Non, Teddy, il a été mis à notre disposition par certains de mes amis. »

A *notre* disposition, remarque Mundy.

« C'est gentil de leur part.

– Ce sont des gens très gentils.

– Et riches.

– En effet. Des capitalistes qui sont du côté des opprimés.

– C'est aussi à eux qu'appartient la belle Audi ?

– C'est une voiture qu'ils ont fournie.

– Eh ben, accroche-toi à eux. On a besoin d'eux.

– Merci, Teddy, c'est bien mon intention.

– Ce sont ces mêmes personnes qui t'ont dit où me trouver ?

– Possible. »

Mundy entend les paroles de Sasha, mais ce qu'il écoute, c'est sa voix. Toujours aussi timbrée et puissante, elle n'a jamais su contenir l'excitation, et c'est ce que Mundy perçoit en elle à cet instant. La voix qui se faisait l'écho des propos du dernier génie auquel il avait parlé, pour annoncer qu'ils sont sur le point de révéler la genèse sociale du savoir humain. La voix de Banquo lorsqu'il est sorti de l'ombre dans une cave de Weimar et m'a ordonné d'être très attentif et de limiter mes commentaires au minimum.

« Alors, tu es un homme comblé, Teddy, déclare vivement Sasha tout en s'affairant aux fourneaux. Tu as une famille, une voiture, et tu vends de la merde aux masses. As-tu épousé ta dulcinée, comme toujours ?

– J'y travaille.

– Et Heidelberg ne te manque pas ?

– Pourquoi cela ?

– Tu y dirigeais une école de langues il y a encore six mois, à ce que je sais.

– La dernière d'une longue série, répond Mundy en se demandant comment diable Sasha est au courant.

– Qu'est-ce qui s'est passé ?

– Ce qui se passe toujours. Inauguration en grande pompe. Mailing à toutes les grandes entreprises. Pleines pages de pub. Envoyez-nous vos cadres fatigués et las. Le hic, c'est que plus on avait d'étudiants, plus on perdait d'argent. Personne ne te l'a dit, ça ?

– J'ai cru comprendre que tu avais un associé véreux, un certain Egon.

– Tout juste, Egon. Bravo. Parlons de toi, Sasha. Où habites-tu ? Qui vit avec toi ? Qu'est-ce que tu fais, et à qui le fais-tu ? Et pourquoi toi et tes amis m'avez-vous espionné, bon sang ? Je croyais qu'on en avait fini, avec tout ça. »

Sourcil arqué, lèvres boudeuses, Sasha sélectionne une partie de la question et feint de n'avoir pas entendu l'autre.

« Merci, Teddy. J'ai trouvé mes marques, si j'ose dire. Ma chance semble avoir tourné pour le mieux.

– Il serait temps. Conférencier itinérant dans les trous perdus de ce monde ne doit pas avoir été rigolo tous les jours. Qu'est-ce qui t'a donné tes marques ? »

De nouveau, pas de réponse.

La table est mise pour deux : de jolies serviettes en papier, une bouteille de bordeaux sur un dessous de verre décoratif en bois. Sasha allume les bougies. Sa main tremble comme il lui a dit qu'elle tremblait quand il a porté la demande de visa de Mundy au Professeur voici plus de vingt ans. A cette vue, Mundy est submergé par une vague de tendresse protectrice qu'il avait juré de ne pas éprouver. Juré mentalement à Zara, à Mustafa et à lui-même, et à la vie meilleure que tous trois mènent. C'est exactement ce qu'il va dire à Sasha dans un instant : *Si c'est encore une de tes nobles visions que nous sommes sur le point de partager, Sasha, la réponse est non, non et non, dans cet ordre*, dira-t-il. Après quoi, ils pourront bavarder du bon vieux temps, se serrer la main et reprendre chacun leur chemin.

« Je propose que nous ne buvions pas trop, Teddy, si ça ne te fait rien. Il est possible que nous ayons une longue nuit devant nous. »

*

Comme il fallait s'y attendre, le *Wienerschnitzel* n'est pas assez cuit. Dans son enthousiasme, Sasha n'a pas laissé suffisamment chauffer le beurre.

« Tu as bien reçu mes lettres, Teddy ? Même si tu n'y as pas répondu.

– Oui, en effet.

– Toutes ?

– Je suppose.

– Tu les as lues ?
– Évidemment.
– Et les coupures de presse aussi ?
– Très émouvant. Admirable.
– Mais ça ne t'a pas ému au point de me répondre.
– De toute évidence, non.
– C'est parce qu'on ne s'est pas quittés en bons termes à Bad Godesberg ?
– Oh, on était en bons termes. Juste un peu fatigués. L'espionnage, ça vous vide son homme, comme je le dis toujours ! lance-t-il avec un gros éclat de rire parce que Sasha ne saisit pas toujours les plaisanteries, surtout que celle-ci n'est pas excellente.
– A ta santé, Teddy. Je te salue en cette époque merveilleuse et terrible.
– A la tienne, mon vieux.
– Pendant toutes ces années, où que j'aille dans le monde, que j'enseigne ou que je me fasse renvoyer ou incarcérer, tu as toujours été mon confesseur secret. Sans toi, c'est arrivé des fois, j'aurais pu croire que la lutte était sans espoir.
– C'est ce que tu m'as écrit. C'est très gentil. Tu n'aurais pas dû, répond Mundy d'un ton bougon.
– Et tu as apprécié la récente petite guerre, j'espère ?
– Chaque instant. J'en redemandais.
– La plus nécessaire de toute l'histoire, la plus morale, la plus chrétienne... et la plus inégale ?
– Ça m'a rendu malade.
– Et c'est encore le cas, à ce qu'on dit.
– Oui, c'est encore le cas. »

*

C'était donc ça, songe Mundy. Il sait que j'ai déblatéré sur la guerre et il veut m'enrôler dans une croisade quelconque. Eh bien, s'il se demande quelle mouche m'a piqué, bienvenue au club. Je dormais. J'étais au rebut. L'ancien espion avec un découvert bancaire qui ennuyait à mourir les anglophones de Linderhof. Mes falaises blanches de Douvres perdues dans le brouillard, quand soudain...

Soudain, il est fou comme un lapin, il recouvre les murs de l'appartement de Zara de coupures de presse, il téléphone à des gens qu'il connaît à peine, il enrage devant la télévision, il harcèle nos bien-aimés journaux anglais de lettres qu'ils ne lisent pas, et *a fortiori* ne publient pas.

Alors, qu'est-ce qui l'a pris qui ne l'avait pas pris avant ?

Il avait enduré Thatcher et les Malouines. Il avait vu des écoliers anglais beugler *Rule Britannia !* dans le plus pur esprit churchillien devant des paquebots réquisitionnés en hâte et des contre-torpilleurs décrépits à peine sortis de la naphtaline appareillant pour aller libérer les Malouines. Il avait reçu l'ordre de notre cheftaine de se réjouir quand le *Belgrano* avait été coulé. Il avait failli vomir. Il était blindé.

Encore jeune écolier, à neuf ans, il avait partagé l'extase du major à la vue de nos vaillantes forces britanniques libérant le canal de Suez en péril – pour le voir ensuite rester fermement entre les mains de ses propriétaires en titre et découvrir que le gouvernement, à l'époque comme aujourd'hui, avait menti comme un arracheur de dents sur ses motivations pour partir en guerre.

Les mensonges et hypocrisies des politiciens n'ont rien de nouveau pour lui. Il les a toujours connus. Alors pourquoi maintenant ? Pourquoi sauter sur sa caisse à savon et vitupérer contre des agissements ayant cours depuis que le premier politicien au monde a susurré sa première hypocrisie, a menti, s'est drapé dans le drapeau, a revêtu l'armure de Dieu et dit qu'il n'avait jamais dit ça ?

C'est une irritation de vieillard qui arrive trop tôt. La colère face au même spectacle qui se répète une fois de trop.

La certitude que les imbéciles savants de l'histoire nous ont embobinés une fois de trop, et il jure qu'on ne l'y reprendra plus.

La révélation, passé la cinquantaine, que le pays si mal gouverné auquel il a rendu de menus services part au combat, un demi-siècle après la fin de l'Empire, pour mater des autochtones sur la foi d'un ramassis de mensonges et se faire bien voir d'une hyperpuissance renégate qui croit pouvoir traiter le reste du monde comme son jardin privé.

Et quels peuples sont les alliés les plus fervents de Ted Mundy quand il fait part de ces opinions futiles à quiconque est assez poli pour l'écouter ?

Les Allemands sauvages.

Les Français perfides.

Les Russes barbares.

Trois nations qui ont le cran et le bon sens de dire non, et puissent-elles le faire encore longtemps.

Dans sa fureur vertueuse, le Mundy d'antan écrit à son ex-femme Kate, aujourd'hui pressentie pour un maroquin dans le prochain gouvernement – la rançon de la gloire. Peut-être n'est-il pas aussi diplomate qu'il le devrait, mais bon sang, ils ont été mariés, ils ont un enfant commun. La réponse de quatre lignes dactylographiées, signée par procuration, l'assure qu'elle a pris bonne note de sa position.

Eh ben, ça faisait un bail, ça.

Le Mundy d'antan en appelle ensuite à son fils Jake, en dernière année à l'université de Bristol après plusieurs faux départs, l'enjoignant de faire descendre ses camarades étudiants dans les rues, d'ériger des barricades, de boycotter les conférences, d'occuper le bureau du président. Mais Jake s'entend mieux avec Philip ces temps-ci, et il n'a pas de temps à perdre avec des pères andropausés en exil qui n'ont pas d'e-mail. Une réponse manuscrite est au-delà de ses capacités.

Alors le Mundy d'antan défile, comme jadis avec Ilse, ou avec Sasha à Berlin, mais fort d'une conviction inédite parce que, jusqu'à présent, ses convictions étaient essentiellement empruntées à autrui. Il est certes étonnant que les Allemands sauvages prennent la peine de manifester contre une guerre que leur gouvernement condamne, mais, bénis soient-ils, ils le font quand même. Peut-être savent-ils mieux que personne à quel point il est facile de séduire un électorat naïf.

Et le Mundy d'antan défile avec eux, rejoint par Zara, Mustafa et leurs amis, et les fantômes de Rani, Ahmed, Omar et Ali, et les membres du club de cricket de Kreuzberg. L'école de Mustafa défile, et le Mundy d'antan défile avec l'école.

La mosquée défile, et la police à ses côtés, et c'est une nouveauté pour le Mundy d'antan de voir des policiers s'opposer autant à la guerre que les manifestants. Après la manif, il va à la mosquée avec Mustafa et Zara, puis ils prennent tristement un café dans un coin du kebab de Zara avec le jeune imam éclairé qui prêche la vertu des études pour combattre les idéologies dangereuses.

Il s'agit de vivre vrai après trop d'années de faux-semblants, décide Mundy. Il s'agit de mettre un frein à l'aveuglement humain, en commençant par le mien.

*

« A ce que j'entends, ton petit Premier ministre n'est pas le *caniche* du président américain, c'est son *chien d'aveugle*, dit Sasha, comme s'il avait lu les pensées de Mundy. Soutenu par les *groupes de presse serviles* de l'Angleterre, il a donné une *respectabilité usurpée à l'impérialisme américain*. D'aucuns disent même que c'est vous, les Anglais, qui avez mené la danse.

– Je n'en serais pas autrement surpris, répond Mundy en se redressant au souvenir de quelque chose qu'il a lu quelque part, sans doute dans le *Süddeutsche*, et répété.

– Et puisque la soi-disant coalition, en lançant une attaque injustifiée sur l'Irak, a déjà violé *la moitié des principes du droit international et a l'intention de violer l'autre moitié par son occupation prolongée de l'Irak*, ne devrions-nous pas réclamer que les principaux instigateurs soient contraints de répondre de leurs actes devant le tribunal international de La Haye ?

– Excellente idée, acquiesce Mundy d'un ton las, car, si elle ne vient pas exactement de lui, il l'a assurément évoquée et utilisée avec des effets dévastateurs.

– Malgré le fait, évidemment, que l'Amérique s'est *unilatéralement déclarée hors la juridiction d'une telle cour*.

– Malgré ce fait », renchérit-il, ayant usé du même argument lors d'une réunion bondée du Poltergeist voici à peine deux semaines, après avoir entendu un reportage sur la BBC World Service.

Et soudain, c'est la goutte d'eau. Mundy en a assez, et pas seulement de cette soirée. Il est écœuré par les petits jeux perfides. Il ne sait pas ce que mijote Sasha, mais il sait qu'il n'aime pas ça, ni le sourire de supériorité qui va avec. Et il est sur le point de le laisser entendre, voire de le dire tout de go, quand Sasha lui grille la politesse. Leurs visages sont tout proches, éclairés par les bougies de Noël du grenier berlinois. Sasha lui a saisi l'avant-bras. Son regard sombre, malgré toute sa douleur et son désespoir, irradie un enthousiasme presque pathétique.

« Teddy.

– Quoi encore ?

– Je n'aurai qu'une question. Je connais déjà la réponse, mais je dois l'entendre de ta bouche, je m'y suis engagé. Tu es prêt ?

– J'en doute.

– Crois-tu en ta propre rhétorique ? Ou toutes tes belles déclarations ne sont-elles qu'une sorte d'autodéfense ? Tu es un Anglais résidant en Allemagne. Peut-être te sens-tu obligé de te donner des airs, de parler plus fort que de raison ? Ce serait compréhensible. Je ne critique pas, je pose la question.

– Enfin, Sasha, merde à la fin ! Tu mets ton béret, tu m'attires ici, tu me fais ton numéro de Mata Hari, tu me renvoies mes paroles au visage… Alors accouche, tu veux, et dis-moi ce que tu cherches, bordel !

– Teddy, je t'en prie, réponds-moi. Je suis porteur d'un espoir incroyable. Pour nous deux. Une chance énorme à un point inimaginable. Pour toi, une délivrance immédiate de tes soucis matériels. Ton statut de professeur retrouvé, ton amour de la pluralité culturelle rendu concret. Pour moi, un marchepied plus haut que je ne l'aurais jamais rêvé. Et rien moins qu'un rôle dans la construction d'un monde nouveau. J'ai l'impression que tu t'endors.

– Non, Sasha, je t'écoute juste sans te regarder. Parfois, ça vaut mieux.

– *C'est une guerre de mensonges.* Tu en conviens ? *Nos politiciens mentent à la presse, ils voient leurs mensonges imprimés et ils appellent ça l'opinion publique.*

– Ce sont tes mots à toi ou quelque chose que j'ai emprunté ?

– Ce sont les mots d'un grand homme. Tu es d'accord avec eux ? Oui ou non ?

– Bon d'accord : oui.

– *Par la répétition, chaque mensonge devient un fait incontestable sur la base duquel d'autres mensonges se construisent. Et puis ça donne une guerre. Cette guerre.* Ça aussi, ce sont ses mots. Tu es d'accord ? S'il te plaît, Teddy ! Oui ou non ?

– Encore oui. Et alors ?

– *Ce processus est exponentiel. Comme il faut toujours plus de mensonges, il faut plus de guerres pour les justifier.* Toujours d'accord ? »

Sentant la colère monter en lui, Mundy attend la prochaine salve avec une impassibilité de façade.

« *Le coup le plus bas et le plus facile pour tout chef d'État est de mener son pays au combat sous de faux prétextes. Quiconque agit ainsi devrait être chassé du pouvoir à jamais.* Je suis trop vindicatif pour toi, Teddy, ou tu es aussi d'accord avec ce sentiment ?

– Oui, oui, oui ! explose enfin Mundy. D'accord ? Je suis d'accord avec *ma* rhétorique, avec *ta* rhétorique et avec la rhétorique de ton dernier *gourou* en date. Hélas, comme nous l'avons appris à nos dépens, la rhétorique n'arrête pas les guerres. Alors bonsoir et merci, et laisse-moi rentrer.

– Teddy, à trente kilomètres d'ici se trouve un homme qui a voué sa vie et sa fortune à la *course aux armements de la vérité.* Cette expression est aussi de lui. L'écouter, c'est trouver l'inspiration. Aucun de ses propos ne t'inquiétera, aucun ne sera dangereux ou fâcheux pour toi. Il est possible qu'il te fasse une proposition. Une proposition unique, hallucinante, galvanisante. Si tu acceptes, et s'il t'accepte, tu repartiras en ayant incommensurablement enrichi ta vie, sur le plan spirituel et matériel. Tu connaîtras une renaissance sans précédent. Si aucun accord n'est conclu, je lui ai donné ma parole que son secret est en sécurité avec toi. Tu veux que j'use de flatterie, Teddy ? demande-t-il en resserrant son étreinte sur l'avant-bras de Mundy. C'est ça que tu attends ? Tu veux que je te fasse la cour, comme notre cher Professeur avant moi ? Des heures de préliminaires et de repas coûteux ? Ces temps-là aussi sont révolus. »

Mundy se sent plus vieux qu'il ne le voudrait. Par pitié, songe-t-il. On a déjà connu ça. On a déjà joué à ce jeu. A notre âge, il n'y a plus de jeux nouveaux.

« Comment s'appelle-t-il ? demande-t-il d'un ton las.

– Il a beaucoup de noms.

– Un seul suffira.

– C'est un philosophe, un philanthrope, un ermite et un génie.

– Et un espion, avance Mundy. Il vient m'écouter au Poltergeist et il te rapporte ce que j'y ai dit.

– Ce n'est pas un espion, Teddy, proteste Sasha, dont rien ne peut entamer l'enthousiasme. C'est un homme qui détient une fortune et un pouvoir immenses. Les renseignements lui sont apportés comme des offrandes. Quand je lui ai glissé ton nom, il n'a rien dit, et une semaine plus tard il m'a convoqué. "Votre Teddy est à Linderhof, il fourgue son boniment aux touristes anglais. Il a une femme musulmane et un bon cœur. D'abord, vous vous assurerez qu'il est aussi sensible à notre cause qu'il le prétend. Si c'est le cas, vous lui en expliquerez le principe. Ensuite, vous l'amènerez jusqu'à moi." »

Le *principe*, se répète Mundy. Il n'y aura pas de guerre, mais, par *principe*, tout sera détruit jusqu'à la dernière pierre.

« Depuis quand tu es attiré par les hommes riches et puissants ? demande-t-il.

– Depuis que je l'ai rencontré.

– Comment ? Qu'est-ce qui s'est passé ? Il est sorti d'une pièce montée ou quoi ?

– Dans une université du Moyen-Orient, répond Sasha en lui relâchant le bras, agacé par son scepticisme. Je ne sais pas trop laquelle, et il refuse de me le dire. Peut-être à Aden. J'y ai passé un an. Peut-être à Dubaï, au Yémen, à Damas. Ou plus à l'est, à Penang, où les autorités ont menacé de me casser les deux jambes si j'étais encore là le lendemain matin. Il me dit juste qu'il s'est glissé dans l'*Aula* avant la fermeture des portes, qu'il s'est assis au fond et a été bouleversé par mes paroles. Il est parti avant les questions du public, mais il a aussitôt ordonné à ses hommes d'obtenir un tirage papier de ma conférence.

– Et quel en était le thème ? s'enquiert Mundy, qui manque suggérer *la genèse sociale du savoir*, mais se retient par instinct de clémence.

– *L'asservissement du prolétariat mondial par le complexe militaro-industriel*, déclare fièrement Sasha. L'inséparabilité des expansions économique et colonialiste.

– Moi aussi, je te casserais les deux jambes pour ça. Comment l'homme aux noms multiples a-t-il fait fortune ?

– Honteusement. Il aime citer Balzac : "Derrière toute grande fortune se cache un grand crime." Balzac racontait des conneries, d'après lui : il faut de nombreux crimes. Dimitri les a tous commis.

– Alors c'est donc ça, son nom. Ou plutôt l'un de ses noms. Dimitri.

– Pour ce soir, pour nous, c'est son nom, oui.

– Dimitri comment ?

– Monsieur Dimitri.

– De Russie ? De Grèce ? D'où est-ce que ça peut venir, un Dimitri ? D'Albanie ?

– Teddy, tu fais fausse route. C'est un citoyen du monde.

– Comme nous tous. De quelle partie du monde ?

– Ça t'impressionnerait si je te disais qu'il a autant de passeports que M. Arnold ?

– Réponds à ma question, Sasha. Comment a-t-il gagné sa foutue fortune ? Vente d'armes ? Trafic de drogue ? Traite des blanches ? Ou quelque chose de vraiment moche ?

– Tu enfonces des portes ouvertes, Teddy. Je n'exclus rien. Et Dimitri non plus.

– Alors c'est sa pénitence. Son obole coupable. Il a bousillé la planète, et maintenant il va la reconstruire. Ne me dis rien : il est américain, hein ?

– Ce n'est pas sa pénitence, Teddy, ce n'est pas de la culpabilité, et, pour autant que je sache, il n'est pas américain. C'est une réforme. Pas besoin d'être luthérien pour croire que les hommes peuvent se réformer. A l'époque où il a entendu ma conférence par hasard, c'était un pèlerin cherchant la foi, comme toi et moi jadis. Il doutait de tout et ne croyait en rien. C'était une bête intellectuelle, un homme brillant, amer et autodidacte. Il avait lu de nombreux livres pour s'éduquer, mais il n'avait toujours pas trouvé sa place dans le monde.

– Et tu as été son messie. Tu lui as montré la lumière, dit brutalement Mundy en posant la tête sur sa main, yeux fermés, pour trouver un peu de paix, avant de se rendre compte que son corps tremble comme une feuille.

– Pourquoi un tel cynisme, Teddy ? rétorque Sasha sans lui laisser de répit, impitoyable dans son zèle. Ça ne t'est jamais arrivé d'attendre le bus et d'entendre par hasard des gens dire dix mots qui expriment quelque chose que tu avais dans le cœur sans le savoir ? J'ai eu la chance d'être celui qui prononçait ces dix mots. Il aurait pu les entendre n'importe où. Il le sait aujourd'hui. Déjà à l'époque, d'autres les disaient dans les rues de Seattle, de Washington et de Gênes. Partout où la pieuvre de la mondialisation est attaquée, les mêmes paroles sont prononcées. »

Mundy se rappelle qu'il a un jour écrit à Judith qu'il n'avait pas pied. C'est ce qu'il ressent maintenant. C'est Weimar qui recommence. Je suis une abstraction qui parle d'une abstraction à une autre abstraction.

« Bon, alors M. Dimitri t'a entendu, dit-il patiemment, du ton de qui reconstitue un crime. Il s'est trouvé dans ta file d'attente pour le bus. Et il a été subjugué par ton éloquence. Comme nous tous. Alors, laisse-moi te reposer la question. Comment l'as-tu rencontré ? Quand s'est-il fait chair ? Ou bien n'as-tu pas le droit de me le dire ?

– Il a envoyé un émissaire. Exactement comme il m'a envoyé te parler aujourd'hui.

– Quand ? Où ? Qui ?

– Teddy, on n'est pas à l'Hôtel blanc.

– Et on n'est pas en train de duper quiconque. C'est fini, ça. On peut parler entre êtres humains.

– J'étais à Vienne.

– Pourquoi ?

– Un congrès.

– De quoi ?

– D'internationalistes et de libertaires.

– Et ?

– Une femme est venue vers moi.

– Quelqu'un qu'on connaît ?

– Une totale inconnue. Elle était visiblement au courant de mon travail, et elle m'a demandé si je serais prêt à rencontrer un illustre ami à elle, un homme distingué qui évitait les feux des projecteurs.

– Et elle n'avait pas de nom, elle non plus.

– Kolbach. Maria Kolbach.

– Quel âge ?

– Peu importe. Elle n'était pas désirable. Peut-être quarante-cinq ans.

– Elle venait d'où ?

– Je l'ignore. Elle avait un accent viennois.

– Elle travaillait pour qui ?

– Peut-être pour Dimitri. Je n'en sais rien.

– Elle participait au congrès ?

– Elle ne m'en a rien dit, et son nom ne figurait pas sur la liste des intervenants ni des organisateurs.

– Eh bien, au moins tu as vérifié. C'était une Fräulein ou une Frau ?

– Je l'ignore.

– Elle t'a donné sa carte ?

– Non, et je ne lui en ai pas demandé une.

– Elle t'a montré son permis de conduire ?

– Teddy, tu fais chier.

– Tu sais où elle habite, pour autant qu'elle habite quelque part ? Tu l'as cherchée dans l'annuaire de Vienne ? Pourquoi faut-il qu'on se débatte avec une bande de *fantômes* ? dit-il avant de remarquer l'expression déconfite de Sasha et de se reprendre. Bon, d'accord. Elle t'accoste. Elle te fait sa proposition. Et toi tu réponds, oui, Frau ou Fräulein Kolbach, j'aimerais rencontrer votre illustre ami. Et là, qu'est-ce qui se passe ?

– J'ai été reçu dans une villa cossue d'un des meilleurs quartiers de Vienne, dont je n'ai pas l'autorisation de révéler le nom. Pas plus que le contenu de la discussion.

– C'est elle qui t'y a emmené, je présume.

– Une voiture avec chauffeur nous attendait devant le palais des congrès. C'était la fin des débats, il n'y avait plus de conférence prévue. Quand on est arrivés à la villa, elle a sonné à la porte, m'a présenté à un secrétaire et s'est éclipsée. Après une courte attente, j'ai été conduit dans une grande pièce où Dimitri se trouvait seul. "Sasha, m'a-t-il dit, je suis à la tête d'une grande fortune mal acquise, je suis un artiste de l'invisible et votre disciple dévoué. J'ai une mission d'une importance vitale à vous proposer, mais si vous jugez ce fardeau trop lourd à porter seul, veuillez m'en informer immédiatement et partir." Je lui ai demandé si la mission était légitime. Il m'a répondu qu'elle était plus que légitime, essentielle pour le bien de l'humanité entière. Puis j'ai fait vœu de silence. En retour, pendant plusieurs heures, il m'a décrit la nature de son projet.

– A savoir ? »

Sasha l'agent double a disparu, remplacé par le rêveur crédule et passionné du grenier berlinois.

« Un projet pour lequel moi et mon sauveur et ami Ted Mundy sommes parfaitement qualifiés à tous points de vue. Un projet qui aurait pu être monté exprès pour répondre à tous nos besoins.

– Et c'est tout ce que tu vas m'en dire.

– Le reste, tu dois l'entendre de la bouche de Dimitri lui-même. A Vienne, il m'a demandé si j'avais toujours foi en la vie après tout ce que j'avais enduré.

– Et bien sûr tu as dit oui.

– Avec conviction. Et, maintenant que je l'ai entendu expliquer son projet, avec ardeur. »

Mundy s'est levé de table et, le dos tourné, se tient debout devant une grande fenêtre. Loin en bas rougeoient les dernières braises de la fête foraine. Le lac est noir et étale, les montagnes derrière ne sont plus que des ombres sur fond de ciel couvert.

« Quand l'as-tu vu pour la dernière fois ?

– A Paris.

– Dans une autre villa ?

– Un appartement. Si grand que j'ai regretté de ne pas avoir de bicyclette pour aller jusqu'à la salle de bains.

– Et avant ça ?

– Il n'y a eu que Vienne.

– Et vous communiquez comment ? Vous vous laissez des petits mots sous des cailloux ? »

Sasha refusant de répondre à une question si ironique, Mundy en pose une autre.

« Est-ce qu'il sait que nous avons travaillé ensemble ?

– Il sait qu'à Berlin tu as été tabassé par les fascistes à cause de ton radicalisme, comme lui-même en son temps. Il sait que tu t'es sacrifié pour un camarade.

– Et toi ?

– Pardon ?

– Il sait que tu as rendu de menus services à M. Arnold ?

– Il sait que toute ma vie j'ai combattu la tyrannie sous toutes ses formes avec toutes les armes à ma disposition. *Teddy !* »

C'est au tour de Sasha d'être exaspéré. Bondissant sur ses pieds, il a boitillé jusqu'à la fenêtre pour rejoindre Mundy, vers qui il lève les yeux, les mains tendues en une supplique rageuse.

« Putain, Teddy ! Tu comprends pas que je t'ai encensé ? Quand Dimitri m'a demandé si j'avais gardé parmi mes amis des hommes ou femmes d'honneur, des gens intègres, courageux, sensés, partageant mes opinions – à qui j'ai pensé en premier ? A Teddy ! Quand il m'a expliqué comment ensemble nous pouvions aider à changer le monde grâce à son projet sublime, c'est toi, toi et personne d'autre, que j'ai vu marcher à mon côté ! »

Il se recule, laisse retomber ses mains et attend que Mundy parle, mais celui-ci regarde toujours le lac noir et l'ombre des montagnes à l'arrière-plan.

« On est inséparables, Teddy. Telle est ma conviction. On a survécu ensemble. Maintenant on peut triompher ensemble. Dimitri nous offre tout ce dont tu as besoin : de l'argent, un but, un aboutissement à ta vie. Qu'est-ce que tu as à perdre à l'écouter ? »

Oh, pas grand-chose, songe Mundy. Zara, Mustafa, mon bonheur, mes dettes.

« Retourne donc à Munich, Teddy, raille Sasha. Mieux vaut avoir peur de l'inconnu et ne rien faire. Là tu seras en sécurité.

– Qu'est-ce qui arrive si je l'écoute et que je dis non ?

– Je l'ai assuré que, comme moi, tu es un homme d'honneur, capable de garder un secret. Il t'aura offert un royaume. Tu l'auras refusé, mais tu n'en parleras pas. »

Seuls les détails comptent, raisonne Mundy. Sasha donne dans les grandes idées, moi dans les petites. C'est comme ça qu'on fonctionne. Alors pensons à faire réparer les dents de Zara, à acheter à Mustafa l'ordinateur dont il a tant envie. Il pourrait même m'apprendre à envoyer des mails à Jake.

« De la poudre de perlimpinpin, s'esclaffe-t-il soudain en anglais, pour s'apercevoir que Sasha le fusille du regard. De la poudre de perlimpinpin, traduit-il en allemand. C'est ce que les charlatans vendent aux pigeons. En y repensant, c'est ce que j'ai vendu au Professeur.

– Et alors ?

– Alors peut-être que mon heure est venue d'en acheter un peu à mon tour. Qui prend le volant ? »

Sans oser répondre, Sasha inspire, ferme les yeux, les rouvre et traverse la pièce en boitillant frénétiquement. Au téléphone, il compose un numéro de mémoire, épaules en arrière, façon Parti, avant de s'adresser à une haute autorité.

« Au chalet dans une heure ! annonce-t-il avant de raccrocher.

– Je suis assez habillé ? » s'enquiert facétieusement Mundy en montrant sa tenue de travail.

Imperméable à toute ironie, Sasha toise Mundy de la tête aux pieds. Son œil se pose sur l'Union Jack fixé par un Velcro à la poche-poitrine de la vieille veste de sport de Mundy, qui l'en arrache et le fourre dans sa poche.

*

Conduire une voiture réclame toute l'attention de Sasha. Tel un écolier appliqué, il se grandit tout juste assez pour que ses yeux dépassent le volant quand il klaxonne ou fait des appels de phares à la moindre offense.

Et il connaît le chemin, heureusement parce que, à peine quelques minutes après avoir quitté l'aire de repos, Mundy le crétin topographique a comme toujours perdu tout sens de l'orientation. Il croit d'abord qu'ils se dirigent vers le sud, mais bientôt ils suivent un petit sentier tortueux au pied de hautes montagnes. La lune qui les avait abandonnés fait un retour en force, éclairant les prés et transmuant les routes en rivières laiteuses. Pénétrant dans une forêt, ils cahotent sur une allée bordée de sapins. Devant eux, des cerfs hypnotisés par les phares regagnent en zigzaguant l'ombre des arbres. Une chouette à ventre blanc plane au-dessus du capot.

Ils tournent à droite, grimpent une pente et, au bout de dix minutes, atteignent une clairière jonchée de troncs d'arbres, qui rappelle à Mundy celle près de Prague le jour où Sasha lui a parlé de son père, l'espion de la Stasi. Ils gravissent une rampe d'accès et aboutissent à une étable assez grande pour loger un Zeppelin. Une demi-douzaine de voitures de luxe allemandes et autrichiennes sont garées en rang d'oignons, comme exposées pour une vente. Sasha va se ranger près d'une Jeep noire un peu à l'écart, une grosse américaine toute neuve avec moult chromes et phares.

Une femme maigre d'âge mûr portant un fichu est assise immobile au volant. L'idée qu'il pourrait s'agir de celle à la veste en peau de mouton qui cherchait sa clé quand il a monté le colimaçon voici trois heures traverse l'esprit de Mundy, mais il l'en chasse aussitôt par égard pour Sasha. Pas de salutations. Sasha descend de l'Audi et fait signe à Mundy de l'imiter. La femme continue à foudroyer le monde du regard à travers le pare-brise de la Jeep, sans répondre au bonsoir que lui lance Mundy.

« Où allons-nous ? demande-t-il à Sasha.

– Il nous reste une petite distance à parcourir, Teddy. Notre ami préfère l'hospitalité de l'Autriche. Peu importe.

– Je n'ai pas mon passeport.

– Inutile. Ici, la frontière n'est qu'un détail. »

Je suis un artiste de l'invisible.

Sasha se hisse dans la Jeep, Mundy monte après lui. Sans allumer ses phares, la femme sort de l'étable et redescend la rampe. Elle porte des gants en cuir, comme la femme dans l'escalier. Elle éteint le moteur, tend l'oreille apparemment en vain, puis, tous phares allumés, plonge la Jeep dans les ténèbres montagneuses et entame l'ascension à une vitesse étourdissante.

La colline arborée est un mur de la mort qu'elle a la folie d'escalader. Mundy s'accroche à la poignée devant lui. Les arbres sont trop resserrés. Elle ne pourra jamais faire passer la Jeep entre eux. Le sentier est trop pentu, elle va trop *vite* ! Personne ne peut tenir à cette vitesse, mais elle, si. Elle peut tout faire. Ses mains gantées actionnent violemment le levier de vitesses et la Jeep n'a aucun raté.

Ils ont vaincu le mur. A la clarté de la demi-lune, Mundy aperçoit en contrebas quatre vallées tels les rayons d'une roue blanche. La femme slalome entre les rochers qui jonchent un vaste plateau herbeux. Soudain, ils roulent sur du tarmac, descendant en pente douce vers une grande ferme reconvertie entourée d'étables et de dépendances. De la fumée sort de la cheminée du bâtiment principal. Il y a des géraniums dans les jardinières aux fenêtres. La femme tire sur le frein à main, ouvre sa portière à la volée et s'éloigne. Deux jeunes hommes sportifs en anorak s'avancent pour les réceptionner.

A Estelle Road, j'ai ouvert la porte à deux gamins du même genre, se rappelle Mundy, et en fait c'étaient des missionnaires mormons venus du Missouri pour sauver mon âme. Eh bien, je ne les ai pas crus à l'époque, et je ne les crois pas maintenant.

*

La pièce où on les fait patienter est lambrissée, tout en longueur, avec des effluves de résine et de miel, des canapés à fleurs et une table basse couverte de revues d'art récentes. Mundy s'assied et essaie de s'intéresser à un article sur les architectes post-modernes tandis que Sasha fait les cent pas. J'ai l'impression d'emmener Mustafa chez le gentil docteur turc, songe-t-il en l'observant : il va bientôt me dire qu'il se sent mieux et qu'il voudrait rentrer à la maison.

« Tu es déjà venu, Sasha ? s'enquiert Mundy d'un ton détaché.

– Non, siffle Sasha en se couvrant les oreilles des mains.

– Juste Vienne et Paris, donc ?

– Teddy, je t'en prie, ce n'est pas le moment. »

Mundy se rappelle une vérité qu'il a apprise sur les gens qui se rebellent constamment contre l'autorité : ils adorent l'autorité. Une blonde aseptisée en tailleur se tient sur le seuil de la porte.

« Monsieur Mundy ?

– Soi-même, répond-il d'un ton joyeux en se levant parce qu'il est en présence d'une dame.

– Richard souhaiterait vous parler, je vous prie. Veuillez me suivre.

– Richard ? Qui est Richard ?

– Richard s'occupe des formalités, monsieur Mundy.

– Quelles formalités ? demande-t-il pour la faire parler plus, histoire de situer son accent.

– Juste un détail, monsieur. Richard va vous expliquer. »

Université de Vassar avec un accent allemand, conclut-il. Une courtoisie d'hôtesse de l'air. Une question de plus, monsieur, et je vous tords le cou illico. Il jette un coup d'œil à Sasha au cas où celui-ci se proposerait de l'accompagner, mais il leur tourne le dos pour étudier une gravure de paysans en costume tyrolien. La blonde de Vassar le précède dans un couloir orné de bois de cerfs puis un étroit escalier de service. Sur les murs, des mousquets et des étagères chargées d'assiettes en étain. La blonde frappe à une vieille porte en pin entrebâillée avant de la pousser et s'efface pour laisser passer Mundy. Je suis dans un film, songe-t-il alors que leurs hanches se frôlent : James Bond dans le château de l'ogre. Encore une minute, et elle va m'injecter du sérum de vérité.

« Et votre nom à vous, c'est quoi ? demande-t-il.

– Janet, monsieur.

– Moi, c'est Ted. »

Richard est blond également, et tout aussi propre sur lui. Il a les cheveux courts, des épaules body-buildées, un blazer bleu et une cravate bleue de steward. Il est assis derrière un petit bureau rouge dans une pièce lambrissée carrée à peine plus grande qu'un sauna. Il a une poignée de main ferme et professionnelle et doit être athlète. La fille aussi, peut-être. Sur le bureau, pas de téléphone, d'ordinateur ni aucune autre tentation. Juste un dossier chamois fermé, sur lequel personne n'a écrit DOSSIER. Richard pose le bout de ses doigts de chaque côté, comme s'il comptait le faire léviter.

« Puis-je vous appeler Ted, je vous prie ? Certains Anglais sont tellement formels !

– Pas celui que vous avez devant vous, Richard, je vous l'assure, dit Mundy, qui a déjà identifié l'accent de Richard : poète scandinave déclamant des complaintes.

– M. Dimitri a pour politique de payer une indemnité de déplacement à tous ses employés potentiels, Ted, que l'entretien ait des suites ou non. Mille dollars cash, payables à signature d'un contrat de travail d'un jour. Cela vous paraît-il acceptable, Ted ? »

Comme toujours troublé quand on lui offre de l'argent, Mundy lâche un de ses aboiements gênés et plaque un poignet contre sa bouche.

« Je suppose que je pourrai me faire violence, concède-t-il avec un autre gloussement.

– Le contrat est court, Ted. Le point essentiel en est la confidentialité, annonce Richard, qui connaît visiblement ses répliques sur le bout des doigts. Selon ses termes, vous avez interdiction de divulguer le contenu de votre entretien avec M. Dimitri et son équipe, jusqu'au fait même qu'il ait jamais eu lieu. D'accord ? Vous pouvez accepter cette condition ? Jetez-y un œil, je vous en prie. Ne signez rien sans l'avoir lu. Nous disons que c'est un axiome, dans la vie. »

Le disons-nous ? Eh ben ! Dans la *vie*, rien de moins. Du papier blanc de bonne qualité, pas d'adresse, la date. Trois paragraphes tapés à la machine électrique. Une certaine Fondation de la planète nouvelle va posséder Ted Mundy pour une journée. En retour, Mundy s'engagera à ne pas raconter, expliquer décrire, détailler, relater, dévoiler ou divulguer – ou tout autre verbe débile auquel les juristes qui sont toujours des enfoirés peuvent penser pour faire d'un sentiment honnête un galimatias incompréhensible – ce qui s'est passé entre eux dans le château de l'ogre.

Mundy signe. Nouvelle poignée de main. La main de Richard est dure et sèche. Quand il a serré celle de Mundy assez longtemps, il plonge la sienne dans son blazer et en sort une enveloppe jaune cachetée. Pas d'un tiroir, notez bien, pas d'un coffre-fort, pas d'une caisse, mais de sa poche, près de son cœur. Et il ne veut même pas de reçu.

Richard ouvre la porte, ils se serrent une fois de plus la main pour les caméras, sauf que, à la connaissance de Mundy, il n'y en a pas. Deux autres anoraks les attendent dans le couloir. Visages blancs, anoraks noirs, visages morts. Des sosies des gardes mormons.

« M. Dimitri va vous recevoir, monsieur », dit l'un d'eux.

*

Deux blazers (verts, contrairement à celui de Richard) montent la garde devant des portes richement sculptées. Quelqu'un a vraiment étudié la garde-robe, songe Mundy. L'un le fouille tandis que l'autre remplit un petit panier des possessions embarrassantes du prisonnier : une flasque en étain cabossé, un Union Jack en Velcro, un exemplaire écorné du *Süddeutsche*, un portable rouillé, une poignée de pièces de divers pays reçues à la porte de Linderhof, un trousseau de clés d'appartement, une enveloppe contenant mille dollars.

Les portes sculptées s'ouvrent comme par magie, Mundy s'avance et attend d'apercevoir le milliardaire philosophe, philanthrope, ermite et génial qui a voué sa vie et sa fortune à Sasha et à la course aux armements de la vérité. Mais tout ce qu'il voit, c'est un type grassouillet en survêtement trop large et baskets qui traverse la pièce à sa rencontre tandis que deux hommes en costume observent la scène depuis la ligne de touche.

« Monsieur Mundy, on m'a dit que vos vues sur les récents événements coïncident remarquablement avec celles de Sasha et les miennes. »

Si Mundy est censé répondre, il n'a aucune inquiétude à se faire : Dimitri ne lui en laisse pas le temps. Il l'a attrapé par le biceps gauche pour l'entraîner à l'autre bout de la pièce.

« Voici Sven, et voici Angelo, déclare-t-il comme s'il congédiait les costumes plutôt que de les présenter. Ils séparent les chiures de mouche des grains de poivre pour moi. Les détails m'ennuient, ces temps-ci, monsieur Mundy. Je vois les choses en grand, comme Sasha. Cette guerre contre l'Irak était illégitime, monsieur Mundy. C'était une conspiration criminelle et immorale. Aucune provocation, aucun lien avec Al-Qaïda, aucune arme apocalyptique. La prétendue complicité entre Saddam et Oussama a été montée de toutes pièces. Une guerre coloniale à l'ancienne pour le pétrole, déguisée en croisade pour la liberté et le mode de vie occidental, et initiée par une clique d'illuminés de la géopolitique, des judéo-chrétiens va-t-en-guerre qui ont pris les médias en otage et exploité la paranoïa américaine post-11 septembre. »

Mundy se demande à nouveau s'il est censé ajouter quoi que ce soit, et Dimitri lui épargne à nouveau ce choix. Sa voix est aussi rageuse que ses gestes : une voix bâtarde, rauque et puissante même dans l'intimité. S'efforçant de ne pas céder à son emprise, Mundy se l'imagine née dans le Levant, formée dans les Balkans et fignolée dans le Bronx, tantôt grecque, tantôt arabe, tantôt juive américaine, tantôt le tout mélangé en un cocktail mal dosé d'anglais emprunté et fruste. Dimitri a-t-il une langue maternelle ? Mundy en doute. Il perçoit en son hôte un compère orphelin, un gamin des docks, un gamin à cran d'arrêt qui s'invente ses propres règles.

« Selon Sasha, tout ce qu'il faut pour déclencher une guerre comme celle-ci, c'est que quelques hommes de bonne volonté ne fassent rien. Eh bien, c'est ce qu'ils ont fait : *rien*. Savoir ou non s'il s'agissait d'hommes de bonne volonté, c'est une autre question. L'opposition démocratique n'a pas levé le petit doigt. Sa politique, c'était : restons chez nous à chanter des hymnes patriotiques jusqu'à ce que l'on puisse sortir en toute sécurité. Nom de Dieu, c'est quoi ça, comme opposition ? Comme courage moral ? Je vais trop vite pour vous, monsieur Mundy ? Les gens me disent que je ne leur laisse pas le temps de réfléchir. Vous voulez du temps pour réfléchir ?

– Je m'en sors très bien comme ça, merci.

– Je veux bien le croire. Vous avez une tête intelligente, un œil vif, je vous aime bien. Prochaine cible : l'Iran, ou la Syrie, ou la Corée, au choix. Pardonnez-moi, je manque à tous mes devoirs. J'oubliais le rôle vital joué par votre Premier ministre anglais, sans qui la guerre aurait pu être évitée, ajoute-t-il, opérant un virage rapide pour poursuivre leur tour du palais. Monsieur Mundy prendra du thé, Angelo. Étant marié à une Turque, il devrait boire du thé à la pomme ou du café, mais il préfère un thé indien bien fort avec du lait de vache dedans et un bol de sucre de canne à côté. Les Turcs ont joué un rôle honorable dans cette guerre, monsieur Mundy. Vous devez être fier de votre dame.

– Merci.

– Je vous en prie, dit-il en prenant un nouveau virage. Le gouvernement islamiste de la Turquie a refusé d'aider l'agresseur américain, et, pour une fois, l'armée a résisté à son instinct habituel de réduire les Kurdes en bouillie. »

Un demi-pas, et Dieu merci nous allons vers le sofa, parce que Mundy a la tête qui lui tourne, l'impression de participer à trois conversations en parallèle alors qu'il a à peine placé un mot.

« Un homme doit se tenir informé, monsieur Mundy. Et c'est ce que je fais, comme vous l'aurez remarqué. Le monde vit dans les mensonges jusqu'au cou. Il est temps que les agneaux mangent le loup. Asseyez-vous, je vous en prie, monsieur. Ici, à ma droite. Je suis dur de l'oreille gauche. Depuis qu'un enfoiré y a enfoncé un crochet de boucher, je n'entends plus qu'un bruit de vagues. Putain qu'est-ce que je peux détester la mer ! J'ai vogué dessus pendant sept ans avant d'acheter le bateau, de regagner terre et d'acheter d'autres bateaux, et je n'ai jamais repris la mer depuis. »

A force de coups d'œil en coin, Mundy a réussi à se composer une image de son hôte pour associer à sa voix. Il a au bas mot soixante-dix ans, un corps massif de poussah, une tête chauve parsemée de taches de vieillesse et sillonnée de rides, un visage poupin strié de creux profonds, les doux yeux bleus humides d'un enfant qui bougent à une vitesse proportionnelle à son débit de parole. Mustafa a un jouet à remontoir qui fait de même, ce qui explique peut-être pourquoi Mundy peine à prendre Dimitri au sérieux. Il a l'impression d'être assis trop près de la scène et de voir les coulures du maquillage de Dimitri, les épingles fichées dans sa perruque, les filins de sécurité quand il ouvre ses ailes.

*

Angelo a apporté du thé à Mundy et un verre de lait de soja à Dimitri. Les deux hommes sont assis en amazone face à face sur le long sofa, comme un présentateur de télévision et son invité. Perché sur un fauteuil en cuir à haut dossier en dehors de leur champ de vision, Sven prend des notes dans un calepin flambant neuf ouvert sur ses genoux, avec un de ces stylos aérodynamiques noir et or qui font la fierté des classes dirigeantes. Comme Angelo, qui préfère les coulisses, Sven est hâve et austère. Dimitri aime s'entourer d'échalas.

« Alors, qui êtes-vous, monsieur Mundy ? » demande Dimitri.

Calé contre les coussins, ses mains courtaudes jointes sur sa bedaine, il a tourné le bout de ses baskets vers l'intérieur pour éviter de choquer involontairement. Peut-être a-t-il été éduqué en Orient, comme Mundy.

« Vous êtes un gentleman anglais né au Pakistan qui a joué les étudiants anarchistes à Berlin, récite Dimitri. Vous êtes un amoureux de l'âme allemande qui a colporté Shakespeare au service de la reine et vous vivez avec une musulmane turque. Alors, qui vous êtes, nom de Dieu ? Bakounine, Gandhi, le roi Richard ou Saladin ?

– Ted Mundy, guide touristique, répond Mundy avec un éclat de rire que partage Dimitri, qui lui donne une claque sur l'épaule avant de la pétrir, ce dont Mundy se passerait bien, mais peu importe, ils sont tellement potes.

– Chaque guerre est pire que la précédente, monsieur Mundy. Mais celle-ci est la pire que j'aie jamais vue, question mensonges, et c'est bien là la question. Les mensonges se trouvent être une de mes spécialités. Peut-être parce que j'en ai tellement sorti moi-même fut un temps, ils me font chier. Peu importe que la guerre froide soit terminée. Peu importe la globalisation, la mondialisation ou quoi ou qu'est-ce. Dès que les tambours résonnent et que les politiciens débitent leurs mensonges, c'est aux armes citoyens, salut au drapeau et télé vingt-quatre heures sur vingt-quatre pour toutes les honnêtes gens. C'est hip-hip-hip pour les big bangs et merde aux victimes, tant qu'elles sont dans l'autre camp, ajoute-t-il, visiblement sans éprouver le besoin de respirer entre deux phrases. Et ne me sortez pas ces conneries sur la Vieille Europe, prévient-il alors que Mundy n'a pas ouvert la bouche. Parce que dans le genre Vieille Amérique, ils ont fait fort : des zélotes puritains qui massacrent des sauvages au nom du Seigneur – on peut pas faire plus vieux, pas vrai ? C'était du génocide à l'époque, c'est du génocide aujourd'hui, mais quiconque détient la vérité est maître du jeu. »

Mundy évoquerait bien les plus grandes manifestations anti-guerre que le monde ait jamais connues, mais il est à présent clair qu'interrompre Dimitri n'est pas à l'ordre du jour. Quelles que soient ses intentions pacifiques, la voix de Dimitri règne par la force. Elle pourrait vous révéler d'un ton égal le retour du Messie ou l'extinction imminente de la race humaine, vous la contrediriez à vos risques et périls.

« Manifester, ça fait mal aux pieds. Protester, ça vous vaut une gorge enrouée et la botte d'un policier dans les dents. Quiconque dénonce les mensonges est un gauchiste aigri. Ou un antisémite islamiste. Ou les deux. Et si vous êtes inquiet pour l'avenir, ne le soyez surtout pas, parce qu'une autre guerre se profile à l'horizon et que vous n'aurez à vous soucier de rien, juste à allumer la télé pour jouir du spectacle d'une nouvelle guerre virtuelle produite par votre junte bienveillante préférée et ses parasites industriels, dit-il avant d'enchaîner avec une question, en ouvrant une large main. Alors qu'est-ce qu'on est censés foutre, monsieur Mundy ? Comment empêcher votre pays ou l'Amérique ou toute autre nation d'emmener le monde à la guerre sur la foi d'un ramassis de mensonges qui, vus de près, sont en gros aussi plausibles que des lutins dans votre putain de jardin ? Comment éviter à vos enfants et à mes petits-enfants de se faire embobiner au point de partir en guerre ? Je parle du règne des multinationales et de leur mainmise sur l'information, monsieur Mundy. Je parle de leur emprise sur la vérité objective. Et je me demande comment on peut se démerder pour inverser la tendance. Ça vous intéresserait ? Bien sûr que oui, répond-il avant d'en laisser le temps à Mundy. Et moi aussi. Et aussi tout citoyen du monde sain d'esprit. Je vous repose la question : qu'est-ce qu'on peut foutre pour ramener la raison et le bon sens dans l'arène politique, à supposer qu'ils y aient jamais régné ? »

Mundy se retrouve transporté au Club républicain, où semblables débats faisaient rage chaque soir dans des termes aussi fleuris. Aujourd'hui comme alors, aucune réponse simple ne lui vient à l'esprit. Mais ce n'est pas uniquement parce que les mots lui manquent. C'est plutôt qu'il a l'impression d'avoir débarqué au beau milieu d'une pièce dont tout le monde connaît l'intrigue sauf lui.

« On a besoin d'un nouvel électorat ? Ben, tiens ! Ce n'est pas la faute du peuple s'il n'arrive pas à y voir clair. Personne ne lui en donne les moyens. "Regardez de ce côté-ci, pas de ce côté-là. Sinon, vous êtes un non-citoyen, un antipatriote, un pauvre mec." On a besoin de nouveaux politiciens ? Bien sûr, mais c'est l'électorat qui doit les dénicher. Vous et moi n'y pouvons rien. Et comment diable l'électorat peut-il faire son boulot quand les politiciens refusent toute discussion ? L'électorat se fait entuber avant même d'atteindre l'isoloir. Si jamais il l'atteint. »

Dimitri laisse un instant penser qu'il est tout autant à court de solutions que Mundy. Mais il devient bientôt évident qu'il ménage une simple pause théâtrale avant d'embrayer. Un point d'orgue, comme on dit. Pour l'annoncer, Dimitri tend un doigt boudiné sous le nez de Mundy, et son regard s'en sert comme viseur pour plonger dans les yeux de Mundy.

« Monsieur Mundy, ce dont je parle, c'est d'une chose encore plus importante que les urnes pour le développement de la société occidentale. Je parle de la corruption délibérée des jeunes esprits pendant leurs années les plus formatrices. Je parle des mensonges que leur font gober dès le berceau les manipulations des multinationales ou de l'État, à supposer qu'il existe encore une différence entre les deux, ce dont je commence à douter. Je parle de la mainmise du complexe industriel sur tous les campus universitaires du premier, du deuxième et du tiers-monde. Je parle de la colonisation éducative *via* le mécénat d'entreprise dans les facultés, sous réserve de l'observation de principes fallacieux mais avantageux pour l'investisseur et délétères pour ces pauvres bougres d'étudiants. »

Vous êtes parfait, a envie de lui dire Mundy. Vous avez décroché le rôle. Maintenant, rengainez votre doigt.

« Je parle de l'étouffement délibéré de la liberté de pensée dans notre société, monsieur Mundy, et des façons de le combattre. Je suis un gamin des rues, monsieur Mundy. Je suis né comme ça et je le suis resté. Mes raisonnements sont bruts de décoffrage. Des érudits me riraient au nez. Malgré tout, j'ai acquis de nombreux livres sur le sujet, affirme-t-il, rappelant à Mundy que Sasha le lui avait dit. Je pense à des intellectuels comme la Canadienne Naomi

Klein, l'Indienne Arundhati Roy, qui plaide pour une vision différente des choses, vos Anglais George Monbiot et Mark Curtis, l'Australien John Pilger, l'Américain Noam Chomsky, le prix Nobel américain Joseph Stiglitz et la Franco-Américaine Susan George, du Forum social mondial de Porto Alegre. Avez-vous lu tous ces grands auteurs, monsieur Mundy ?

– Presque tous. »

Et presque tout Adorno, presque tout Horkheimer et presque tout Marcuse, songe Mundy en se remémorant un interrogatoire similaire à Berlin quelques vies plus tôt. Je les adore tous, mais je serais infichu de me rappeler la moindre de leurs paroles.

« D'un point de vue qui leur est propre, chacun de ces éminents écrivains me raconte la même histoire. La pieuvre du marché étouffe la croissance naturelle de l'humanité. Elle répand tyrannie, pauvreté et asservissement économique. Elle défie les lois les plus basiques de l'écologie. La guerre est l'extension du pouvoir industriel par d'autres moyens. Chacune profite à l'autre, et la dernière guerre en date le prouve amplement. Ce message d'urgence vous atteint-il un tant soit peu, monsieur Mundy, ou suis-je en train de parler tout seul ?

– Il m'interpelle énormément », l'assure Mundy d'un ton poli.

Dimitri se rapproche à l'évidence de sa péroraison, comme nul doute bien des fois auparavant. Son visage s'assombrit, sa voix s'élève et il se penche en confidence vers son public.

« Comment ces multinationales ont-elles resserré leur étau sur notre société ? Quand elles ne flinguent pas, elles achètent. Elles achètent des esprits brillants et les ligotent aux roues de leurs chariots. Elles achètent des étudiants encore au sein de leur mère et castrent leurs capacités de réflexion. Elles créent de fausses orthodoxies et imposent la censure sous couvert du politiquement correct. Elles construisent des universités, imposent des cursus, couvrent de promotions les professeurs lèche-cul et harcèlent les hérétiques. *Leur unique objectif est de perpétuer le concept absurde d'une expansion illimitée sur une planète limitée, avec pour issue désirée le conflit permanent.* Et leur produit fini est le robot inculte connu sous le nom de cadre supérieur, affirme-t-il à son apogée, avant de redescendre la pente. Monsieur Mundy, dans vingt ans, il ne restera plus un seul lieu de savoir en Occident qui n'aura pas vendu son âme au sectarisme des entreprises. On ne tolérera plus qu'une opinion unique sur tous les sujets, du jardin d'Éden aux rayures roses dans le dentifrice. Il n'y aura plus une seule voix discordante valant un pet de lapin, sauf si quelqu'un détourne le fleuve et le fait couler en sens inverse. Eh bien, je suis un de ces "quelqu'un", Sasha également, et je vous invite à en être un autre. »

La mention de Sasha sort Mundy de sa torpeur. Où diable est-il ? Toujours en contemplation devant sa gravure de paysans tyroliens, ou est-il passé à l'architecture post-moderne ? Dimitri s'est relevé. D'autres hommes de pouvoir décrivant leur projet de restructuration de l'humanité moulineraient des bras, mais Dimitri est passé maître dans l'économie de gestes. Il marche à pas mesurés, les mains serrées derrière son dos de déménageur. A l'occasion seulement, il relâche un bras pour souligner brièvement un point.

Le but de son grand œuvre est de créer des *zones universitaires indépendantes des entreprises*.

De promouvoir des *séminaires d'opinions non achetées*, monsieur Mundy, ouverts aux étudiants qui désirent réinventer l'initiative humaine pour le XXIe siècle, quels que soient leur âge, leur nationalité et leur spécialité.

D'établir rien moins qu'un *marché rationalisé de libre pensée*, où pourront être révélés les vrais motifs de la guerre et les moyens de l'empêcher.

Et finalement, son projet acquiert un nom – pas plusieurs, comme son auteur, mais un seul nom dont le noble écho résonnera au fil des âges : la *Contre-Université*, rien de moins, une structure internationale, monsieur Mundy, aussi apatride et insaisissable que les entreprises qu'elle cherche à contrer, détachée de tout intérêt financier, religieux, étatique ou industriel, et financée grâce aux ressources immenses et illicites de Dimitri.

« La Contre-Université ignore tout dogme, déclare-t-il, pivotant sur un talon pour s'adresser à Mundy de l'autre bout de la pièce. Nous n'offrons aucune vitrine doctrinale sur laquelle pourraient pisser nos adversaires mondialistes. Comme eux, nous travaillerons en offshore sans être redevables à quiconque. Nous userons de ruse. Nous serons des guérilleros intellectuels. Nous nous implanterons partout où l'ennemi est retranché et le subvertirons de l'intérieur. Prenez votre belle université d'Oxford. Imaginez un étudiant en sciences. Il sort du labo. Il parcourt quelques centaines de mètres à pied. La journée a été longue. Il voit notre enseigne, la Contre-Université. Il a passé la journée la tête dans des éprouvettes sponsorisées. Il entre, il s'assoit, il écoute. "Ils m'invitent *moi*, en tant qu'individu, à assumer mes devoirs de citoyen responsable d'un monde en voie de disparition ? Putain, qu'est-ce qui m'arrive ? se demande-t-il, perplexe. Ces mecs sont complètement déjantés. Ce n'est pas pour ça que mon entreprise me sponsorise. Je ne suis pas payé pour avoir une conscience, je suis payé pour trouver de nouvelles façons de bousiller la planète." Et puis il écoute encore un peu, et il commence à saisir. "Hé, je suis quelqu'un, après tout. Peut-être que je n'ai pas besoin de prouver à quel point je suis un grand garçon en bousillant la planète. Peut-être que je devrais repenser ma relation à cette planète, voire l'aimer." Et vous savez ce qu'il fait ? Il prend notre carte, il rentre chez lui, et il se rend sur un site web qu'on lui a discrètement recommandé. Un site qui accentuera son sentiment de révélation. Et bientôt, il se considérera comme un pionnier de l'iconoclasme. Il pourra visiter une dizaine de sites du même genre, chacun représentant une marche de plus vers la liberté d'esprit, les sites de notre Contre-Université, de nos Contre-Bibliothèques, des sites de débats acharnés mais informés au sein de notre armée de renégats toujours plus nombreux. »

Il s'arrête net, se retourne, se penche de façon à ce que Mundy doive le regarder dans les yeux. *Ça y est, j'y suis !* songe Mundy. *Erich von Stroheim dans* Sunset Boulevard.

« Ça pue, hein, monsieur Mundy ? Un vieux cinglé bourré de fric pense qu'il peut refaire le monde.

– Je n'ai jamais dit ça.

– Eh bien, dites quelque chose. Vous me rendez nerveux.

– Où est-ce que j'entre en scène ? » arrive enfin à lâcher Mundy.

*

« Vous étiez encore récemment le copropriétaire d'une école de langues à Heidelberg, me semble-t-il, monsieur Mundy ? »

C'est Sven qui parle. Sven qui sépare les chiures de mouche des grains de poivre. Derrière lui, Angelo est assis bras croisés dans la pénombre. Épuisé par sa prestation, Dimitri s'est affalé sur le sofa.

« Je plaide coupable, confirme Mundy.

– Et cette école avait pour but d'enseigner l'anglais niveau avancé à des professionnels des affaires ?

– Correct, acquiesce Mundy, songeant que Sven parle exactement comme ses meilleurs élèves.

– Et cette école est à présent fermée, monsieur ? En attente de décision judiciaire ?

– Elle est au repos. A l'heure actuelle, c'est une ex-école, répond gaiement Mundy, sauf que son humour, si c'en est, n'éveille aucun écho dans le regard inflexible de Sven.

– Mais vous en êtes toujours copropriétaire avec votre ancien associé, Egon ?

– Techniquement, sans doute. Dans les faits, j'en suis le seul propriétaire par défaut. Avec la banque, six organismes de crédit et une armée de créanciers divers.

– Monsieur, comment décririez-vous l'état des locaux à cet instant présent, je vous prie ? » demande Sven en ouvrant un dossier qui a l'air d'en savoir plus sur les affaires de Mundy que Mundy lui-même.

Cet instant présent, je n'aime pas trop, songe Mundy le pédant. Pourquoi pas *à l'heure actuelle*, ou même tout simplement *maintenant* ?

« Cadenassés, fenêtres barrées, en gros, réplique-t-il. Ils ne peuvent être ni utilisés, ni loués, ni vendus.

– Vous l'avez vue récemment, l'école, monsieur ?

– J'ai tendance à me faire discret. Il y a encore des tas de procédures en cours. Je suis passé devant en voiture il y a un mois, et le jardin ressemblait à une jungle.

– Quelle est la capacité de l'école, je vous prie ?

– En effectif ? Les professeurs ? Que voulez-vous dire ?

– Combien de personnes assises la salle principale peut-elle contenir ?

– Sans doute soixante. Ce serait l'ancienne bibliothèque. Soixante-cinq au pire. On ne fonctionnait pas comme ça. Enfin, si, à l'occasion pour une conférence, mais sinon c'était par petits groupes dans des petites salles. Il y avait trois professeurs, moi, Egon et un autre, et six élèves par classe au maximum.

– Et en termes de recettes ? D'argent ? Ça vous rapportait combien, monsieur, si je puis me permettre ? »

Mundy fait la moue, car l'argent n'est pas son point fort.

« C'était la responsabilité d'Egon. A vue de nez, en heures d'enseignement, à 25 euros de l'heure par étudiant, trois professeurs qui travaillent à la demande – attention, c'était du sur-mesure, on commençait parfois dès 6 heures du matin pour les prendre sur le chemin du travail…

– Oui, d'accord, intervient Sven pour le faire redescendre sur terre.

– Disons, 30 000, 35 000 les bons jours.

– Vos étudiants, ils venaient d'*où*, monsieur Mundy ? s'enquiert Dimitri, soudain de retour parmi les vivants.

– De partout où on les trouvait. On ciblait les jeunes cadres. Certains venaient de l'université, mais c'étaient surtout les entreprises locales. Heidelberg est la capitale high-tech de l'Allemagne. Biochimie, NTIC, logiciels, médias, technologie d'impression et *tutti quanti*. On a toute une banlieue pas loin qui ne fait que ça. Et l'université en soutien.

– Des gens de toutes nationalités, à ce qu'on dit.

– On dit vrai. Français, Allemands, Italiens, Chinois, Espagnols, Turcs, Thaïlandais, Libanais, Saoudiens, Africains, la totale, hommes et femmes. Et beaucoup de Grecs, dit Mundy qui, s'il cherche à repérer la nationalité de Dimitri dans le lot, perd son temps.

– Donc l'argent arrivait du monde entier, avance Sven, tandis que Dimitri retombe dans son mutisme.

– Oui, mais pas en assez grande quantité.

– Des sorties d'argent, aussi ?

– Bien trop.

– Vers le monde entier ?

– Uniquement vers Egon. Sinon, on se payait juste nous-mêmes et on réglait nos factures.

– L'école fonctionnait-elle le week-end, monsieur ?

– Samedi toute la journée et dimanche soir.

– Donc les élèves allaient et venaient tous les jours à toute heure ? Des étrangers de toutes sortes ? Qui entraient et ressortaient ?

– A notre âge d'or, oui.

– Combien de temps a duré votre âge d'or ?

– Deux ans. Jusqu'à ce qu'Egon devienne gourmand.

– Des lumières allumées toute la soirée sans que ça surprenne personne ?

– Seulement jusqu'à minuit.

– Pourquoi ?

– La police.

– Qu'est-ce que la police vient foutre là-dedans ? intervient sèchement Dimitri depuis son sofa.

– Ils font autorité en matière de paix et de calme. C'est une zone résidentielle.

– Vous aviez des genres de *trimestres* ? reprend Sven. Du style, là c'est les vacances, là c'est les cours ? »

Merci de m'expliquer ce qu'est un trimestre, songe Mundy.

« En théorie, on était ouverts toute l'année. En pratique, on suivait le calendrier scolaire. Le plein été n'était pas bon parce que nos élèves voulaient partir en vacances, pareil à Pâques et à Noël. »

Dimitri se redresse soudain sur son siège, tel un homme qui en a assez entendu, et se donne une grande claque des deux mains sur les cuisses.

« Parfait, monsieur Mundy. Maintenant écoutez-moi, et écoutez-moi bien, parce que c'est là que tout va se jouer. »

*

Mundy écoute bien. Il écoute, il observe, il s'esbaudit. Personne ne pourrait solliciter davantage ses facultés de concentration.

« Je veux votre école, monsieur Mundy. Je veux qu'elle reprenne le collier, qu'elle fonctionne, avec des tables, des bureaux, une bibliothèque, tout l'équipement approprié. Si le mobilier a été vendu, rachetez-en. Je la veux exactement comme avant le grand plongeon, mais en mieux. Vous savez ce que c'est, un *vaisseau leurre* ?

– Non.

– Moi, j'ai vu le film. Un cargo pourri du genre pétrolier rouille lamentablement. C'est une cible facile à l'horizon pour le sous-marin allemand. Tout d'un coup, le cargo pourri lève le drapeau britannique, tombe le masque et il a un canon maousse caché dans ses entrailles. Il flingue à mort le sous-marin et coule tous les nazis. C'est ce que va faire votre petite école de langues le jour où la Contre-Université hissera son drapeau et dira aux entreprises qu'elles ne dirigent plus ce putain de monde à leur guise. Donnez-moi une date, monsieur Mundy. Si le père Noël arrivait avec un gros sac d'or demain matin, quand pourriez-vous rouvrir ?

– Il faudrait un sacrément gros sac.

– J'ai cru comprendre 300 000 dollars.

– Ça dépend des intérêts exigés, et sur quelle période.

– En tant que musulman, vous ne devriez pas parler d'intérêts. C'est contre votre religion.

– Je ne suis pas musulman. Je m'initie, déclare-t-il en se demandant bien pourquoi.

– 350 ?

– Je n'ai pas pu payer les employés ces trois derniers mois. Si jamais je remontre ma fraise à Heidelberg, j'ai intérêt à les avoir payés avant.

– Vous êtes dur en affaires. Disons un demi-million. Quand rouvrez-vous ?

– Vous avez dit fonctionner.

– J'ai dit quand.

– Techniquement, dès qu'on a nettoyé le bâtiment. On pourrait avoir la chance que des élèves se présentent d'eux-mêmes ou pas. Pour fonctionner de façon viable, septembre. Mi-septembre.

– Mettons qu'on ouvre tôt et à petite échelle, pourquoi pas ? Si on ouvrait tout de suite en grand, on se ferait chasser du campus. On ouvre en petit et on prend l'air affairé, dans deux villes seulement, et ils penseront qu'on ne vaut même pas la peine de s'inquiéter. On ouvre à Heidelberg et à la Sorbonne, et on s'étend à partir de là. Vous avez une enseigne ?

– Des plaques en cuivre. Enfin, on en avait.

– Si elles y sont encore, nettoyez-les. Sinon, faites-en faire de nouvelles. Les affaires reprennent, les conneries habituelles. En septembre, quand on fera venir les grands conférenciers, on tombera le masque et on se mettra à canarder. Sven, assure-toi qu'il fasse passer une pub quelque part. “M. Edward Mundy reprend ses fonctions de directeur de son école avec effet à telle date”, dicte-t-il avant de fixer Mundy de ses yeux bleu layette avec un regard blessé, presque apitoyé. Votre attitude détonne, monsieur Mundy. Pourquoi n'êtes-vous pas en train de jeter votre chapeau melon en l'air ? C'est si déprimant, qu'un type vous sorte du pétrin avec un demi-million de dollars sans même que vous ayez à coucher avec lui ? »

Changer d'expression sur commande n'est jamais facile, mais Mundy s'y emploie de son mieux. Il éprouve le même sentiment d'irréalité que quelques moments plus tôt. Il est d'accord avec Dimitri : pourquoi ne suis-je pas en train de me réjouir ?

« Et Sasha, quel est son rôle, là-dedans ? demande-t-il, faute d'une autre question à poser.

– La Contre-Université aura un superbe circuit de conférences. Mon équipe de Paris est en train de réunir une écurie d'universitaires incorruptibles, des hommes et femmes qui considèrent l'orthodoxie comme le fléau de la libre pensée. Je compte impliquer Sasha dans ce processus et en faire l'un des conférenciers. C'est un bel esprit, un homme bien, je l'ai entendu et je crois en lui. Il aura le titre de directeur des études. A Heidelberg, il supervisera la constitution de votre fonds de bibliothèque, vous conseillera sur le cursus pédagogique et vous assistera pour le recrutement du personnel. »

Dimitri se lève avec une vitesse et une énergie qui font bondir sur leurs pieds Sven et Angelo. Mundy s'extrait du sofa et se lève également. C'est comme ma première fois à la mosquée. Quand ils se lèvent, je me lève. Quand ils s'agenouillent et se prosternent sur le tapis en jonc, j'en fais autant et j'espère que quelqu'un m'écoute.

« Monsieur Mundy, nous avons fait affaire. Sven va discuter avec vous des questions administratives. Angelo s'occupera de votre rémunération. Richard, là-haut, a un petit contrat à vous faire signer. Vous n'en recevrez pas de copie, pas plus qu'une confirmation écrite de ce que nous avons décidé ici ce soir. »

La main broyée par la poigne d'acier de Dimitri, Mundy a de nouveau l'impression de lire un message dans le regard direct et humide. *Vous êtes venu ici, vous l'avez voulu et maintenant vous l'avez*, semble-t-il dire. *Vous ne pouvez vous en prendre qu'à vous-même.* Une porte latérale s'ouvre, et Dimitri est parti. Mundy n'entend ni bruits de pas ni tonnerre d'applaudissements pour le tomber de rideau. L'un des blazers est debout à côté de Mundy en attendant de lui remettre ses joujoux.

*

La blonde en tailleur ouvre de nouveau la marche. Les mêmes anoraks l'observent dans l'ombre. Richard là-haut est assis à son bureau comme avant. Est-il fait de cire ? Non, il sourit. A-t-il passé la soirée ici à attendre, avec son joli blazer neuf et sa cravate, les mains posées de chaque côté du dossier qui s'ouvre par le milieu, comme une porte à double battant ?

La blonde prend congé. Ils se retrouvent seuls à nouveau, de part et d'autre du bureau. Des secrets pourraient être échangés, sauf que Mundy garde ses secrets pour lui.

Je n'en crois pas un mot, mais cela ne veut pas dire que ce n'est pas vrai.

Je suis dans un asile de fous, mais la moitié du monde est dirigée par des aliénés et personne ne s'en plaint.

Si les rois fous, les présidents fous et les Premiers ministres fous peuvent revêtir un masque de bonne santé mentale et toujours fonctionner, pourquoi pas un milliardaire fou ?

Dans la lutte entre l'espoir et le scepticisme qui fait rage en moi, il est de plus en plus clair que j'ai tout à gagner et rien à perdre.

Si la Contre-Université se révèle un cauchemar malsain, je redeviendrai simplement ce que j'étais avant de franchir cette porte : pauvre mais heureux.

Si contre toute attente le rêve devient réalité, je pourrai regarder mes créanciers en face, rouvrir l'école, déménager à Heidelberg, inscrire Zara dans une école d'infirmières et Mustafa dans une bonne école, et chanter *Le Mikado* tous les matins dans mon bain.

Combien de fois une telle occasion se présente-t-elle ? nous demandons-nous. Est-ce déjà arrivé ? Non. Est-ce que ça se reproduira ? Non.

Et si j'avais besoin d'une autre raison d'accepter, ce qui n'est pas le cas, il y a Sasha, ma théorie du chaos à lui tout seul.

Pourquoi me sentir responsable de lui ? C'est une question qui trouvera réponse dans une autre vie. Mais c'est comme ça. Voir Sasha heureux fait mon bonheur, le voir malheureux est un poids sur ma conscience.

*

Le contrat fait six pages et, le temps que Mundy arrive au bout, il en a oublié le début. Cependant, quelques clauses se sont imprimées dans son cerveau, et, si tel n'était pas le cas, Richard est là, de l'autre côté du bureau, pour les énumérer en les comptant sur ses doigts d'athlète.

« La maison vous appartiendra légalement, Ted, en pleine propriété au bout de votre première année scolaire. Vos frais de base, Ted, à savoir le chauffage, l'électricité, les impôts locaux et l'entretien du bâtiment, seront pris en charge par l'une des nombreuses fondations de M. Dimitri. Pour ce faire, nous verserons une avance en liquide contre vérification des comptes à chaque fin de trimestre. Voici vos coordonnées bancaires telles qu'elles figurent dans votre dossier. Veuillez vérifier et confirmer leur exactitude. Pour les congés, ce sera à votre discrétion, mais M. Dimitri tient à ce que tous ses employés puissent jouir de leurs loisirs. D'autres questions ? C'est l'occasion, Ted. Après il sera trop tard. »

Mundy signe, avec un stylo du même modèle que celui de Sven. Il paraphe chaque page dans le coin inférieur droit. Richard replie le contrat et le range dans la poche où il conservait les mille dollars en liquide. Mundy se lève. Richard se lève. Nouvelle poignée de main.

« Comptez cinq jours ouvrés pour que l'argent arrive à bon port, Ted, conseille Richard, telle une publicité.

– La totalité de la somme ? s'étonne Mundy.

– Pourquoi pas, Ted ? demande Richard avec un sourire mystificateur. Ce n'est que de l'argent. C'est quoi, l'argent, à côté d'un noble idéal ? »

Chapitre 12

Pas pour la première fois de sa vie, loin de là, Ted Mundy a perdu le contact avec qui il est vraiment. Un imbécile crédule, pris une fois de plus dans le sillage de Sasha ? Ou bien l'homme le plus chanceux au monde ?

Tout en préparant le petit déjeuner, en faisant l'amour, en emmenant Mustafa à l'école, en se propulsant à Linderhof, en jouant les serviteurs loyaux de feu le roi Ludwig, en se hâtant de rentrer pour profiter de la soirée de congé de Zara, en l'adorant, en la protégeant dans sa vulnérabilité d'une sensibilité intense, en lui rapportant de la bibliothèque des livres sur le métier d'infirmière, en se livrant à une partie de ballon avec Mustafa et la bande, il revit constamment sa visite nocturne au sommet de la montagne, n'en dit rien à personne et attend.

S'il essaie parfois de se persuader que toute cette aventure est un caprice de son imagination hyperactive, comment expliquer les mille dollars cachés sous le tapis de sol côté conducteur de sa Coccinelle lors de son retour à Munich et transférés le lendemain en lieu sûr dans la remise, où ils tiennent à présent compagnie, quoi de plus approprié, aux lettres de Sasha ?

Sa longue nuit irréelle a commencé avec la réapparition spectrale de Sasha et pris fin avec son départ. Après une nouvelle visite guidée par Sven, Angelo et Richard du dédale des détails techniques de sa résurrection, Mundy est ramené à Sasha, qui l'accueille avec une joie si exubérante que Mundy a honte de nourrir encore quelques réserves. La nouvelle de son ralliement à la cause est déjà parvenue à Sasha. En le voyant entrer, il lui prend la main entre les siennes et, au grand embarras de Mundy, la colle à son front moite en un geste de soumission orientale. Dans un silence pénétré, ils remontent à bord de la Jeep et la même conductrice efflanquée leur fait redescendre le sentier forestier à une allure étonnamment posée.

Une fois arrivée à l'étable, elle se gare le temps qu'ils se transfèrent dans l'Audi, où Sasha reprend le volant. Ils n'ont pas parcouru deux cents mètres que l'Audi freine en crissant. Sasha descend en titubant sur le bas-côté herbeux, les mains collées à ses tempes. Mundy attend un peu et le rejoint. Sasha est en train de vomir tripes et boyaux en hoquetant. Mundy lui touche l'épaule, mais Sasha secoue la tête. Les haut-le-cœur finissent par se calmer, et les deux hommes retournent à la voiture.

« Tu veux que je conduise ? » demande Mundy.

Ils changent de place.

« Ça va ?

– Bien sûr. C'est juste un problème de digestion.

– Qu'est-ce que tu fais, ensuite ?

– Ma présence est requise immédiatement à Paris.

– Pourquoi ?

– Dimitri ne t'a pas dit que je suis responsable du catalogue de nos bibliothèques ? rétorque-t-il avec sa voix du Parti. A Paris, je vais superviser un comité d'illustres universitaires français et allemands chargé d'établir une liste d'ouvrages communs à toutes les bibliothèques du projet. Une fois que le fonds sera en place, chacune sera invitée à augmenter sa collection. Les bibliothécaires seront évidemment guidés par la volonté du peuple.

– Dimitri siège dans cet illustre comité ?

– Il a exprimé certaines préférences, qui ont été soumises à notre considération. Il refuse tout traitement de faveur.

– Qui choisit les universitaires ?

– Dimitri a fait certaines recommandations. J'ai été galamment invité à y ajouter les miennes.

– Ce sont tous des progressistes ?

– Ils n'appartiennent à aucune catégorie donnée. La Contre-Université sera louée pour son pragmatisme. A ce qu'on m'a dit, dans les cercles néoconservateurs américains, l'adjectif *progressiste* est déjà une injure. »

Mais quand ils atteignent l'aire de repos où est stationnée la Coccinelle de Mundy, la voix du Parti laisse place à un nouveau débordement d'émotion. Dans la lumière d'avant l'aube, le visage habité de Sasha luit de sueur.

« Teddy, mon ami. Nous sommes associés dans un projet historique. Nous ne ferons rien de violent, de destructeur. Tout ce dont nous rêvions à Berlin nous a été accordé par la providence. Nous allons freiner l'avancée de l'ignorance, rendre à l'humanité entière le service de réveiller les consciences. Sur le balcon, une fois que tu lui as eu signifié ton accord, Dimitri m'a demandé de nommer les étoiles du firmament. "Ici c'est la Grande Ourse, j'ai dit. Là-bas, on distingue tout juste la Voie lactée. Et là, c'est Orion." Dimitri a éclaté de rire. "Ce soir, Sasha, vous avez raison. Mais demain, nous allons dessiner de nouvelles constellations." »

Mundy monte dans sa guimbarde, Sasha passe sur le siège conducteur de l'Audi. Ils roulent un temps en convoi sur la route déserte, puis, à mesure que Sasha le distance, Mundy a l'impression passagère que la voiture devant lui est vide. Mais Sasha revient toujours.

*

Reprenant une fois de plus sa routine quotidienne, Mundy s'efforce de se mettre dans la peau du détenteur d'un ticket de loterie qui peut ou non avoir gagné le gros lot. Si cela arrive, ce sera vrai. Sinon, personne d'autre que moi ne sera déçu. En parallèle, les événements de la longue nuit défilent dans sa mémoire comme les images d'un film qu'il ne peut pas arrêter, qu'il soit en train de souligner les beautés de la cascade italienne dévalant les pentes du Hennenkopf ou d'expliquer à Mustafa, dans la grande tradition du Doktor Mandelbaum, que posséder une autre langue, c'est posséder une autre âme.

Cette femme en fichu au volant de la Jeep, par exemple, elle conduisait sur les chapeaux de roues quand j'ignorais notre destination et comme un chauffeur de corbillard quand je n'en ignorais plus rien. Pourquoi ?

Ou encore les gants. Cette femme en veste de mouton qui cherchait sa clé dans son sac à main sur l'escalier en colimaçon, elle portait des gants. Solides, neufs, jaunâtres, tachetés, bien ajustés, en peau de porc, à grosses coutures. Mme McKechnie avait les mêmes, et je les détestais.

Mais celle qui conduisait la Jeep portait elle aussi une paire de gants neufs à la Mme McKechnie. Et elle avait un regard aussi fuyant que la femme sur le colimaçon, qui a gardé la tête baissée tout le temps de fouiller dans son sac. La chauffeuse de la Jeep, elle, portait un foulard parce que, quand on conduit, on ne peut pas garder la tête baissée.

La même femme, alors ? La même tête, avec ou sans fichu ? Ou juste les mêmes gants ?

Et puis il y a la moquette de Richard. Dans son nid douillet à l'étage, tout était neuf, y compris lui : nouvelle coupe de cheveux, nouveau blazer bleu, nouvelle cravate de steward. Mais la chose la plus neuve, c'était cette moquette épaisse. Si neuve que, quand je me suis levé pour lui serrer la main et que j'ai baissé les yeux, j'ai remarqué des petites peluches à l'emplacement de nos pieds. Et chacun sait qu'on ne passe pas l'aspirateur sur une moquette neuve, on ne peut que la brosser.

Alors, cette moquette avait-elle été achetée en l'honneur de Dimitri ? Ou en notre honneur ? Et qu'en est-il du blazer ?

Neuve ou pas, cette moquette est une énigme à elle seule, songe Mundy en y repensant. Ou du moins, une énigme pour Ted Mundy, le roi du bricolage. De la moquette épaisse dans un vieux chalet avec de superbes planchers ? C'est du vandalisme à l'état pur, demandez donc à Des.

D'accord, c'est une question de goût. Mais cela ne change rien à l'impression que tout dans la pièce, y compris Richard, était sorti du magasin d'exposition le jour même.

Ou plutôt, l'impression que c'était une première, et que, comme toujours, les accessoires et costumes avaient tout juste tenu le temps de la représentation.

Et si ces pinaillages semblent bien triviaux comparés à la splendeur du grand projet de Dimitri, peut-être est-ce parce que je suis en train d'essayer de le réduire à de plus justes proportions. Autrement dit, si je ne crois pas à la moquette, pourquoi devrais-je croire en Dimitri ?

Et pourtant, je crois en Dimitri ! Quand le roi fou Dimitri a bâti son beau château en Espagne, j'y ai cru jusqu'au dernier mot. Devenir son fidèle serviteur contre remboursement de mes dettes, quel contrat en or ! C'est seulement quand il arrête de parler que les doutes remontent à la surface.

Un pas en avant, un pas en arrière, nuit et jour, tandis que Ted Mundy attend de savoir s'il a gagné le jackpot.

*

Et pendant qu'il attend, il observe.

Depuis sa retraite infamante de Heidelberg, il a mis tous les remparts possibles entre lui et son courrier. Quand une adresse s'est révélée nuisible, il en a changé. L'appartement de Munich est inscrit sur liste rouge. A Linderhof, il est plus vulnérable, mais il a pris ses précautions. Les casiers du personnel se trouvant dans les locaux administratifs et la lettre M à mi-hauteur, donc sous la ligne de vision d'un simple passant, il n'y a rien d'anormal à ce qu'un guide touristique diligent, se hâtant d'aller prendre en charge un groupe impatient d'anglophones, néglige d'aller vérifier s'il a du courrier. Il peut s'écouler une semaine au bas mot avant que la tout aussi diligente Frau Klamt sorte de sa guérite pour lui remettre une enveloppe n'augurant rien de bon.

Du jour au lendemain, tout a changé. De défenseur, Mundy est devenu attaquant.

Jusqu'à présent, il observait les entrées et sorties des fourgons postaux comme il aurait consigné les manœuvres de véhicules ennemis. Plus maintenant. A peine une camionnette a-t-elle franchi les grilles du château que Mundy passe la tête par la porte de Frau Klamt pour lui demander s'il y a quelque chose pour lui.

Et c'est ainsi que, huit jours après être redescendu de sa montagne, lors des dix minutes de répit accordées entre ses troisième et quatrième visites de la journée, un Ted Mundy essoufflé apprend qu'il est *invité* à contacter le directeur de sa banque de Heidelberg *à sa convenance* pour fixer un rendez-vous afin de finaliser la ventilation de trois virements télégraphiques d'un montant total de 500 000 dollars américains.

*

La banque a missionné pas moins de trois représentants, ce que Mundy juge assez savoureux, étant donné le nombre de fois où il a dû écouter l'assommant Herr Frinck se plaindre du fait qu'on paie des gens à ne rien faire sinon regarder les autres travailler.

Herr Frinck est assis au centre, flanqué de Brandt et Eisner. Herr Doktor Eisner vient du service Insolvabilité ; Herr Brandt (un simple roturier) est cadre supérieur au Siège. Le Siège aime parfois s'encanailler, dit Frinck – ou plutôt, selon ses propres termes, *s'impliquer pro-activement dans les relations clients*. Mundy a-t-il une objection à sa présence ? Mundy ne pourrait être plus enchanté de la présence de Herr Brandt. Il a l'impression d'être le petit garçon dans le célèbre tableau de William Frederick Yeames, attendant qu'on lui demande quand il a vu son père pour la dernière fois. Le tissu de son costume, qu'il a revêtu pour l'occasion, est trop lourd, et, constate-t-il à sa surprise, il a rétréci : les manches persistent à lui remonter aux coudes. Il se sent mal fagoté dedans, moite et nerveux, comme toujours lorsque l'argent est le seul sujet à l'ordre du jour. Herr Frinck s'enquiert de la santé de *Frau Mundy* avec un sourire tolérant. En accord avec le protocole de la banque, la *lingua franca* du jour est l'anglais. Quand trois banquiers allemands font face à un client anglais indigent, il va sans dire que leur anglais sera meilleur que son allemand.

« Elle se porte comme un charme, je vous remercie, répond chaleureusement Mundy. Enfin, vu son âge, le contraire serait étonnant ! » lance-t-il avec un hennissement.

Ce rappel du fait que le client entretient une compagne aussi jeune que, nul doute, dépensière ne déride ni Herr Frinck ni Herr Doktor Eisner. Herr Brandt du Siège, en revanche, semble trouver cela plutôt chic de sa part. Herr Frinck se plaint de la guerre. Quelle histoire ! se désole-t-il, rajustant ses lunettes sur son nez d'un index boudiné. Les conséquences sont totalement imprévisibles, pff. C'était bien beau pour Berlin de se draper dans sa dignité, mais l'Amérique a clairement dit qu'il y aurait un prix à payer, et maintenant nous attendons l'addition. Mundy déclare que, quel que soit le prix, cela en valait la peine, et se propose quasiment de régler la note lui-même. Ses instincts généreux sont notés d'un air sinistre.

Herr Frinck a dressé la liste des nombreux créanciers de Mundy. Herr Doktor Eisner y a jeté un coup d'œil. Herr Frinck souhaite faire une déclaration, eu égard à l'auguste présence de Herr Brandt du Siège. M. Mundy a fait preuve d'une attitude exemplaire, dans cette affaire. Il aurait pu déposer le bilan, il y avait même été encouragé, mais il s'y est refusé, ce qui est fort louable. A présent, tout le monde, y compris la banque, pourra être remboursé en totalité. Très satisfaisant, commente Herr Frinck. Admirable. Les intérêts pourront être tranquillement récupérés au taux plein, une issue plus que rare dans de telles circonstances.

Herr Doktor Eisner déclare que Herr Mundy est un vrai gentleman anglais. Herr Frinck approuve. M. Mundy affirme que, si tel est le cas, il est le dernier spécimen de l'espèce. La plaisanterie n'est pas goûtée ou pas comprise, sauf par l'auguste Herr Brandt, qui se sent obligé de demander, du ton le plus léger possible, où diable M. Mundy a trouvé tout cet argent.

« Nous avons là trois virements, annonce Herr Brandt, consultant les papiers posés devant lui dans trois chemises en plastique transparent qu'il passe à Mundy pour inspection. 200 000 de l'United Chemical de Guernesey, sur ordre du client. Voilà ! 200 000 du Crédit Lyonnais à Antigua, sur ordre du client. Voilà ! 100 000 du Morgan Guaranty Trust de l'île de Man, également sur ordre du client. De grandes banques dans de petits endroits. Mais qui sont les clients, monsieur Mundy ? »

Bien heureux que Sven, Richard et Angelo l'aient briefé dans cette éventualité, Mundy affiche un sourire désolé et, espère-t-il, convaincant.

« Ne croyez pas que j'aie totale liberté pour répondre à cette question, Herr Brandt. Les négociations en sont à un stade assez délicat, pour ne rien vous cacher.

– Ah, lâche Herr Brandt, déçu, en penchant son auguste tête de côté. Mais quand même un peu ? Officieusement, suggère-t-il à bon escient.

– L'argent est une sorte d'avance. Une mise de départ, explique Mundy en reprenant le terme de Sven.

– En échange de quoi au juste, monsieur Mundy ?

– De la réouverture profitable de l'école. Je mène des pourparlers assez confidentiels avec une fondation internationale. Je ne voulais pas en parler à la banque tant que l'affaire n'était pas conclue ou presque.

– Merveilleux. Bravo. Dans quel domaine cette fondation œuvre-t-elle ? J'avoue que ceci est *tout à fait* passionnant, ajoute Herr

Brandt à l'intention de ses deux collègues, avec l'enthousiasme qui sied à l'homme du Siège rendant visite à ses troupes sur le terrain.

– Eh bien, une de ses actions est la promotion de l'anglais, réplique Mundy, s'inspirant encore de son briefing. L'anglais comme espéranto, en quelque sorte. Doter le monde d'une langue commune pour faciliter la compréhension universelle. Avec de grosses subventions institutionnelles à la clé.

– Excellent, très impressionnant, affirme Herr Brandt, dont le sourire radieux confirme les dires. Et ils ont choisi de relancer votre école dans le cadre de ce projet ?

– Entre autres, oui.

– A quel stade en sont les négociations, si je ne suis pas indiscret ? »

Mundy a conscience d'avoir presque atteint les limites de son briefing. Néanmoins, il n'a pas subi dix ans d'interrogatoires du Professeur, sans compter les mois de dur labeur au Cours de maintien d'Édimbourg, sans acquérir quelques talents.

« Alors voilà..., commence-t-il hardiment. Je dirais, *grosso modo* – on ne peut jamais être sûr de rien, évidemment –, que nous arrivons à peu près en eaux tranquilles. Il ne s'agit pas vraiment d'âpres négociations professionnelles, cela va de soi, mais même une fondation à but non lucratif a ses propres critères à respecter.

– Bien entendu. Et de quels critères parlons-nous, en l'occurrence, si je puis me permettre ? »

Ne jamais hésiter.

« Eh bien, pour commencer, notre quota d'étudiants non européens. S'agissant d'une fondation internationale, naturellement, la diversité ethnique est un de leurs soucis.

– Naturellement. Quoi d'autre, je vous prie ?

– Comme critères ?

– Oui.

– Le programme, bien sûr. Le contenu culturel. Le taux de réussite visé après une période d'enseignement donnée. La performance en général.

– La religion ?

– Pardon ?

– Vous n'êtes pas une organisation chrétienne ?

– Personne ne m'a parlé de religion. Si nous sommes multi-ethniques, je suppose que nous sommes multiconfessionnels. »

Herr Brandt a ouvert un dossier à la volée et se plonge dedans avec une expression de joyeuse confusion.

« Bien, je vais vous dire ce que nous avons fait, d'accord ? propose-t-il à Mundy avec un sourire radieux. Vous nous confiez votre secret, nous vous confions le nôtre, d'accord ? Nous nous sommes livrés à un petit exercice. Ça nous arrive, parfois. Nous avons retracé le parcours d'un des virements, un seul, et ce n'est pas toujours facile, d'accord ? Nous sommes remontés jusqu'à la banque derrière la banque derrière la banque. Ça nous a donné du fil à retordre, mais bon. De Guernesey, nous sommes allés à Paris. De Paris à Athènes. D'Athènes à Beyrouth. Et de Beyrouth à Riyad. Terminus Riyad. Peut-être comprenez-vous mieux pourquoi je vous parle de religion. »

S'ils essaient de vous mettre sur la sellette, sortez vos griffes. La vérité est ce qui est démontrable.

« Je ne doute pas que ces gens ont des comptes en banque dans le monde entier, rétorque sèchement Mundy. Pour autant que je sache, ils ont des mécènes arabes, et alors ?

– Des mécènes arabes qui soutiennent la promotion de l'*anglais* ?

– S'ils cherchent à faire avancer le dialogue international, pourquoi pas ?

– En utilisant des circuits bancaires aussi complexes ?

– Discrétion, sans doute. On ne peut guère le leur reprocher, à une époque où tout musulman est par définition un terroriste, pas vrai ? »

Herr Frinck toussote et Herr Doktor Eisner farfouille ostensiblement dans ses papiers, de peur que Herr Brandt du Siège n'ait oublié que la compagne de M. Mundy est turque. Mais l'auguste sourire de Herr Brandt aplanit tout.

« Et bien sûr, vous avez un contrat, monsieur Mundy, avance-t-il d'un ton dégagé.

– Je vous l'ai déjà dit : nous négocions encore les petits détails, réplique Mundy, à présent au bord de l'indignation.

– Dont acte. Mais, en attendant, vous avez bien un CDD. Même la fondation la plus généreuse au monde ne fournirait jamais autant d'argent à quelqu'un sans le moindre contrat.

– Non.
– Un échange de courriers, alors ?
– Rien de concret que je puisse vous montrer, à ce stade.
– La fondation vous verse-t-elle un salaire ?
– Ils ont compté 50 000 dollars d'emblée pour les charges de personnel, dont 10 000 pour moi, ce qui correspond à deux mois d'avance. Une fois que l'école aura rouvert, ils m'augmenteront de 50 %.
– Vous aurez un logement de fonction ?
– Au bout du compte, quand les bâtiments seront prêts.
– Plus les frais ?
– Sans doute.
– Et une voiture ?
– Un de ces jours, si nécessaire.
– Pas mal, pour un professeur avec votre passif financier. Je vous félicite. Vous êtes visiblement un très bon négociateur, Herr Mundy. »

Soudain, tout le monde est debout. Il y a du pain sur la planche : des chèques à signer, des cautions à lever, des créances à honorer. Le service de Herr Doktor Eisner a tout préparé. En serrant la main de Mundy avec un regard empreint de respect, Herr Brandt tient à lui réitérer sa sincère admiration pour son sens des affaires. C'était juste une enquête du Siège, rien de personnel. De nos jours, les banques passent leur vie dans les tribunaux. Herr Frinck le confirme, ainsi que Herr Doktor Eisner. Parlant en sa qualité d'avocat, Eisner confie à Mundy en l'accompagnant à l'étage qu'il n'a jamais connu d'époque où le secteur bancaire était aussi menacé par des chausse-trappes juridiques.

*

L'école est toujours là. Contrairement au n° 2, The Vale, elle n'a pas disparu, et nul panneau de promoteur ne vante des logements familiaux avec crédit à 90 %. C'est la même fidèle vieille rombière qui le toise, avec ses fenêtres en saillie encadrées de lierre, ses tourelles coiffées d'ardoises, son clocher vide, sa porte d'entrée en ogive aux cabochons tels des boutons de gilet. Il s'avance d'un pas timide, ouvre le cadenas de la grille surmontée d'un petit auvent et remonte lentement l'allée de briques jusqu'aux six marches du perron, sur lequel il s'arrête et se retourne pour s'assurer, s'il en doutait, que la vue féerique est elle aussi intacte : au-delà du fleuve sur la vieille ville avec ses flèches d'églises, puis vers le haut, toujours plus haut, vers le château en ruine tout rouge posé sur le Kaiserstuhl.

Il avait fait un choix stupide, avec cette maison. Il le sait aujourd'hui et le sentait déjà confusément à l'époque. Une école commerciale, perchée sur une colline, avec trois places de parking seulement, du mauvais côté de la ville, pratique pour personne ? D'un autre côté, c'était une belle maison spacieuse. Et une véritable affaire, comme l'eût dit Des, à condition d'être prêt à se retrousser les manches, ce à quoi Mundy était tout prêt, alors qu'Egon préférait s'asseoir dans la serre pour trafiquer les comptes. Le jardin de devant comptait quatre beaux pommiers – d'accord, on n'achète pas une maison parce qu'il y a des pommiers. Mais il y a aussi une petite vigne à l'arrière, et, une fois l'école sur les rails, il produirait son propre château-mundy et en enverrait quelques bouteilles à ce vieux Jake pour mettre en cave.

Et au-dessus de la vigne, le Chemin des philosophes, qu'il distingue entre les pommiers. Et au-dessus du chemin, le Heiligenberg, et certaines des plus belles forêts d'Allemagne pour les promenades – si l'on veut se promener, ce qui n'est certes pas le cas de tous les étudiants adultes.

Et le patrimoine littéraire du lieu, ça compte pour du beurre ? Carl Zuckmayer et Max Weber qui vivaient à deux cents mètres de là, et la rue qui porte le nom de Hölderlin… Que pourrait demander de plus un jeune cadre dynamique à une école de langues, nom d'une pipe ?

Réponse, malheureusement : beaucoup de choses.

*

La clé tourne, et la porte cède sous la poussée de Mundy. Il entre, se retrouve dans les prospectus jusqu'aux chevilles, referme la porte, reste dans la pénombre due au lierre sur les fenêtres et, pour la première fois depuis des mois, s'autorise à se rappeler à quel point il aime cet endroit, à quel point il s'y est investi avant de tout perdre dans une totale impuissance : son argent, son ami de confiance, son rêve de réussir enfin quelque chose.

S'émerveillant de sa propre folie, il se fraie un chemin à travers les décombres de son passé trop récent. Dans le hall central où il se trouve, les élèves s'assemblaient avant les cours pour être répartis dans quatre pièces hautes de plafond en fonction de leur niveau. Le splendide escalier recevait sa lumière de la verrière Art nouveau et, si le soleil brillait quand on traversait le hall, des échardes colorées de vert, de rouge et d'or vous caressaient au passage. Sa vieille salle de classe est vide : bureaux, chaises, portemanteaux, tout est parti, vendu. Mais son écriture reste sur le tableau noir, et il peut presque entendre sa voix en train de lire :

> *En tant que client fidèle de British Rail, nous voudrions vous présenter nos excuses pour la présence inopinée de neige sur les voies.*
> *Question : Qui est le client ?*
> *Question : Quel est le sujet de cette phrase ?*
> *Question : Pourquoi cette phrase est-elle fautive ?*

Il est attiré comme par un aimant à son ancien perchoir dans la fenêtre en saillie : juste la bonne hauteur pour un grand échalas, et un soleil de fin de journée fort plaisant tandis qu'on attend l'arrivée de sa dernière classe.

Fin de la rêverie. Ce n'est pas pour le passé que tu es venu.

*

Dimitri t'a dit que son argent pue. Maintenant, c'est prouvé. Cela fait-il de lui un menteur ?

D'accord, refiler un demi-million de dollars à un prof de langue ruiné n'est peut-être pas une pratique commerciale courante pour un apparatchik du Siège qui s'est assis sur son parapluie. Mais cela pourrait très bien faire partie de la routine quotidienne d'un type qui achète et revend des bateaux avec son argent de poche.

En supposant que Herr Brandt est bien cadre supérieur au Siège, évidemment. Ce regard vif et complice, ce sourire trop prompt pourraient sortir d'un tout autre moule. Plus d'une fois, lors de notre maladroit pas de deux, je me suis demandé si je n'étais pas de nouveau face à la Présence.

Pendant vingt minutes ou plus, Mundy laisse vagabonder ses pensées. Beaucoup le surprennent, mais ce n'est pas une nouveauté. Ainsi, il se trouve étonnamment stoïque face à sa richesse nouvelle. S'il pouvait à cet instant se propulser n'importe où dans le monde d'un coup de baguette magique, il serait au lit avec Zara ou cloîtré dans l'appentis avec Mustafa pour l'aider à finir une maquette branlante du Dôme du Rocher à temps pour l'anniversaire de sa mère.

*

Mundy saute sur ses pieds et fait volte-face. Derrière son oreille droite résonnent des martèlements frénétiques.

Se ressaisissant, il découvre avec bonheur les traits de gnome du vieux Stefan, son ancien jardinier et chauffagiste, qui flottent à quinze centimètres de lui de l'autre côté de la vitre. C'est une fenêtre à guillotine. En un clin d'œil, Mundy en a débloqué la fermeture centrale, s'est penché pour attraper les poignées en cuivre et, dépliant sa grande carcasse, a fait remonter la moitié inférieure de la fenêtre le long des cordes. Il tend la main au vieux Stefan, qui l'attrape et, avec l'agilité d'un gnome moitié moins vieux que lui, entre d'un bond dans la pièce.

S'ensuit une conversation essoufflée à bâtons rompus. Oui, oui, Stefan va bien, sa femme Elli va bien, le *Söhnchen* (son grand gaillard de fils quinquagénaire) va *très bien*, mais où donc était passé Herr Ted, comment va *Jake*, est-il toujours étudiant à Bristol, et pourquoi Herr Ted a-t-il tant *tardé* à revenir alors qu'il nous *manque* à tous, personne ne lui en veut à Heidelberg, nom de Dieu, Herr Egon est *oublié depuis longtemps* !...

Et c'est pendant l'évocation de tous ces détails que Mundy se rend compte que le vieux Stefan ne traînait pas dans le jardin par hasard.

« On vous *attendait*, Herr Ted. On a su il y a deux semaines que vous seriez bientôt là.

– Impossible, Stefan, je l'ignorais moi-même il y a encore dix jours. »

Mais le vieux Stefan se tape le côté du nez avec un doigt tordu pour montrer quel gnome rusé il est.

« Ça fait deux semaines. Deux semaines ! Je l'ai dit à Elli. "Elli,

Herr Ted revient à Heidelberg. Il va rembourser ses dettes comme il l'avait toujours promis, et il reprendra la villa, et il relancera l'école, et je travaillerai pour lui. Tout est arrangé.

– Qui vous a mis au parfum, Stefan ? lance Mundy en gardant un ton détaché.

– Vos entrepreneurs, cette question !

– Quels entrepreneurs ? J'en ai tellement. »

Le vieux Stefan secoue la tête, plisse ses yeux pétillants et fait claquer sa langue en signe d'incrédulité.

« Ceux de votre organisme de crédit, Herr Ted. Ceux qui vous donnent votre prêt, cette question ! De nos jours, tout se sait, c'est bien connu.

– Ils sont déjà passés ? s'étonne Mundy en laissant entendre qu'il les attendait et est peut-être un peu contrarié de les avoir ratés.

– Ben, oui, faire leur expertise ! Je passais par là, j'ai vu des silhouettes derrière la fenêtre, des lumières qui se déplaçaient, et je me suis dit aha ! Herr Ted est de retour. Ou alors il n'est pas de retour et nous avons affaire à des cambrioleurs. Je suis trop vieux pour mourir, alors j'ai frappé à la porte. Un jeune type charmant au sourire sympathique, avec une salopette et une lampe torche à la main. Et derrière, d'autres gars que je n'ai pas vus, peut-être une femme. Elles sont partout, de nos jours. "Nous sommes entrepreneurs, qu'il m'a dit. Ne vous inquiétez pas, nous sommes des gens bien." J'ai demandé : "Pour Herr Ted ? Vous prenez des mesures pour Herr Ted ?" Et il m'a dit : "Non, non, pour l'organisme de crédit. S'il lui accorde son prêt, votre Herr Ted va pouvoir revenir."

– C'était à quelle heure ? demande Mundy tout en entendant les paroles de Kate, le jour où elle est rentrée tôt de l'école et a vu des ombres derrière la fenêtre d'Estelle Road : *Précis dans leurs gestes... ils faisaient des allées et venues entre les deux pièces.*

– C'était le matin. A 8 heures. Il pleuvait. J'étais à vélo, en chemin pour le jardin de Frau Liebknecht. L'après-midi, quand je suis repassé, vers 17 heures comme aujourd'hui, ils étaient encore là. Je suis curieux à un point, moi, c'en est ridicule. Demandez à Elli. Je suis incorrigible. "Qu'est-ce qui vous prend tant de temps ?" que j'ai dit. Et ils m'ont répondu : "C'est une grande maison. Ça va coûter beaucoup d'argent. Et beaucoup d'argent, ça réclame beaucoup de temps." »

*

Il a fait des promenades similaires à Édimbourg. Ça se passait ainsi :

Parfait, Ted, dans une minute, vous allez quitter cette maison et vous rendre à la gare principale. Vous pouvez utiliser n'importe quel moyen de transport public sauf les taxis, parce qu'on ne prend jamais de taxis, vu ? Pas le premier qui se présente, ni le deuxième, ni le troisième, ni le treizième. Pas quand on est sur ses gardes. Une fois à la gare, je veux savoir si on a été suivis et par qui, et je ne veux pas savoir qu'ils savent que vous savez. C'est clair ? Et je vous veux à la gare d'ici une demi-heure parce qu'on a un train à prendre. Alors ne me faites pas la route touristique en passant par le zoo d'Édimbourg.

Il marche et laisse Heidelberg le prendre sous son aile. Débouchant dans l'allée, il jette un regard nonchalant aux voitures et aux fenêtres alentour : ah ! comme j'aime cette petite place avec ses villas arborées et ses jardins secrets ! Il traverse la grand-rue pour descendre jusqu'aux rives du fleuve, et étaient-ce les mêmes tourtereaux qui se faisaient des mamours sur ce banc à mon arrivée ? Il emprunte le vieux pont bombardé en 1945 dans une tentative désespérée pour arrêter la progression de l'armée américaine, mais tout le monde l'a oublié et beaucoup l'ignorent carrément, surtout les écoliers et les groupes de touristes qui y passent pour admirer les péniches et les statues, de même que Mundy quand il se penche par-dessus le parapet, histoire de repérer qui s'arrête derrière lui pour allumer une cigarette, étudier un guide ou prendre une photo. Par cette chaude journée, le quartier piéton de la Hauptstrasse est encombré par les éternelles foules de badauds, si bien que Mundy accélère l'allure comme s'il avait un train à prendre, ce qui est le cas ou presque, et surveille les vitrines pour y apercevoir quelqu'un qui, se souvenant soudain d'un rendez-vous, presserait de même le pas. Alors qu'il maintient son rythme, des vélos le dépassent, peut-être appelés en renfort par ses suiveurs, parce que filer un homme de plus d'un mètre quatre-vingts lancé à plein régime quand on est à pied et moins grand n'est pas une partie de plaisir. Quittant la vieille ville, il pénètre dans le plat pays du ghetto industriel, immeubles gris et cafés en franchise. A son arrivée à la gare, tout ce qu'il peut dire à ses instructeurs édimbourgeois absents, c'est que, s'il a été suivi, il aura reçu un traitement VIP incluant tout, des balayeurs de rue aux satellites en passant par le petit coup de laque à cheveux sur l'épaule qui, pour reprendre les paroles d'un instructeur éloquent, vous fait luire comme une putain de luciole sur leurs petits moniteurs télé à la noix.

Dans la gare, il se dirige vers une cabine publique et, la tête enfoncée dans un genre de séchoir de coiffeur, appelle chez lui. Zara est partie au travail. Elle sera au kebab dans une heure. Il tombe sur Mustafa, qui lui hurle dessus. Et - le - Dôme - du - Rocher - Ted ? Tu - es - très - méchant !

« On mettra les bouchées doubles demain soir », promet-il avant de se lancer dans son petit numéro, disant que oui, oui, il est bien au chaud avec sa petite amie.

Dina, la cousine de Zara, reprend le combiné. Dina, je dois passer la nuit à Heidelberg, j'ai encore un rendez-vous à la banque demain. Tu peux expliquer à Zara, s'il te plaît ? Et tu peux essayer de coucher Mustafa avant minuit, s'il te plaît ? Ne le laisse pas se servir du Dôme comme excuse. Dina, tu es un amour.

Il appelle Linderhof, tombe sur le répondeur, se pince le nez et laisse le message qu'il ne viendra pas travailler demain. La grippe.

*

Le train pour Munich part dans quarante minutes. Mundy achète un journal, s'assoit sur un banc et regarde passer le monde en se demandant si le monde le regarde regarder.

Que fichaient-ils dans l'école toute la journée ? Ils prenaient les mesures pour installer une moquette épaisse ?

Charmant. Jeune. Un sourire sympathique. Une salopette. Une lampe torche à la main. Non, nous sommes juste entrepreneurs.

Le train est un omnibus qui met une éternité et rappelle à Mundy celui de Prague, la fois où lui et Sasha étaient montés dans le fourgon avec leurs bicyclettes. Dans une minuscule gare en plein champ, il descend et recule de deux wagons. Deux gares plus loin, il recule encore. Le temps qu'il arrive à Munich, il reste six passagers à bord, et Mundy débarque bon dernier d'au moins cinquante mètres.

Le parking à étages dispose d'un ascenseur, mais Mundy préfère l'escalier, même s'il pue l'urine. Des hommes en cuir hantent les entresols. Une prostituée noire lui demande 20 euros. Il se rappelle Zara le rejoignant pour le petit déjeuner à la terrasse du café le jour où sa vie a recommencé. *S'il vous plaît, monsieur, vous voudriez coucher avec moi pour de l'argent ?*

Sa Coccinelle Volkswagen est au quatrième étage, dans l'emplacement d'angle où il l'a laissée ce matin. Il en fait le tour, vérifie les portières pour y déceler des traces de doigts ou des endroits propres où elles ont été effacées, et des petites rayures nouvelles sur les serrures. *Bien joué, Ted. On a toujours dit que vous étiez fait pour ça, et c'est le cas.*

Affectant de rechercher une fuite d'essence, il s'accroupit à l'avant puis à l'arrière et tâtonne en quête d'une petite boîte, d'un mouchard ou de tout autre gadget à la mode voici treize ans auquel il peut penser. *Toujours s'employer à cerner sa peur, Ted. Si vous ne savez pas de quoi vous avez peur, vous aurez peur de tout.*

Parfait, je cerne, alors. J'ai peur des banquiers qui ne sont pas banquiers, des blanchisseurs d'argent, des philanthropes milliardaires véreux qui m'envoient un demi-million de dollars dont je me méfie, des riches Arabes qui financent la promotion de l'anglais, des faux entrepreneurs et de mon ombre. J'ai peur pour Zara, pour Mustafa et pour Mo la chienne. Et pour l'amour qui me file toujours entre les doigts.

Il déverrouille la voiture et, comme elle n'explose pas, passe le bras à l'arrière pour en sortir un miteux gilet kaki à rembourrage en kapok et grandes poches de braconnier. Il ôte son veston, enfile le gilet et transfère le contenu de ses poches. La voiture démarre du premier coup.

Pour redescendre sur terre, il doit emprunter un monte-charge diabolique qui lui rappelle le Cercueil d'acier. Pour la moitié du prix officiel payé de la main à la main, un vieux gardien lui ouvre les portes des enfers avec une clé format prison. Émergeant à l'air libre, Mundy prend à droite, puis encore à droite pour éviter de passer devant le kebab de Zara, sachant que, s'il l'aperçoit, il va la faire monter, la ramener à la maison et créer des complications inutiles dans l'esprit de tout le monde y compris le sien.

A un rond-point, il prend la direction du sud. Il surveille ses rétroviseurs mais ne voit rien pour cerner sa peur – d'un autre côté, s'ils sont un tant soit peu professionnels, je ne verrai rien, pas vrai ? Il est minuit. Sous le clair de lune rosé, la route est aussi déserte devant lui que derrière et les étoiles sont de sortie. *Demain, nous allons dessiner de nouvelles constellations.* Dimitri a peut-être pillé le monde dans le but de le sauver, mais il a trouvé le temps entre deux de suivre des cours de ringardise.

Se dirigeant vers le sud sur la route qu'il emprunte chaque jour, il atteint en quarante minutes la première des deux intersections et prend à gauche. Aucune Audi bleue avec Sasha affalé au volant comme un chimpanzé ne le guide, mais il n'en a pas besoin. Malgré le mauvais sens de l'orientation qu'il partage avec Trotski, il connaît son chemin. Sur la route du retour avec Sasha, il a mémorisé le trajet et le suit à présent en sens inverse.

Il dépasse l'aire de repos où il s'était garé pour suivre Sasha sur l'escalier en colimaçon et continue jusqu'au petit sentier courant au pied des montagnes. Son réservoir est aux trois quarts vide, mais cela ne l'empêchera pas d'arriver. Bientôt il traverse la forêt, suivant la même allée trouée de nids-de-poule, même s'ils semblent plus profonds sous la lune plus brillante. Il arrive à la clairière qui lui rappelait celle de Prague, mais, au lieu de s'y engager, il balaie les arbres du regard pour repérer une autre trouée, en voit une un peu plus bas et, éteignant ses phares puis son moteur, roule lentement vers elle, maudissant les brindilles qui se brisent sous ses pneus et les oiseaux qui hurlent au meurtre.

Il enfonce sa voiture sous les sapins jusqu'à sentir le poids des branches sur le toit, se gare et zigzague entre les rochers jusqu'à la rampe d'accès en béton.

Les distances sont réelles, à présent. Il entre au Pays des Méchants et le rat qui couine « territoire ennemi » lui ronge les entrailles. L'étable se dresse devant lui. Sans les phares de l'Audi pour l'éclairer, elle semble plus grande que dans son souvenir : de quoi loger au moins deux Zeppelins. Les portes sont fermées et cadenassées. Il se glisse sur un côté. Contrairement aux entrepreneurs « nuit et jour » de Heidelberg, il n'a ni lampe torche ni assistants.

Il avance à tâtons le long du mur en bois de l'étable et guide ses pas grâce aux soubassements en pierre, guettant une fenêtre ou une fente entre deux planches. En vain. Il trouve une planche disjointe et s'y attaque. Il aurait besoin de sa boîte à outils. C'est Mustafa qui l'a. Il aurait besoin de Des. On est divorcés.

La planche est gauchie. Il la gauchit un peu plus. Elle se tord, se replie sur elle-même et se libère. Il jette un œil par le trou. Des rayons de lune lui montrent ce qu'il veut voir : pas de Jeep rutilante, pas de rangées de belles voitures exposées pour la vente. A la place, trois tracteurs bien pragmatiques, une scie à bois et une pyramide de bottes de foin.

Suis-je à la mauvaise adresse ? Non, mais les occupants ont changé.

Il revient sur le devant de l'étable et emprunte la piste qui mène au mur de la mort. Dans son souvenir, l'ascension en Jeep avait pris dix à douze minutes. A pied, il lui faudra une heure. Il regrette bientôt que cette marche ne dure pas plus longtemps. Il regrette qu'elle ne dure pas toute sa vie, avec Zara et Mustafa, et Jake s'il n'est pas trop occupé, parce que, à ses yeux, rien au monde ne vaut le crapahutage dans une forêt de pins sous la clarté lunaire, avec la brume dans la vallée, l'aube blafarde qui point à peine devant vous, le clapot assourdissant de ruisseaux printaniers, l'odeur de résine qui vous fait monter les larmes aux yeux et les cerfs qui jouent à cache-cache avec vous.

*

Ce n'est pas la même ferme.

La maison où je suis venu était immense et accueillante, avec de gaies lumières aux fenêtres, des géraniums dans les jardinières et de la fumée façon Hansel et Gretel sortant de la cheminée.

Celle-ci est trapue, grise, sinistre, les volets clos, entourée par un périmètre de fil de fer jusque-là invisible, adossée à une paroi rocheuse bleue. Tout en elle (mais surtout les pancartes) dit privé, chiens méchants, interdit, un pas de plus et vous serez poursuivi alors cassez-vous. Si quelqu'un dort dans les chambres à l'étage, c'est fenêtres fermées, rideaux ouverts, et cadenassé de l'extérieur.

Mundy s'en veut de constater que la clôture n'est ni électrifiée ni neuve. Mais il se dit ensuite que même le meilleur élève d'Édimbourg ne peut pas tout remarquer lors d'une première visite éclair, d'autant moins quand il est à bord d'une voiture conduite à toute allure en pleine nuit par une amazone à gants en peau de porc avec Sasha à l'arrière qui lui souffle dans le cou.

Il y a des barbelés tranchants en haut de la clôture et des normaux en bas. Il y a une grille en fer verrouillée, mais à l'intérieur de l'enceinte il y a aussi deux chevreuils qui cherchent désespérément à en sortir.

Donc, ils sont entrés d'une façon ou d'une autre. Peut-être ont-ils sauté par-dessus. Non, impossible, c'est trop haut, même pour eux.

Ce qu'ils ont fait, découvre Mundy en suivant la clôture tout en guettant en vain un signe de vie dans les étables et dépendances, c'est qu'ils sont passés par un espace large d'un mètre cinquante laissé par un tracteur ou un autre véhicule agricole qui, au mépris des pancartes, a aplati la clôture pour entrer et sortir, sauf que les chevreuils ne le retrouvent pas.

Mundy, lui, le trouve et, encore mieux, il découvre, dans son état d'agilité fébrile, une voie d'ascension facile jusqu'à une fenêtre à l'étage *via* un toit d'ardoise en pente douce. Et il a la présence d'esprit, avant d'entreprendre sa varappe, de se munir d'une pierre. C'est de l'ardoise et ça pèse une tonne, mais pour casser une fenêtre il n'y a pas mieux.

*

Pourquoi suis-je venu ?

Pour m'assurer qu'ils sont tous aussi beaux au petit matin qu'en pleine nuit.

Pour revoir une fois l'avertissement caché dans les yeux bleu layette de Dimitri : *Tu l'as bien cherché.*

Pour m'enquérir, de la façon la plus désinvolte possible, de ce qu'ils se croient en train de faire, à ce stade si délicat de notre histoire, à s'amuser avec de l'argent douteux venu de Riyad.

Et ce qui les a conduits à passer une journée à métrer mon école insolvable deux semaines *avant* de me demander si elle est grande.

A supposer que c'était bien pour un métrage, ce que nous ne supposons pas.

Bref, nous sommes ici pour jeter une lumière bienvenue sur une affaire de plus en plus déroutante, mon cher Watson.

Et tout cela pour découvrir qu'il arrive trop tard sur les lieux. La troupe a remballé accessoires et costumes et repris la tournée.

Prochain spectacle : Vienne. Ou Riyad.

*

C'est un précepte éculé, et pas seulement dans le métier d'espion : dis-moi ce que tu jettes et je te dirai qui tu es.

Dans une chambre tout en longueur baignée de lune, six lits de camp, utilisés puis laissés sur place. Pas d'oreillers, de draps ni de couvertures. Apportez votre sac de couchage.

Jonchant le sol autour des lits, le genre de déchets que les riches laissent pour la bonne – c'est pour vous, très chère, ou pour quelqu'un que vous aimez bien.

Un aérosol de déodorant de luxe pour homme, à moitié plein. L'un des mormons ? Un anorak ? Un costume ? Un blazer ?

De la laque unisexe. Richard ?

Une paire d'escarpins italiens finalement jugés peu confortables. Des collants, avec un petit accroc. Un chemisier de soie à col montant accroché dans un placard. La blonde aseptisée ? Son kit de chasteté ?

Trois quarts de litre de bon scotch. Pour Dimitri, à mélanger avec son lait de soja ?

Un pack de six bières Beck, dont deux restantes. Une cartouche entamée de Marlboro Light. Un cendrier plein de mégots. Angelo ? Sven ? Richard ? On aurait pu croire que tous trois avaient juré dans le giron de leur mère de ne jamais toucher à la nicotine ou à l'alcool.

Ou bien est-ce Ted Mundy le fin limier qui traque encore le dahu ? Une nouvelle bande aurait-elle emménagé ici depuis le départ de l'ancienne, serais-je en train de lire dans les mauvaises entrailles ?

*

Mundy avance à tâtons le long d'un couloir, descend quelques marches et atterrit en douceur sur de la moquette. Pas de fenêtres. Effleurant les murs de part et d'autre, il trouve un interrupteur. Les milliardaires philanthropes ne prennent pas la peine de faire couper l'électricité quand ils partent. Il se trouve devant la porte du bureau de Richard. Il entre, s'attendant presque à voir Richard, avec sa nouvelle coupe de cheveux, assis à son bureau flambant neuf, vêtu de son blazer et de sa cravate de steward flambant neufs, mais le bureau est tout ce qu'il reste de lui.

Il ouvre les tiroirs. Vides. Il s'agenouille sur la moquette épaisse et en soulève un coin. Pas de clous, pas d'adhésif double face, pas de fixateur ni de thibaude : juste de la moquette épaisse, coûteuse, découpée à la hâte pour recouvrir les fils.

Quels fils ? Richard n'a ni téléphone ni ordinateur. Il était assis à un bureau complètement dépouillé. Le bout des fils est attaché par de l'adhésif. Mundy remonte les fils sous la moquette jusqu'à une commode peinte sous la fenêtre. Il la tire en avant. Les fils remontent le long du mur, courent sur le rebord et passent par un trou fraîchement percé dans le cadre de la fenêtre.

Pour Mundy le bricolo, c'est un travail de sagouin. Le cadre de fenêtre est en vieux bois fin. Ces enfoirés auraient aussi bien pu tirer une balle en plein dedans. Il ouvre la fenêtre et se penche. Le fil descend le long du mur sur près de deux mètres et rentre dans la maison : ben, tiens ! Pas de cavaliers, évidemment, c'est typique. Laissons-le pendouiller jusqu'à ce que le prochain fœhn l'envoie promener dans la forêt.

Mundy retourne à l'escalier, descend un étage et se dirige vers le salon où le philanthrope et ses acolytes ont accueilli leur dernier novice en date. Les premiers rayons de l'aube brillent aux fenêtres côté vallée. A l'endroit où il a vu Dimitri en survêtement lui fondre dessus, Mundy fait une pause. Dimitri est entré et ressorti par cette porte-ci.

Suivant la même diagonale, Mundy atteint la porte, l'ouvre en grand et pénètre non pas dans une loge de théâtre, mais dans une cuisine vitrée en appentis collée à la façade nord de la maison. Elle fait partie d'une véranda – assurément ce même balcon où Dimitri a invité Sasha à nommer les étoiles visibles ce soir-là.

Les fils venus d'en haut passent par la fenêtre. Cette fois, au lieu de tirer une balle dans le châssis, les sagouins ont cassé une vitre. Le bout des fils est également recouvert de chatterton.

C'est donc là que Dimitri s'est caché après avoir déclamé son grand monologue. C'est là qu'il a retenu son souffle en attendant que je quitte la salle. Ou bien a-t-il fait joujou avec un gadget ingénieux le connectant avec Richard là-haut ? Pourquoi, nom de Dieu ? Pourquoi d'humbles fils dans notre ère de haute technologie ? *Parce que des fils low-tech sont rudement plus sûrs que des transmissions high-tech qui peuvent être interceptées, Ted*, lui répondent les sages d'Édimbourg.

Avec le sentiment de s'incruster trop longtemps, Mundy retourne à l'étage et redescend le toit en ardoise jusqu'à la terre ferme. Il se souvient des chiens méchants et se demande pourquoi ils ne l'ont pas encore mordu, pourquoi ils ont laissé les chevreuils en paix. Peut-être ont-ils décampé avec les autres philanthropes. Arrivé au trou dans la clôture, il essaie sans grande conviction de persuader les chevreuils de l'accompagner, mais ils baissent la tête d'un air de reproche. Peut-être une fois que je serai parti, se dit-il.

*

Des nuages orange balaient le ciel telles des balises lumineuses. Mundy dévale la piste pentue, comptant sur cette dépense physique pour produire une sorte d'illumination. A chaque pas, les voix dans sa tête se font plus insistantes : annule, renvoie l'argent, dis non – mais à qui ? Il a besoin de parler à Sasha, mais n'a aucun moyen de le joindre : *Ma présence est requise immédiatement à Paris... Je suis responsable du catalogue de nos bibliothèques...* D'accord, mais ton numéro de téléphone, c'est quoi, bon sang ? Je n'ai pas demandé.

« Check point », dit-il à haute voix en sentant le rat lui mordre l'abdomen.

Une ligne de gardes-frontières ou de policiers, il ne saurait dire, s'étire en travers de la piste à vingt mètres en contrebas. Il compte neuf hommes, vêtus de pantalons bleu-gris et de vestes noires à passepoil rouge, et devine qu'ils sont autrichiens et non allemands, car il n'a jamais vu de tels uniformes en Allemagne. Leurs fusils le tiennent en joue. Des hommes en civil sont postés derrière eux.

Certaines des armes visent sa tête, d'autres son ventre, toutes braquées sur lui avec la concentration propre à un tireur d'élite. Un haut-parleur lui hurle en allemand de mettre les mains sur la tête *maintenant*. Il s'exécute et aperçoit d'autres hommes à sa gauche et à sa droite, une douzaine de chaque côté. Et il remarque qu'ils ont eu le bon sens de se répartir de façon à éviter d'être dans la ligne de mire s'ils tirent sur lui. Le haut-parleur appartient au groupe devant lui, et sa voix résonne dans toute la vallée comme un écho qui refuse de mourir. Un fort accent bavarois, peut-être autrichien.

« Enlevez les mains de votre tête et tendez les bras en l'air. »

Il obéit.

« Secouez les mains. »

Il les secoue.

« Enlevez votre montre. Laissez-la tomber. Remontez vos manches de chemise. Plus haut. Jusqu'aux épaules. »

Il remonte ses manches le plus haut possible.

« Gardez les mains en l'air et tournez-vous. Encore. Stop. Qu'avez-vous dans votre gilet ?

– Mon passeport et de l'argent.

– Autre chose ?

– Non.

– Rien dessous ?

– Non.

– Pas d'arme ?

– Non.

– Pas de bombe ?

– Non.

– Vous en êtes sûr ?

– Absolument. »

Mundy l'a repéré. C'est celui qui se distingue des huit autres : képi, rangers, pas d'arme mais une paire de jumelles. Chaque fois qu'il parle, il doit baisser les jumelles et lever le micro.

« Avant que vous ôtiez votre gilet, je vais vous dire quelque chose. Vous êtes prêt ?

– Oui.

– Si vous touchez les poches de votre gilet ou si vous passez les mains dedans, nous vous tuerons, compris ?

– Compris.

– Enlevez votre gilet *d'une seule main*. Doucement, doucement. Un mouvement brusque et on vous tire dessus. Ça ne nous pose aucun problème. Nous tuons des gens. Ça ne nous dérange pas. Peut-être que vous tuez des gens aussi, vous ? »

Se servant de sa main gauche et laissant le bras droit tendu en l'air, Mundy attrape la fermeture Éclair à son cou et la descend précautionneusement.

« Parfait. *Maintenant !* »

Il se glisse hors de son gilet et le laisse tomber par terre.

« Remettez les mains sur la tête. Très bien. Maintenant, faites cinq grands pas vers la gauche. Stop. »

Mundy fait cinq pas et voit du coin de l'œil droit un brave jeune gendarme s'approcher de son gilet, le tâter du canon de son fusil, puis le retourner.

« RAS, capitaine ! » déclare-t-il.

Acte suprême de courage, il met son fusil en bandoulière, ramasse le gilet et l'apporte à son chef plus bas sur la pente, où il le lâche à ses pieds comme du gibier mort.

« Enlevez votre chemise. »

Mundy l'enlève. Il ne porte pas de maillot de corps. Zara le trouve trop mince. Mustafa le trouve trop gros.

« Enlevez votre chaussure gauche. *Doucement !* »

Il enlève sa chaussure gauche. Doucement.

« Et la droite. »

Il se baisse pour enlever la droite. Toujours doucement.

« Et les chaussettes. Parfait. Maintenant, cinq pas vers la droite. »

Il est de retour à son point de départ, pieds nus dans les chardons.

« Débouclez votre ceinture. *Doucement !* Posez-la par terre. Déshabillez-vous. Oui, le caleçon aussi. Maintenant, les mains sur la tête. Comment vous appelez-vous ?

– Mundy. Edward Arthur Mundy. Citoyen britannique.

– Date de naissance ? dit le capitaine, tenant le passeport qu'il a dû sortir de la poche du gilet dans la main qui ne tient pas les jumelles, et vérifiant ses réponses au fur et à mesure.

– 15 août 1947.

– Où ça ?

– A Lahore, au Pakistan.

– Pourquoi êtes-vous détenteur d'un passeport britannique si vous êtes né au Pakistan ? »

La question est trop vaste pour un homme nu et sans armes. Quand ma mère a commencé le travail, le soleil était encore indien.

Le temps qu'elle soit morte, il était pakistanais, mais vous ne pourriez pas comprendre.

« Mon père était anglais », répond-il, sans éprouver le besoin d'ajouter : *et ma mère irlandaise*.

Un vieux gendarme à sourcils de père Noël monte la colline vers lui tout en enfilant une paire de gants en caoutchouc. Il est accompagné du brave jeune gendarme, qui tient un pyjama cramoisi.

« Penchez-vous, mon gars, s'il vous plaît, dit doucement le vieux gendarme. Si vous faites le moindre problème, ils nous descendront tous, alors soyez raisonnable. »

La dernière fois que quelqu'un m'a fait ça, c'était peu après mon ralliement au drapeau secret. Kate pensait que j'avais un cancer de la prostate parce que j'urinais trop souvent, mais en fait c'étaient les nerfs. Le vieux gendarme enfonce les doigts si haut dans le cul de Mundy qu'il est pris d'une envie de tousser, mais apparemment sans y trouver ce qu'il cherchait, parce qu'il crie « Nix » au capitaine. La chemise rouge n'a pas de boutons, donc Mundy doit l'enfiler par la tête. Le pantalon est trop grand pour lui, même après avoir tiré la ficelle au maximum.

Deux hommes lui attrapent les bras et les lui maintiennent derrière le dos. Des fers se referment autour de ses chevilles. Un protège-dents lui écarte les mâchoires. Des lunettes noires tombent sur ses yeux. Il voudrait crier, mais ne peut que gargouiller. Il voudrait glisser au sol, mais ne peut pas non plus, parce qu'une douzaine de mains lui font descendre la colline en crabe. Il inhale des gaz d'échappement tandis que d'autres mains le plaquent sur le ventre contre un sol en acier qui vibre entre une guirlande de bouts de chaussures. Il est de retour dans le Cercueil d'acier, direction la gare de triage, mais sans accolade de Sasha en vue. Le sol avance d'un coup, et ses pieds heurtent les portes arrière. Cet acte d'indiscipline lui vaut un coup de pied au-dessus de l'œil gauche qui l'aveugle malgré l'obscurité. Changement de scène : il est Sasha dans le fourgon de la fourrière qui l'emmène déjeuner avec le Professeur, puis de nouveau Ted Mundy, cette fois dans la *grüne Minna*, se faisant conduire au poste de police pour faire une nouvelle déclaration spontanée.

La fourgonnette s'arrête brutalement. Mundy monte une échelle en fer sous les rotors vrombissants d'un hélicoptère invisible. Il est de nouveau à plat sur le sol, cette fois enchaîné au pont. L'hélicoptère décolle. Mundy a la nausée. L'hélicoptère vole pendant un temps indéterminé, puis se pose. Mundy est escorté au bas de marches, sur une piste goudronnée puis à travers une enfilade de portes qui claquent. Il est enchaîné à un siège au centre d'une pièce en brique grise sans fenêtres et avec une porte en acier, mais il lui faut un moment avant de se rendre compte qu'il a recouvré la vue.

Après quoi, selon ses souvenirs ultérieurs, il ne faudra que quelques heures et plusieurs vies avant qu'il soit de nouveau libre, vêtu de ses propres habits, assis dans un fauteuil à fleurs dans un bureau joliment décoré, avec des meubles en bois de rose, des trophées militaires, des photographies de pilotes héroïques agitant la main depuis leur cockpit, et un feu de bois éternellement alimenté au gaz dans la cheminée. D'une main, il tient un cataplasme chaud sur son œil; de l'autre, un grand martini dry. A l'autre bout de la pièce est assis son vieil ami et confident, Orville J. Rourke, appelez-moi Jay, de la Central Intelligence Agency à Langley en Virginie, et bon sang, Ted, vous n'avez pas pris une ride depuis l'époque où on écumait ensemble les bas-fonds de Londres il y a tant d'années.

*

Le retour de Mundy à la vie, maintenant qu'il est en mesure de le reconstituer, s'est fait en trois tableaux.

Il y a eu Mundy le Prisonnier terroriste, enchaîné à un siège, bombardé de questions agressives sur ses faits et gestes par deux jeunes gens et une matrone américains. La matrone ne cessait de lui parler en arabe, sans doute dans l'espoir qu'il se trahisse.

Puis il y a eu Mundy l'Objet d'inquiétude, d'abord pour un jeune médecin, également américain et, à en juger par son comportement, militaire, flanqué d'une ordonnance qui tenait les vêtements de Mundy sur un cintre. Le docteur souhaitait *examiner un peu votre œil, si possible, monsieur*.

L'ordonnance lui donnait aussi du monsieur. « Monsieur, il y a des toilettes juste de l'autre côté du couloir, et un rasoir à votre disposition », a-t-il dit en accrochant les vêtements de Mundy à la poignée de la porte ouverte de la cellule.

Le docteur a annoncé à Mundy qu'il n'avait pas à s'en faire pour son œil. Il fallait juste le laisser un peu au repos. S'il vous fait mal, portez un bandeau. Mundy l'éternel plaisantin a rétorqué merci, il en portait un encore tout récemment.

Et enfin il y a eu Mundy le Magnanime, tenant sa cour dans cette même pièce, se faisant servir café chaud, biscuits et des Camel dont il ne veut pas, recevant les excuses d'inconnus et les assurant qu'il ne leur en tenait pas rigueur, que tout était oublié et pardonné. Et ces jeunes hommes et femmes penauds portaient des noms comme Hank, Jeff, Nan ou Art, et ils tenaient à informer Mundy de ce que le chef des Ops était en chemin depuis Berlin à cette minute et en attendant, eh bien, euh, monsieur, tout ce qu'on peut dire, c'est qu'on est désolés, on n'avait aucune idée de qui vous étiez, et (c'est Art qui parle à présent) *je suis vraiment fier de vous rencontrer, monsieur Mundy, on m'a appris vos hauts faits pendant mon entraînement*, signifiant, supposait Mundy, ses hauts faits d'espion de la guerre froide et non de professeur de langue en faillite ou fidèle serviteur de feu le roi Ludwig. Pour autant, Mundy ne comprend absolument pas comment diable Art a pu associer son nom à un cas classique enseigné à l'école d'entraînement de la CIA, sauf si un Jay Rourke furieux s'est servi dudit nom pour leur mettre le nez dans le gâchis qu'ils avaient fait. Parce que M. Rourke est vraiment furax contre nous, monsieur, et il tient à ce que M. Mundy le sache avant même son arrivée.

« Tout ce qu'on peut dire pour ces gamins, c'est qu'ils obéissaient aux ordres », résume Rourke une heure plus tard en secouant la tête d'un air navré.

Mundy répond qu'il comprend, il comprend. Rourke n'a pas changé non plus, songe-t-il. Ce qui est bien dommage. On ne voit chez les gens que ce que l'on croit déjà savoir, alors Mundy voit le même enfoiré de Boston, rigolo, efflanqué, beau gosse, à l'accent traînant, avec son costume de Dublin, ses derbys à grosse semelle et son charme irlandais naturel.

« C'est bête qu'on n'ait pas eu l'occasion de se dire au revoir, dit Rourke comme s'il ressentait le besoin de se soulager d'un autre poids. Il y a eu une crise qui a éclaté si vite que je n'ai même pas pu aller prendre ma brosse à dents. Et le pire, c'est que je suis totalement infoutu de me souvenir de quoi il s'agissait, Ted. Enfin, un bonjour vaut toujours mieux qu'un au revoir, j'imagine. Même dans les circonstances présentes. »

Mundy imagine de même et boit une gorgée de martini.

« On dit à notre officier de liaison autrichien qu'on est intéressés par une certaine maison – on soupçonne une connexion terroriste, on veut un accès prioritaire à tout individu suspect dans les parages –, et puis je suppose qu'on l'a bien cherché et qu'on doit vivre avec, de nos jours. Une obéissance aveugle de nos amis et alliés, et un mépris total des droits de l'homme des innocents. »

Et toujours ton même baratin séditieux, remarque Mundy.

« Ça vous a plu, la guerre ? demande Rourke.

– J'ai détesté, réplique Mundy, renvoyant la balle aussi fort que le lui permet son état d'épuisement.

– Moi aussi. Vous avez ma parole que l'Agence n'a jamais donné ne serait-ce qu'une once d'encouragement à ces enfoirés d'évangélistes de Washington. »

Mundy affirme qu'il est tout prêt à le croire.

« Ted, on peut arrêter de déconner ?

– Si c'est ce que nous faisons.

– Alors, vous pourriez m'expliquer ce que vous foutiez là-bas à 4 heures du matin, Ted, bon sang, à fureter dans une maison vide qui nous intéresse tout spécialement ? Franchement, entre vous et moi, quand j'ai pris l'avion pour venir ici, je n'ai pas pu m'empêcher de me demander si on n'avait pas eu raison de vous arrêter. »

Chapitre 13

Après mûre réflexion sur la façon dont il allait répondre aux questions de Rourke, Mundy en est arrivé à la conclusion regrettable qu'il doit lui dire la vérité. Il a étudié le problème du point de vue de Sasha et du sien. Il a pris en considération l'exhortation de Sasha à la confidentialité et le contrat à mille dollars de Richard, mais a estimé que, vu les circonstances, aucun des deux ne s'applique. Ce n'est guère qu'au sujet du grand projet de Dimitri et de sa guerre ouverte contre le pouvoir de corruption des multinationales américaines qu'il éprouve une certaine componction à adoucir son histoire. Pour le reste, il se contentera de retomber dans son ancienne tendance à la confession.

Après tout, entre de vieux amis, qu'est-ce qu'un bâtonnet d'encens qui brûle ?

Et Rourke, exactement comme à l'époque d'Eaton Place, l'écoute avec cette tolérance mêlée d'irrévérence vis-à-vis de l'autorité qui a toujours rendu si plaisantes les conversations franches avec lui. Et une fois le récit de Mundy terminé, Rourke reste un long moment immobile, menton dans la main, à regarder devant lui en s'autorisant à peine un léger hochement de tête ou une moue mécontente, avant de se lever de son fauteuil pour arpenter la pièce façon directeur d'école, les mains enfoncées dans les poches de son pantalon en gabardine.

« Ted, avez-vous la moindre *idée* de ce que Sasha a pu faire ces dix dernières années ? demande-t-il, accentuant si fort le mot *idée* que Mundy craint le pire. Les gens avec lesquels il a frayé, les endroits douteux où il s'est retrouvé ?

– Pas vraiment.

– Sasha ne vous a pas dit où il *était allé* ? Avec qui il a *fricoté* ?

– On ne s'est pas beaucoup parlé. Il m'a un peu écrit pendant sa traversée du désert. Rien de très révélateur.

– Sa traversée du désert ? L'expression est de lui ?

– Non, de moi.

– Dans l'appartement sûr au bord du lac, il vous a dit que Dimitri était un grand homme respectable ?

– Il l'apprécie beaucoup.

– Et après toutes ces années de séparation, vous n'avez décelé aucun *changement* en lui, aucune transformation, vous n'avez pas eu l'impression qu'il a évolué, pris ses distances avec vous, ne serait-ce que de façon intangible ?

– C'est toujours le même bonhomme curieux, à ce que je peux en juger, s'empêtre Mundy, qui commence à ne pas apprécier le tour que prend la conversation.

– Sasha vous a-t-il donné la *moindre* indication sur ses sentiments par rapport au 11 septembre, par exemple ?

– Il a trouvé que c'était un acte ignoble.

– Même pas une réflexion style "ils l'ont bien cherché" ?

– Rien de ce genre, étonnamment.

– Étonnamment ?

– Eh bien, vu comment il déblatérait sur l'Amérique dans le temps et les trucs dont il a été témoin pendant ses pérégrinations, ça ne m'aurait pas franchement surpris qu'il dise : "Bien fait pour ces enfoirés."

– Mais il ne l'a pas dit ?

– Bien au contraire.

– Et c'était dans une lettre ?

– Oui.

– Une lettre isolée, consacrée à ce sujet ?

– Une parmi d'autres.

– Écrite quand ?

– Deux jours après les attentats. Peut-être le lendemain. Je n'ai pas fait attention.

– Où ça ?

– Sans doute au Sri Lanka. Il faisait des vacations de conférencier à Kandy.

– Et vous l'avez trouvée convaincante, cette lettre ? Vous n'avez pas eu l'impression qu'elle avait été…

– Été quoi ?

– Écrite pour la galerie, disons, avance Rourke avec un de ses haussements d'épaules distingués. Au cas où son pote Teddy aurait l'idée de la remettre à l'un de ses contacts du Renseignement britannique.

– Non, je n'ai pas eu cette impression, s'agace Mundy, s'adressant au dos de Rourke et attendant en vain qu'il se retourne.

– Ted, quand vous étiez à Berlin avec Sasha il y a des lustres, est-ce qu'il avait des opinions explicites sur *l'action directe* ?

– Il était fermement contre. A cent pour cent.

– Il s'en justifiait ?

– Bien sûr. La violence fait le jeu des réactionnaires. Elle est contre-productive. Il l'a répété et re-répété des dizaines de fois.

– Pragmatique, donc. La violence ne marche pas, alors essayons autre chose. Si elle avait marché, il l'aurait adoptée.

– Vous pouvez appeler ça du pragmatisme. Vous pouvez appeler ça de la morale. C'était un précepte absolu, chez lui. S'il avait cru aux bombes, il aurait lancé des bombes. C'est le genre. Il n'y croyait pas, donc les lanceurs de bombes ont récupéré le mouvement protestataire, et il a fait l'erreur de sa vie en passant le Mur dans le mauvais sens. »

Mundy se récrie trop et il en a conscience, mais les insinuations de Rourke ont déclenché en lui des sonnettes d'alarme dont il doit couvrir le vacarme.

« Alors, si je vous disais qu'il a passé *un autre* mur, vous seriez vraiment surpris ? demande Rourke nonchalamment.

– Ça dépend de quel mur on parle.

– Non, et vous le savez très bien, Ted Mundy, dit-il encore plus nonchalamment. On parle de suivre la voie du mal. On parle d'un infirme névrosé qui doit jouer dans le Super Bowl pour se faire valoir, ajoute-t-il en ouvrant les mains pour en appeler à l'éternel feu de cheminée. *C'est moi Sasha, le fondamentaliste. Adoptez-moi ! Je détourne le cours des fleuves et je déplace les montagnes. Je m'agenouille devant les grands philosophes et je transforme leurs paroles en actes.* Vous savez qui est Dimitri, quand il n'est pas Dimitri ?

– Non, je l'ignore, avoue Mundy en se triturant le visage. Qui est-il ? »

Rourke s'est approché au point de pouvoir poser les mains sur les accoudoirs du fauteuil de Mundy, se pencher vers lui et le dévisager d'un air pénétré seyant au secret qu'il s'apprête à révéler.

« Ted, ce que je vais vous dire n'est même pas officieux. L'avion que j'ai pris pour venir, il était vide. Je n'ai jamais quitté mon putain de bureau à Berlin, et j'ai six témoins prêts à en jurer. Dimitri vous a-t-il dit qu'il était un artiste de l'invisible ?

– Oui.

– Je préférerais encore traquer Lucifer. Il n'utilise jamais de téléphones, il ne touche pas à un portable, oublions les ordinateurs, les mails, les machines à écrire électroniques, la poste normale, tout ! lance-t-il, ce qui rappelle à Mundy les fils low-tech de la ferme. Il ferait 8 000 kilomètres rien que pour aller murmurer à l'oreille d'un type paumé en plein Sahara. S'il vous envoie une carte postale, regardez la photo, parce que c'est là que le message se trouve. Il vit grand train ou chichement, il s'en balance. Il ne dort jamais deux nuits de suite dans le même lit. Il va louer une maison *via* un prête-nom, à Vienne, à Paris, en Toscane ou dans les montagnes, il s'installe, il fait comme s'il allait y passer le restant de ses jours, et le lendemain soir il est assis dans une grotte au fin fond de la Turquie.

– Au service de quoi ?

– De la bombe comme valeur marchande. Il a fourni des bombes aux anarchistes espagnols en lutte contre Franco, aux Basques en lutte contre les Espagnols et aux Brigades rouges en lutte contre les communistes italiens. Il a traité avec les Tupamaros et les cinquante-sept variétés de Palestiniens, et il a joué sur les deux tableaux en Irlande. Je peux vous rapporter son message actuel à l'intention de la Vieille Europe ? Vous allez adorer. »

En attendant la chute de l'histoire, Mundy songe que Rourke prend un malin plaisir à faire contraster l'obscénité de la vie avec sa propre élégance. Plus les faits sont ignobles, plus son comportement est royal. Comme pour le prouver, il a regagné son fauteuil, allongé les jambes et s'est accordé une autre petite gorgée de martini dry.

« Il dit : “Mes amis, le temps est venu pour nous autres, anti-européens, d'arrêter de jouer les âmes sensibles. Si on se montrait un peu solidaires des auteurs de l'acte anticapitaliste le plus sensationnel depuis l'invention de la poudre, pour changer ? Si on tendait la main de l'amitié à nos frères et sœurs d'armes du monde entier, au lieu de maugréer contre leur léger blocage côté démocratie ? Ne sommes-nous pas tous unis dans notre haine de l'ennemi commun ? Ces types d'Al-Qaïda ont réussi presque tout ce dont rêvait Mikhaïl Bakounine. Si les antifascistes ne peuvent pas accepter la diversité humaine dans leurs rangs, où allons-nous ?" conclut-il en reposant son verre, puis en souriant à Mundy quand il capte son regard. Voilà qui est Dimitri, Ted. Quand il est lui-même et pas Dimitri, bien sûr. Voilà qui est la nouvelle éminence grise de Sasha. Alors passons à ma question suivante, Ted : qui est Ted Mundy dans cette équation ?

– Vous savez foutrement bien qui je suis, explose Mundy. Vous avez passé des mois à renifler mes sous-vêtements, nom de Dieu !

– Allons, Ted ! C'est du passé, ça. Aujourd'hui, c'est tir à balles réelles. Vous êtes avec nous ou contre nous ? »

*

C'est à présent le tour de Mundy d'arpenter la pièce pour calmer sa mauvaise humeur.

« Je ne comprends toujours pas ce que cherche Dimitri, se plaint-il.

– A vous de me le dire, Ted. Nous savons tout, mais nous ne savons que dalle. Il est en contact avec des gens qui sont en contact avec des groupes anarchistes du circuit européen. La belle affaire. Il flirte avec les plus éminents professeurs européens d'études anti-américaines. Il fait tout un foin sur le Grand Mensonge qu'il faut dénoncer. Il a ses courtisans, dont il exige qu'ils portent l'habit de l'ennemi. C'est un de ses vieux dadas : les fascistes y réfléchissent à deux fois avant de trouer un beau costume. Il vous l'a déjà faite, celle-là ?

– Non.

– C'est trop drôle, annonce Rourke en se carrant dans son siège le temps d'une petite digression. Un jour où il portait un complet à 700 dollars, il s'est retrouvé en pleine fusillade avec la police grecque. C'était sur une place centrale d'Athènes, et le voilà à court de munitions, un flingue vide à la main, et il voit un tireur d'élite embusqué sur un toit le prendre pour cible. Alors il a mis son chapeau mou et il a quitté la place avant que le type trouve le courage de tirer une balle dans son costume à 700 dollars. Vous êtes sûr qu'il ne vous l'a pas racontée ?

– Où trouve-t-il son argent ? demande Mundy en regardant par la fenêtre dépolie.

– A droite, à gauche. Des petits paquets qui lui arrivent de partout, jamais deux fois les mêmes. Ça nous tarabuste, cet argent à gogo. Cette fois-ci, c'était le Moyen-Orient, le coup d'avant l'Amérique du Sud. Qui le lui donne ? Pour quoi faire ? A quoi il lui sert, bordel ? Le monde entier qui se mettrait à dire la vérité, du jour au lendemain ? J'y crois, tiens. Il se fait vieux. Il bat le rappel de tous les gens qui lui doivent un service. Pourquoi ? Qu'est-ce qu'il cherche, au bout du compte ? Nous pensons qu'il veut tirer sa révérence avec un grand feu d'artifice.

– Quel genre de feu d'artifice ?

– Vous en connaissez beaucoup de genres ? Heidelberg, c'est l'endroit où l'Allemagne rencontre l'Amérique. La jolie ville qu'on n'a pas bombardée en 45 pour que l'Amérique ait un endroit où installer son quartier général une fois la guerre finie. Un lieu que Mark Twain adorait, un lieu où l'Amérique a commencé son existence post-hitlérienne et antisoviétique. Il y a le US Mark Twain Village, le US Patrick Henry Village, des milliers de soldats américains cantonnés là, le QG de l'armée américaine en Europe, pas mal d'autres centres de commandement. En 72, la bande à Baader a tué des GIs et détruit au bazooka la voiture officielle d'un général américain de l'OTAN – ils ont bien failli l'avoir, le général. Si on veut faire voler en éclats la relation entre l'Amérique et l'Allemagne, Heidelberg n'est pas un mauvais endroit pour faire passer son message. Vous aimez cette ville ?

– Je l'adore.

– Alors peut-être voudrez-vous nous aider à la sauver. »

Mundy a arrêté son opinion sur Rourke. Il y a en lui quelque chose de fondamentalement pur, scandaleusement virginal. Les discours que Mundy a d'abord crus dictés par une longue expérience sont juste ceux d'un enfant gâté qui jamais n'a connu de passage à tabac, traversé des frontières dangereuses, croupi dans les cellules de l'Hôtel blanc, ni été amarré au plancher d'un hélicoptère, ficelé comme un boudin. Il incarne ainsi la caractéristique la plus déplaisante de nos deux leaders occidentaux et de leurs porte-parole, selon Mundy : une foi mystique en eux-mêmes qui transcende allègrement les réalités de la souffrance humaine.

Il sort de sa torpeur pour se rendre compte que Rourke est en train de le recruter. Pas désespérément comme Sasha, ni discrètement comme Amory, ni ouvertement comme le Professeur, et sans rien de la flamme messianique de Dimitri. Mais néanmoins avec éloquence.

« Vous faites ce que vous avez déjà fait par le passé, Ted. Vous devenez notre homme. Vous prétendez être le leur. Vous restez à bord. Vous attendez. Vous observez et vous écoutez. Vous êtes gentil avec Sasha et Dimitri et quiconque entre dans votre vie. Et vous découvrez ce qu'ils foutent, tous autant qu'ils sont.

– Peut-être que Sasha n'en sait rien.

– Oh il *sait*, Ted. Sasha est un traître, rappelez-vous.

– Pour qui ?

– N'a-t-il pas espionné les siens ? A moins que vous n'ayez un mot plus choisi pour le dire. Son père n'a-t-il pas retourné deux fois sa veste ? Ça fait quelques années que Sasha est quelqu'un de très en vue pour nous, Ted. Les gens comme ça, on les garde à l'œil. Même quand ils traversent le désert en quête d'un nouveau dieu pour ranimer la flamme dans leurs yeux, dit-il avant de ménager une pause pour permettre à Mundy de le contredire, mais en vain. Et quand vous aurez attendu, vous attendrez encore. Parce que c'est comme ça que ça se joue, ce jeu : en y participant jusqu'au bout, jusqu'à l'instant magique où l'agent spécial Ted Mundy saute sur la table en agitant son badge et aboie : “OK, les copains, on a eu du bon temps, mais maintenant c'est rideau. Alors lâchez vos armes et les mains en l'air, parce que vous êtes cernés.” Vous avez une question à me poser, Ted.

– Quelles sont mes garanties ?

– Si ça se termine comme nous le pensons, vous et les vôtres bénéficierez de tout le programme de protection des témoins : déménagement, des millions en liquide, la maison à votre nom, répond Rourke avec son sourire le plus affable. Et reconversion, sauf que pour vous c'est un peu tard. Vous voulez des chiffres ?

– Je vous crois sur parole.

– Vous allez sauver des vies. Peut-être beaucoup de vies. Vous voulez du temps pour y réfléchir ? Je compte jusqu'à dix.

– Il y a une autre option ?

– J'ai beau essayer, me creuser les méninges, sonder mon cœur, je n'en vois pas, Ted. Vous pourriez aller voir la police allemande. Ils pourraient vous aider. Ils l'ont déjà fait. Vous l'expatrié anglais, l'ex-anar berlinois maqué avec une ex-prostituée turque. Je les vois d'ici se mettre en quatre pour vous. »

Mundy parle-t-il ? Sans doute pas.

« Si vous voulez mon avis, en gros, la police allemande vous remettrait direct aux barbouzes allemands, qui vous refileraient à nous. Je ne crois pas que quiconque vous laisse en paix, Ted. Ce n'est pas notre genre, dans ce métier. Vous êtes tout bonnement irrésistible. J'entends un oui ? fait-il en tendant l'oreille. Je perçois un hochement de tête ? »

Apparemment, oui. Mais distant, parce que l'esprit de Mundy, ou ce qu'il en reste, est très loin, à Paris, avec Sasha et ses collègues universitaires du comité de la bibliothèque. *Nous sommes inséparables, Teddy. Telle est ma conviction. Nous avons survécu ensemble… Tu m'as sauvé jadis. Accorde-moi au moins une chance d'être la route vers ton salut.*

*

Mundy attend.

Et après avoir attendu, il attend encore.

Pendant son attente, rien n'arrive en même temps, tout est linéaire. Il attend à Linderhof et chez lui. Il attend l'enveloppe portant les pattes de mouche familières de Sasha, il attend la voix rauque de Sasha au téléphone.

Il va passer une journée à Heidelberg, six heures de train aller et retour, pour parler aux nettoyeurs, aux peintres et aux décorateurs, mais aucun message de Sasha ne l'accueille, et, quand il rentre chez lui à minuit, il découvre que Zara avait séché pour rentrer de bonne heure.

Elle sait qu'il sait quelque chose qu'il ne lui dit pas. La nuit qu'il a passée à Heidelberg a éveillé ses soupçons. Elle ne croit pas au deuxième rendez-vous avec les banquiers le lendemain matin. Et puis, cet œil au beurre noir qu'il a.

C'était juste une planche d'échafaudage, lui répète-t-il. Je marchais dans une rue étroite quand cette planche m'a sauté dessus et m'a filé un coup dans l'œil. C'est la rançon de ma grande taille. J'aurais dû regarder où j'allais.

Qu'est-ce qu'ils te veulent, ces banquiers auxquels je ne crois pas ? demande-t-elle. Évite-les. Ils sont pires que la police.

Il essaie de lui expliquer vaguement ce qu'ils veulent. Ce sont des gens bien, l'assure-t-il. Ils essaient de m'aider. Ils m'avancent de l'argent, et, si j'arrive à relancer l'école, ils pourraient même m'en laisser la direction, comme avant. De toute façon, ça vaut le coup d'essayer.

L'allemand de Zara est au mieux basique, le turc de Mundy inexistant. Ils arrivent à échanger des faits, et si nécessaire ils sollicitent Mustafa, toujours fier de jouer les interprètes. Mais pour les sentiments, ils en sont réduits à lire le visage, les yeux et le corps de l'autre. Ce que Zara lit en lui, à juste titre, c'est la dérobade. Ce que Mundy lit en elle, c'est la peur.

Le lendemain matin, à Linderhof, il fait une incursion dans la remise et déterre les mille dollars de Richard. Le même soir, au bord du désespoir, il les verse au dentiste pour payer enfin la réparation des dents cassées de Zara. Mais quand il montre le reçu à Zara, elle retombe dans sa sinistrose après un instant de joie. Par l'intermédiaire de Mustafa, elle l'accuse d'avoir volé l'argent. Il faut à Mundy tout son talent pour la détromper. J'ai touché une *prime*, Zara. En remerciement de toutes les visites supplémentaires que j'ai assurées pendant les congés des collègues. Un genre de pourboire. Pour un menteur expérimenté, il s'en sort très mal, et quand il tend le bras vers elle dans le lit, elle s'éloigne. *Tu ne m'aimes plus*, dit-elle. Le lendemain, Mustafa le taquine sur sa petite amie fictive une fois de trop. Mundy lui répond durement et s'en veut. Pour se faire excuser, il s'échine sur son Dôme du Rocher et commande le nouvel ordinateur dont il rêve.

Rourke appelle chaque jour son nouvel agent sur son portable rouillé à 12 h 30 précises, pendant sa pause déjeuner. Après son recrutement, Rourke a eu beau s'évertuer à le persuader d'accepter le tout dernier modèle de l'Agence, un portable super-sûr qui fait le café en prime, Mundy a refusé tout net. Je suis le dernier dinosaure du métier d'espion, Jay. Désolé. Il a lu, même s'il n'en dit rien, qu'entre de mauvaises mains les téléphones cellulaires peuvent faire sauter la tête de quelqu'un. Comme à son habitude, Rourke attaque direct, sans *Salut, Ted* ni *Ici Jay*.

« Michael et ses amis ont à peu près fini leurs devoirs, annonce Rourke en référence à Sasha. Il pourrait se pointer par chez vous d'ici à deux jours. »

Alors on attend. On attend Michael.

Deux jours deviennent quatre jours. Rourke dit relax, Michael a rencontré de vieux amis par hasard.

Le cinquième jour, en passant devant les locaux administratifs, Mundy remarque une enveloppe blanche libellée à son nom sur une machine électronique. Cachet de la poste : Vienne. La lettre est écrite sur du papier tout simple. Datée mais non signée. Pas d'adresse d'expéditeur. Le texte est en anglais.

> *Cher monsieur Mundy,*
> *Un important chargement de livres arrivera à votre école mercredi 11 juin entre 17 et 19 heures. Veuillez vous libérer pour le réceptionner. Notre représentant sera sur place.*

Pas de réponse attendue, pas de réponse possible. Rourke dit relax, ce sera Michael le représentant.

*

Debout de profil devant la fenêtre en saillie du premier étage de l'école de Heidelberg, regardant les grilles d'entrée en fer au bout de l'allée de briques, Mundy éprouve un profond sentiment de soulagement. Ses actes sont enfin en accord avec ses pensées. Il est à l'endroit où son esprit se trouvait depuis deux semaines. *Michael est en chemin*, a confirmé Rourke sur le portable. *Le train de Michael a un peu de retard, il devrait être avec vous dans une demi-heure*. Les bulletins virtuels de Rourke sont railleurs et impérieux. Mundy les déteste. Il porte une vieille veste en cuir et un pantalon de velours côtelé – rien de ce qu'il a porté ou ôté pendant sa captivité. Il suppose qu'il est sous surveillance constante mais n'a nul désir d'être un microphone vivant. Bientôt 17 h 20. Le dernier ouvrier est parti voici dix minutes. Ces types de la Contre-Université, ils pensent à tout.

Durant ses jours d'attente, Mundy a examiné sa situation délicate sous toutes les coutures sans atteindre aucune conclusion. Comme l'aurait dit le Doktor Mandelbaum, il a rassemblé l'information, mais *quid* de la connaissance ? Motivé par l'arrivée imminente de Sasha, il passe une nouvelle fois en revue les possibilités, en commençant par la plus séduisante.

Rourke et son Agence se trompent et me trompent. Dans la grande tradition de leur métier, ils prennent leurs cauchemars pour une prophétie qui s'accomplit. Dimitri a un passé douteux, il l'admet lui-même, mais il s'est réformé et ses nobles intentions sont bien celles qu'il décrit.

En faveur de l'argument ci-dessus : Rourke est ce même imbécile qui a passé quatre mois à essayer de prouver que Sasha et Mundy travaillaient pour le Kremlin.

Contre l'argument ci-dessus : la nature insaisissable du cirque de Dimitri, son argent suspect, l'improbabilité de son grand projet et son soutien prétendu à une alliance entre euro-anarchistes et fondamentalistes islamistes.

Rourke et son Agence ont raison, Dimitri est mauvais, voire très mauvais, mais Sasha est sa dupe innocente.

En faveur de l'argument ci-dessus : la naïveté de Sasha est amplement attestée. Il est intelligent et fin, mais, dès qu'on en appelle à ses idéaux, il abandonne ses facultés critiques par ailleurs bien développées et devient débile.

Contre l'argument ci-dessus : malheureusement, pas grand-chose.

Dimitri est aussi mauvais que le dit Rourke, et, selon les termes des sages d'Édimbourg, Sasha est son complice consentant et conscient. Dimitri et Sasha me mènent en bateau parce qu'ils veulent récupérer mon école à leurs fins infâmes.

En faveur : pendant ses treize ans de traversée du désert, Sasha a été le témoin privilégié du viol de la terre et de la destruction des cultures autochtones par l'industrialisation occidentale. Il a subi une rude humiliation personnelle et a fréquenté des gens peu recommandables. En théorie, autant de bonnes raisons pour que Sasha emprunte ce que Rourke appelle la voie du mal.

Contre : Sasha ne m'a jamais menti de sa vie.

Mundy a supporté tels des enfants bagarreurs tous ces arguments en suspens pendant chaque heure de veille des quinze derniers jours, pendant ses promenades avec Mo, pendant qu'il s'activait à aider Mustafa avec son Dôme ou à calmer les appréhensions de Zara, pendant qu'il trimballait ses anglophones dans le château de Ludwig le fou. Et ils lui encombrent toujours la tête maintenant, tandis qu'il regarde la camionnette blanche anonyme se garer devant la grille.

Personne n'en sort. Comme Mundy, les hommes attendent. L'un a le nez dans un livre. L'autre parle dans son téléphone portable. A Dimitri ? A Richard ? Ou à Rourke ? La camionnette est immatriculée à Vienne. Mundy en prend bonne note. *Vous êtes un vrai fakir de la mémorisation, Ted,* le flatte un instructeur d'Édimbourg. *J'avoue ne pas comprendre comment vous faites.* C'est simple, vieux, je n'ai rien d'autre dans la tête. Une élégante limousine Mercedes passe dans la rue. Femme noire au volant, homme blanc sur le siège du passager, drapeau de la municipalité flottant sur l'aile, motard de la police en éclaireur. Une huile de la mairie habite un peu plus loin dans la rue. La limousine est suivie par un humble taxi break, propriété d'un certain Werner Knau, selon l'inscription en lettres d'or gothiques. Une portière arrière s'ouvre, la tennis gauche de Sasha en émerge, puis toute la jambe. Des doigts de pianiste se referment sur le montant de la portière. Soudain, l'homme entier s'est extirpé du véhicule, et sa serviette du Parti après lui. Il se tient debout, mais, contrairement à Mundy, n'a pas à tâter ses poches pour savoir dans laquelle se trouve son argent. Il a un porte-monnaie, et il compte méthodiquement les pièces en les faisant passer d'une paume dans l'autre, comme jadis à Berlin, Weimar, Prague, Gdansk ou toute autre ville où l'Est rencontre l'Ouest dans un esprit de paix, d'amitié et de coopération. Il paie la course et échange quelques mots avec les hommes dans la camionnette tout en pointant un index impérieux vers l'allée de briques.

Quittant son poste d'observation, Mundy descend à sa rencontre. C'est de nouveau notre premier jour, songe-t-il. Je l'embrasse, à la Judas ? Ou je lui serre la main, à l'allemande ? Ou je ne fais rien, à l'anglaise ?

Il ouvre la porte d'entrée. Sasha clopine vers lui d'un pas joyeux sur l'allée. Le soleil de fin d'après-midi éclaire un côté de son visage. Mundy est debout sur le perron, dominant Sasha d'un mètre. Celui-ci lâche sa mallette et lance les bras en avant pour étreindre le monde entier et non simplement Mundy.

« Teddy, mon Dieu ! s'écrie-t-il. Ta maison, cet endroit – c'est fantastique ! Maintenant, Heidelberg est célèbre pour trois raisons : Martin Luther, Max Weber et Teddy Mundy ! Tu peux passer la nuit à Heidelberg ? On peut bavarder, boire, s'amuser ? Tu as le temps ?

– Et toi ?

– Demain, je vais à Hambourg m'entretenir en tête à tête avec d'éminents universitaires. Ce soir, je suis un étudiant insouciant de Heidelberg. Je vais me saouler, te provoquer en duel, chanter *Wer soll das bezahlen* et finir dans les cellules pour étudiants, dit-il, la main sur l'épaule de Mundy dans le but de s'en servir comme d'une canne, mais plongeant d'abord dans sa mallette. Tiens, c'est pour toi. Un cadeau venu de Paris la décadente. Tu n'es pas le seul à toucher un bon salaire, ces temps-ci. On a un frigo ? On a du courant ? Je suis sûr qu'on a tout ce qu'il faut. »

Il fourre dans les mains de Mundy une bouteille de champagne millésimé, le meilleur sur le marché. Mais Sasha n'a cure des remerciements de Mundy. Il le dépasse pour entrer dans le hall et faire sa première inspection de leur nouveau domaine, tandis que Mundy se maudit pour les sombres soupçons que Rourke lui a instillés dans la tête.

*

D'abord, il faut faire halte dans le hall, le temps que Sasha se repaisse du plafond à moulures, de l'escalier monumental et des portes incurvées en acajou disposées en rotonde qui mènent aux salles de classe. Et Mundy de constater que les losanges colorés projetés par la superbe verrière Art nouveau le transforment en Arlequin joyeux.

Peu à peu ils avancent (à l'évidence par attraction magnétique, car Mundy ne lui a pas indiqué le chemin, mais peut-être les sinistres entrepreneurs l'avaient-ils fait) jusqu'à l'ancienne bibliothèque, un temps divisée par des cloisons mais à présent rendue à sa gloire passée, avec des tasseaux neufs pour étagères modulables déjà fixés au mur. Épaules en arrière, tête schillérienne pivotant pour s'extasier, Sasha atteint par étapes l'autre bout de la pièce et déverrouille une porte en verre dépoli donnant sur une cour pavée.

« Bonté divine, Teddy ! Moi qui te croyais super pro pour ce genre de choses ! On peut récupérer tout cet espace pour notre bibliothèque ! On ajoute un toit en verrière, deux piliers en acier, et on case mille volumes de plus. Agrandir maintenant, c'est facile, mais après ce sera un cauchemar.

– Objection numéro un : les livres n'aiment pas le verre. Objection numéro deux : tu te trouves dans la future cuisine. »

A chaque étage, la satisfaction de Sasha va croissant. Le dernier étage lui plaît tout particulièrement.

« Tu te proposes d'habiter ici, Teddy ? Avec ta famille, à ce qu'on m'a dit ? »

Qui t'a dit ça ? se demande Mundy.

« Peut-être. C'est une possibilité. On y réfléchit.

– C'est absolument nécessaire que tu résides sur place ?

– Sans doute pas. Il faut voir comment marche le projet.

– Je te trouve un peu égocentrique, le tance Sasha avec sa voix du Parti. Si on abat les cloisons, on peut faire un dortoir et loger vingt pauvres étudiants au bas mot. On l'a fait à Berlin, pourquoi pas ici ? Il est important que tu ne donnes pas la fausse impression que tu es le propriétaire des lieux. Dimitri tient absolument à ce que l'on ne présente pas l'apparence d'une structure autoritaire. On doit marquer un *contraste* par rapport à l'université, pas l'imiter. »

Eh bien, espérons que les murs ont entendu ça aussi, songe Mundy. Des cris dans la cage d'escalier lui évitent de répondre. Les livreurs ont apporté leur chargement par chariot élévateur jusqu'à la porte d'entrée et souhaitent savoir où le déposer.

« Eh bien, dans la bibliothèque, quelle question ! crie gaiement Sasha du haut de l'escalier. Où d'autre mettre des livres, bon sang ? Qu'ils sont bêtes, ceux-là. »

Mais Mundy et le chef d'équipe ont déjà décidé que le meilleur endroit pour les livres est le hall d'entrée : faire une pyramide au centre et la recouvrir de housses jusqu'à ce que la bibliothèque soit terminée. D'âge respectable, les livreurs portent des blouses blanches qui leur donnent plus l'air d'arbitres de cricket que de déménageurs, aux yeux de Mundy. Sans se laisser abattre, Sasha se lance dans une longue description de la marchandise.

« Tu verras à l'inspection qu'une pochette plastique est scotchée au couvercle de chaque caisse, Teddy. Elle contient une liste des titres rangés à l'intérieur et les initiales de la personne qui les a emballés. Les volumes sont rassemblés par ordre alphabétique d'auteur. Chaque caisse est numérotée dans l'ordre où il faudra les ouvrir. Tu m'écoutes, Teddy ? Des fois, je m'inquiète pour tes capacités de concentration.

– J'ai compris le principe.

– Au final, ça donne un fonds de catalogue de quatre mille volumes. Les livres susceptibles d'être très demandés sont fournis en plusieurs exemplaires. Il va de soi qu'aucune caisse ne doit être ouverte tant que les travaux ne sont pas terminés. Si on range les livres trop tôt sur les étagères, ils amasseront la poussière et devront être époussetés un par un, ce qui occasionnera une grande perte de temps et d'argent. »

Mundy promet d'y veiller tout spécialement. Tandis que les livreurs apportent les caisses dans le hall, il entraîne Sasha au jardin, où il ne peut causer aucun dégât, et le fait asseoir sur une ancienne balancelle.

« Alors, qu'est-ce qui t'a retenu à Paris ? demande-t-il d'un ton dégagé, songeant que, quoi que ce fût, ça n'avait pas atteint sa haute estime de lui-même.

– Pour tout dire, j'ai été verni, Teddy, annonce Sasha, ravi de la question. Une certaine dame dont j'avais apprécié la compagnie à Beyrouth se trouvait de passage en ville, et nous avons pu avoir ce que les diplomates appellent, je crois, un échange de vues franc et complet.

– Au lit ?

– Teddy, tu es bien indélicat, proteste-t-il avec un sourire satisfait.

– Qu'est-ce qu'elle fait, dans la vie ?

– Elle travaillait dans l'humanitaire, et maintenant elle est pigiste.

– Tendance radicale ?

– Tendance vérité.

– Libanaise ?

– Non, française.

– Elle travaille pour Dimitri ? »

Sasha rentre le menton en signe de désapprobation.

Donc oui, elle travaille pour Dimitri, songe Mundy.

Au même instant, ils entendent démarrer le moteur de la camionnette. Mundy saute sur ses pieds, mais trop tard. Les arbitres sont repartis, sans rien leur faire signer ni attendre de pourboire.

*

Sasha est enchanté de la bonne idée de Teddy. Après ses acrobaties parisiennes, une sortie est juste ce qu'il lui faut. C'est ce qu'il faut aussi à Mundy, mais pour des raisons différentes. Il veut les bois près de Prague le jour où tu m'as dit que le Herr Pastor était un espion de la Stasi. Il veut l'intimité bucolique et l'atmosphère de confessions mutuelles. Il a emprunté des bicyclettes au vieux Stefan. La petite, celle de Stefan, est pour Sasha, et la grande, qui appartient à son grand gaillard de fils, pour Mundy. Il a acheté du saucisson, des œufs durs, des tomates, du fromage, du poulet froid, du *Pumpernickel* qu'il déteste et que Sasha adore, du whisky et une bouteille de bourgogne pour aider à délier la langue de Sasha autant que la sienne. D'un commun accord, ils ont décidé de garder le champagne pour le jour de l'inauguration.

« Mais sais-tu même où nous allons, mon Dieu ? demande Sasha d'un air faussement inquiet en démarrant.

– Évidemment, imbécile. Qu'est-ce que tu crois que j'ai fichu de la journée ? »

Dois-je provoquer une dispute ? Lui crier dessus ? Mundy n'a jamais conduit d'interrogatoire auparavant, et les amis font assurément de mauvais cobayes. Pense à Édimbourg, se dit-il. *Les meilleurs interrogatoires sont ceux dont le suspect n'a même pas conscience.* Il a choisi un endroit isolé à quelques kilomètres en dehors de la ville. Contrairement à Prague, il n'y a pas de hamacs où s'installer, mais c'est un endroit tranquille et verdoyant sur la berge du fleuve, impossible à surveiller d'en haut. Il y a un banc, et des saules qui caressent l'eau vive et pure du Neckar.

*

En parfaite maman, Mundy sert le vin et installe le pique-nique. Délaissant le banc, Sasha est allongé sur le dos, sa mauvaise jambe croisée sur la bonne. Il a déboutonné sa chemise pour exposer son torse maigrichon au soleil. Sur le fleuve, des rameurs acharnés luttent contre le courant à la force des bras.

« Alors, qu'as-tu fait à Paris, hormis choisir des livres et coucher avec des journalistes ? attaque Mundy.

– Disons que j'ai battu le rappel des troupes, Teddy, réplique évasivement Sasha. Ta Zara t'a encore battu ? s'enquiert-il, l'œil au beurre noir de Mundy n'ayant pas encore totalement disparu.

– De jeunes troupes ? Des vieilles ? Des gens que tu as connus dans des vies antérieures ? Quel genre de troupes ?

– Nos conférenciers, tiens. Nos conférenciers et intellectuels invités. Qu'est-ce que tu croyais ? Les meilleurs esprits incorruptibles dans toutes les disciplines majeures.

– Où les déniches-tu ?

– En principe, dans le monde entier. En pratique, dans la prétendue Vieille Europe. C'est la préférence de Dimitri.

– En Russie ?

– On essaie. Tout pays qui n'était pas membre de la Coalition tient une place de choix dans les sélections de Dimitri. En Russie, hélas, il est difficile de recruter dans la gauche non compromise.

– Alors les conférenciers ont été choisis par Dimitri, pas par toi ?

– Ça se fait par consensus. On avance certains noms (en toute immodestie, j'en avance un bon nombre), on se met d'accord sur une liste, et on la soumet à Dimitri.

– Il y a des Arabes, sur cette liste ?

– Ça viendra. Pas dans l'immédiat, mais dans un deuxième ou troisième temps. Dimitri est un général-né. On se fixe un objectif limité, on l'atteint, on se regroupe et on marche sur le prochain objectif.

– Il était avec toi à Paris ?

– Teddy, il me semble que tu es un peu indiscret, là.

– Pourquoi ?

– Pardon ? »

Mundy hésite. Une péniche vogue devant eux, du linge battant au vent sous le soleil de fin d'après-midi. Une voiture de sport verte est amarrée sur le pont avant.

« Eh bien, tu ne trouves pas que ça devient un peu débile, tous ces secrets sur qui fait quoi ? suggère maladroitement Mundy. Je veux dire, on n'est pas en train de fomenter un putsch, quand même. On crée un forum.

– Tu n'es guère réaliste, Teddy, pour changer. Les institutions éducatives occidentales qui rejettent les tabous actuels sont par définition subversives. Va dire aux nouveaux zélotes de Washington que la fondation d'Israël constitue un crime monstrueux, ils te traiteront d'antisémite. Dis-leur que le jardin d'Éden n'a jamais existé, ils te traiteront de dangereux cynique. Dis-leur que Dieu est une invention de l'homme pour compenser son ignorance scientifique, ils te traiteront de communiste. Tu sais ce qu'a dit le penseur américain Dresden James ?

– Euh, non.

– "Quand un paquet de mensonges bien ficelé a été vendu aux masses au fil des générations, la vérité leur semblera absurde et celui qui la dit un fou furieux." Dimitri fera accrocher cette citation dans le hall de toutes nos facultés. Il avait pensé baptiser le projet l'Université des Fous furieux. La prudence l'a retenu. »

Mundy tend une cuisse de poulet à Sasha, mais celui-ci, allongé sur le dos, a les yeux clos, si bien que Mundy la lui agite sous le nez jusqu'à ce qu'il sourie et ouvre les yeux. Que ce soit à Berlin, à Weimar ou dans tout autre de leurs lieux de rendez-vous, il n'a jamais vu un tel contentement sur le visage de son ami.

« Tu vas la revoir ? demande-t-il histoire de relancer la conversation.

– C'est incertain, Teddy. Elle arrive à un âge dangereux, elle a fait montre de signes d'attachement très clairs. »

Rien de neuf sous le soleil, constate Mundy avec une pointe d'amertume, se rappelant fugitivement Judith. Il réessaie.

« Sasha, pendant ton grand safari, pendant toutes ces années perdues où tu m'écrivais…

– Pas perdues, Teddy. Ce sont mes *Lehrjahre*, mes années d'apprentissage. En vue d'aujourd'hui.

– Pendant toutes ces années, est-ce que tu t'es retrouvé à… »

Il allait dire *fricoter avec*, mais c'était l'expression de Rourke.

« Est-ce que tu as côtoyé des extrémistes ? reprend-il. Des gens qui prônaient la lutte armée à tous crins. Le terrorisme, si tu préfères.

– Souvent.

– Tu as été influencé, persuadé par eux ?

– Que veux-tu dire ?

– On en a souvent parlé, dans le temps. Toi et moi. Judith. Karen. C'était le grand truc, au Club républicain. Jusqu'où peut-on aller ? L'action spectacle, tout ça. Quel prix est un prix raisonnable et dans quelles circonstances ? Quand les armes peuvent-elles légitimement commencer à parler ? Tu disais qu'Ulrike et sa bande donnaient une mauvaise réputation à l'anarchisme. Je me demandais si tout cela avait changé dans ton esprit.

– Tu souhaites mon opinion sur le sujet, *ici, maintenant,* alors qu'on boit cet excellent bourgogne ? Teddy, je te trouve un rien teuton, d'un coup.

– Moi, non.

– Si j'étais un Palestinien habitant la Cisjordanie ou Gaza, je flinguerais à vue tous les soldats d'occupation israéliens. Mais je suis un piètre tireur et je n'ai pas d'arme, alors mes chances de succès seraient minimes. Un acte de violence prémédité contre des civils sans armes n'est en aucun cas admissible. Le fait que vous et vos maîtres américains lâchiez des bombes à fragmentation prohibées et d'autres armes immondes sur une population irakienne sans défense composée d'enfants à 60 % n'altère en rien ma position. C'est ça que tu me demandes ?

– Oui.

– *Pourquoi ?* »

L'interrogatoire semble s'être retourné contre lui. C'est Sasha, et non Mundy, qui réfrène sa colère, Sasha qui est assis tout raide sur l'herbe, le foudroyant du regard, exigeant une réponse.

« Il m'a juste traversé l'esprit qu'on avait peut-être des objectifs différents, c'est tout.

– Différents comment ? De quoi tu parles, Teddy ?

– De savoir si toi et Dimitri entendez faire plus que juste *dénoncer* le mensonge dominant, ou peut-être le dénoncer par d'autres moyens.

– Comme quoi ?

– Frapper un grand coup. Envoyer un message aux forces vives de l'anti-américanisme, dit-il avant de se trouver réduit cette fois à utiliser les mots de Rourke qui lui reviennent en mémoire. Tendre la main de l'amitié aux auteurs de l'acte d'anticapitalisme le plus sensationnel depuis l'invention de la poudre. »

Pendant un moment, Sasha semble ne pas en croire ses oreilles. Il penche la tête d'un air perplexe, affiche sa moue du Parti. Ses petites mains tendues devant lui en un geste imposant le silence, il consulte les objets alentour pour y voir plus clair : la bouteille de bourgogne presque vide, les œufs durs, le fromage, le *Pumpernickel*. Alors seulement lève-t-il ses yeux marron foncé, dont Mundy constate avec inquiétude qu'ils sont mouillés de larmes.

« Teddy, à qui tu as parlé, putain ?

– J'ai raison, Sasha ?

– Tu as tellement tort que ça me rend malade. Va jouer les Anglais. Mène tes propres guerres de merde. »

S'étant relevé, Sasha reboutonne sa chemise. Il respire à grand-peine. Il doit avoir un ulcère ou autre horreur du genre. C'est reparti pour l'hôtel Dreesen, songe Mundy tandis que Sasha cherche sa veste des yeux. Le même satané fleuve qui s'écoule, le même fossé infranchissable entre nous. Dans une minute, il va partir au galop sur fond de soleil couchant et me laisser planté là comme l'imbécile insensible que j'ai toujours été.

« C'est à cause de ma putain de banque, Sasha, plaide-t-il. Pour l'amour de Dieu, rassieds-toi, bois un coup et arrête de jouer les reines de tragédie. On a un problème, et j'ai besoin de ton aide. »

Ce qui était la stratégie prévue s'il ne lui arrachait pas la confession larmoyante escomptée.

*

Sasha s'est rassis, mais il a relevé les genoux et croisé les mains dessus, et ses jointures sont blanches sous la pression. La mâchoire crispée comme lorsqu'il parlait du Herr Pastor, il refuse de quitter des yeux le visage de Mundy quoi que fasse ce dernier. Nourriture et vin ont perdu tout intérêt. Tout ce qui lui importe, ce sont les mots de Mundy et son visage lorsqu'il les prononce. Examen qui serait presque insupportable à Mundy s'il n'avait été entraîné à la dure et n'avait passé des années à mentir éhontément au Professeur et à ses acolytes.

« Ma banque digère mal la provenance de l'argent, geint Mundy, se passant le poignet sur le front tant il est agité. Ils ont toutes ces règles sur les sommes d'argent inattendues, ces temps-ci. Tout ce qui dépasse 5 000 euros déclenche le signal d'alarme, dit-il, se rapprochant de la fiction, mais s'appuyant sur des faits. Ils ont remonté les virements à la source et ils n'aiment pas ce qu'ils ont trouvé. Ils envisagent d'en parler aux autorités.

– Quelles autorités ?

– Les autorités habituelles, je suppose. Comment le saurais-je ? dit-il avant de tordre encore un peu la vérité, qui va rendre l'âme dans une minute. Il y avait un type en plus à la réunion. Soi-disant du Siège. Il n'arrêtait pas de me demander qui était à l'origine des virements. Comme s'ils étaient criminels. J'ai dit ce que les assistants de Dimitri m'avaient dit de dire, mais ça ne lui a pas suffi. Il se plaignait sans cesse du fait que je n'avais rien à leur montrer, pas de contrat, pas de correspondance. Je ne pouvais même pas lui dire le nom de mon bienfaiteur. Juste un demi-million de dollars arrivant d'endroits assez bizarres et recyclés *via* des banques avec pignon sur rue.

– Teddy, c'est de la provocation fasciste à pleins tubes. Tu as été si longtemps à la merci de ces enfoirés qu'ils ne supportent pas l'idée de te laisser leur échapper. Je te trouve un peu naïf, là.

– Et il m'a aussi demandé si j'avais jamais eu des rapports avec des anarchistes. Ou des sympathisants. Il parlait d'euro-anarchistes. Du genre Fraction Armée rouge ou Brigades rouges, précise-t-il, laissant le temps à cette désinformation de produire son effet, mais en vain, car Sasha le dévisage du même regard direct interloqué qu'il a adopté à l'instant où Mundy s'est embarqué sur cette voie.

– Et toi, qu'est-ce que tu as dit ?

– Je lui ai demandé quel était le rapport avec la choucroute.

– Et eux ?

– Ils m'ont demandé pourquoi j'avais été expulsé de Berlin.

– Et toi ? »

Mundy voudrait dire à Sasha d'arrêter de le relancer et de se contenter d'écouter. J'essaie de t'inquiéter, nom de Dieu, de te faire sortir de ta coquille, de t'arracher un aveu, et toi, tu me fusilles du regard comme si c'était moi le méchant dans cette histoire, et toi l'innocent tout blanc.

« J'ai dit que j'avais eu une période rebelle dans ma jeunesse, comme tout le monde, mais que je ne voyais pas en quoi cela avait un rapport avec mon statut actuel vis-à-vis de la banque, ou mon droit à recevoir de l'argent d'un fonds respectable, dit-il avant de s'empêtrer plus avant. Ils ne m'ont pas lâché depuis. Ils m'ont donné tout un tas de formulaires à remplir, et hier j'ai reçu un appel d'une femme qui s'est présentée comme la Directrice du service enquêtes de la banque, et qui m'a demandé si je pouvais lui fournir les noms de trois personnes qui se porteraient garantes de mes activités ces dix dernières années. Sasha, écoute-moi, s'il te plaît… »

Il retourne les armes de Sasha contre lui : yeux écarquillés, mains ouvertes, l'implorant comme l'avait fait Sasha quand il le suppliait de l'accompagner au sommet de la montagne.

« Il n'y a vraiment rien d'autre que tu puisses me dire sur Dimitri ? Même son vrai nom, déjà, ça aiderait un peu, nom de Dieu. Quelques trucs sur son passé, rien de honteux, évidemment. Une idée de qui il est, de comment il a fait sa fortune, d'où il vient politiquement ? Je suis sur la sellette, Sasha, ajoute-t-il pour faire bonne mesure. Ils ne vont pas me lâcher, avec ça. »

Mundy est debout et Sasha, accroupi comme un mendiant, lève toujours vers lui des yeux emplis non pas de peur, de culpabilité ou de larmes, mais de pitié pour un ami.

« Teddy, je crois que tu as raison. Tu dois te retirer du coup avant qu'il soit trop tard.

– Pourquoi ?

– Je te l'ai demandé avant qu'on aille rencontrer Dimitri et je te le redemande maintenant : crois-tu vraiment à ta propre rhétorique ? Es-tu vraiment prêt à remonter sur les barricades intellectuelles ? Ou es-tu comme les jeunes fifres qui marchent au combat – au premier coup de feu, ils veulent rentrer chez eux ?

– Tant que les barricades restent intellectuelles et rien d'autre. Qu'est-ce que je dis à la banque ?

– Rien. Déchire leurs formulaires, ne prends plus leurs appels. Laisse-les délirer dans leur coin. Tu reçois de l'argent d'une œuvre caritative arabe, et quand tu étais encore un enfant imberbe tu as donné dans le militantisme à Berlin. C'est déjà bien assez pour leurs petits esprits pervers. Tu es de toute évidence un euroterroriste à sympathies pro-islamistes. Ils ont évoqué ton amitié avec Sasha, l'agitateur de racaille notoire ?

– Non.

– Je suis déçu. Je m'attendais à un traitement de star dans leur scénario à la noix. Allez, viens, Teddy, dit-il, s'affairant à ramasser la nourriture pour la ranger dans les boîtes en plastique. Assez de frictions. On retourne à ta superbe école, on se biture, on dort dans le grenier comme dans le temps. Et demain matin, avant mon départ pour Hambourg, tu me dis si tu veux que je trouve quelqu'un pour te remplacer, ça ne pose pas de problème. Ou peut-être qu'entre-temps notre courage sera revenu, d'accord ? »

Et sur le *d'accord*, il passe le bras autour des épaules de Mundy pour lui remonter le moral.

*

Ils pédalent côte à côte comme ils ont appris à le faire : Mundy en pédale douce, Sasha à son rythme maladroit. La rosée du soir tombe. Le fleuve coule à leur côté, le château rouge les observe d'un œil noir dans la lumière déclinante.

« Tu sais quel est leur problème, à ces banquiers, leur perversion, même ? halète Sasha en se rapprochant dangereusement de Mundy et en redressant juste à temps.

– La cupidité.

– Pire, bien pire.

– Le pouvoir.

– Pire encore que le pouvoir. Ils essaient de nous mettre tous dans le même sac. Progressistes, socialistes, trotskistes, communistes, anarchistes, antimondialistes, pacifistes : on est tous des *Sympis*, des rouges. On déteste tous les juifs et l'Amérique, et on idolâtre tous Oussama en secret. Tu sais de quoi ils rêvent, tes banquiers ?

– De sexe.

– Non, d'un superflic qui entrera un jour dans les locaux du mouvement antimondialiste à Berlin, Paris, Londres, Madrid ou Milan et trouvera une grosse boîte d'anthrax étiquetée *De la part de tous vos bons amis d'Al-Qaïda*. La gauche progressiste sera démasquée comme ayant toujours été un ramassis de sales fascistes, la petite bourgeoisie européenne ira supplier à genoux le grand frère américain de venir à son secours, et la Bourse de Francfort montera de cinq cents points. J'ai soif. »

Arrêt aux stands le temps qu'ils finissent le bourgogne et que Sasha laisse ses poumons récupérer.

*

Du grenier de l'école, si l'on se tient dans le renfoncement de la lucarne, on peut voir l'aube de ce début d'été s'infiltrer sur les murs du château rouge, la rivière et les ponts jusqu'à ce que tout Heidelberg ait été conquis sans coup férir.

Si Mundy, par nature, ne peut s'empêcher d'être levé tôt pour s'activer, Sasha le loir est profondément endormi sur la pile de coussins, de couvertures et de housses que Mundy lui a confectionnée une fois leurs différends noyés dans une deuxième bouteille de bourgogne. La mallette du Parti est posée aux pieds de Sasha, à côté de son jean et de ses baskets. Sa tête repose sur un oreiller sous lequel il a passé un de ses bras grêles, et, si Mundy le connaissait moins, il pourrait le craindre mort tant sa respiration est légère. Sur le sol près de lui, le réveil de Mundy, mis pour 10 heures à sa demande, et un petit mot de Mundy : *Salut, je suis rentré à Munich, embrasse Hambourg pour moi, on se verra à l'église*. Et en P. S. : *Désolé d'avoir été si con.*

Ses chaussures à la main, il descend sur la pointe des pieds le grand escalier, traverse le hall jusqu'à la porte d'entrée et part d'un bon pas pour la vieille ville. Il est 8 h 30. Les pièges à touristes de la Hauptstrasse ont encore une heure de sommeil devant eux, mais telle n'est pas la destination de Mundy. Dans une rue transversale de verre et de béton voisine de la gare se trouve une agence de voyages turque qu'il a repérée lors de ses déambulations. Elle semble ouverte en permanence, et c'est en effet le cas maintenant. Avec de l'argent retiré dans un distributeur grâce à sa nouvelle carte bancaire, il achète deux allers et retours Munich-Ankara pour Zara et Mustafa et, après un moment de réflexion, un troisième pour lui-même.

Les billets en poche, il enfile une rue animée jusqu'à n'être plus que le seul piéton une fois arrivé en lisière de campagne. Un chemin pavé traversant un champ de blé l'amène à un centre commercial où il trouve ce qu'il cherche : une rangée de cabines publiques ouvertes. Il a 30 euros de monnaie en poche. Il compose l'indicatif de l'Angleterre, puis celui de Londres centre, puis de Dieu sait où, parce que de sa vie il n'a jamais composé une suite aussi improbable ni aussi longue de numéros.

Ça, c'est la hotline quand Edward est dans le pétrin, lui dit calmement Nick Amory pendant un déjeuner d'adieu à son club, en lui tendant une carte avec un numéro à mémoriser. *Sifflez et j'accours, mais ne me dérangez pas pour rien.*

Stylo-plume à la main, il attend la sonnerie, bientôt interrompue par une voix de femme enregistrée disant : *Laissez votre message maintenant.* Avec son stylo, il tapote sur le combiné : ça c'est qui je suis, ça c'est qui je cherche à joindre, parce que pourquoi se trahir à la moitié du monde en utilisant sa propre voix ?

La femme exige des réponses binaires.

Votre problème est-il urgent ?

Toc.

Peut-il attendre vingt-quatre heures ?

Toc.

Quarante-huit heures ?

Toc.

Soixante-douze heures ?

Toc toc.

Veuillez sélectionner l'une des options suivantes. Si le rendez-vous que vous sollicitez peut se tenir sans danger à votre dernier domicile connu, appuyez sur 5.

Le temps qu'elle en ait fini, il est si épuisé qu'il doit s'asseoir sur un banc pour récupérer. Un prêtre catholique le regarde en se demandant s'il doit lui proposer ses services.

Chapitre 14

A bord du train qui le ramenait à Munich, Mundy a béni la sœur cadette bien-aimée de Zara, dont le mariage est prévu la semaine prochaine dans son village natal. Il s'est également rappelé que le jour de congé de Zara tombe demain et que Mustafa rentrera déjeuner à la maison puisque c'est un jeudi.

Le vol charter part dans deux jours à l'aube. A la gare principale de Munich, Mundy déniche une maroquinerie, où il achète une nouvelle valise (une verte, la couleur préférée de Zara), et, dans un grand magasin voisin, une robe longue grise avec foulard assorti qu'elle convoite depuis longtemps, selon sa cousine Dina, mère de Kamal. Depuis qu'elle vit avec Mundy, Zara se couvre de la tête aux pieds en signe de son retour à la tradition, mais aussi de sa fierté d'appartenir tout entière à Mundy. Pour Mustafa, également sur les conseils de Dina, Mundy achète un blouson bleu pétrole et un pantalon blanc comme Kamal, les deux garçons faisant la même taille. Il s'est aussi assuré que Dina s'occupera de la chienne Mo pendant le séjour.

Il passe ensuite au kebab de Zara. A 11 heures du matin, les affaires marchent au ralenti. Le gérant, un homme replet coiffé d'une calotte, est d'abord déconcerté par la vue de Mundy fondant sur lui avec une valise verte. Zara a-t-elle à se plaindre du traitement qui lui est réservé ? s'enquiert-il avec inquiétude derrière le rempart de son comptoir. Non, dit Mundy, pas du tout. Depuis que vous avez appris à ne plus avoir les mains baladeuses, elle est ravie de son travail, pourrait-il ajouter, mais il se retient. Le gérant insiste pour lui offrir un café, et pourquoi pas une part de gâteau au chocolat ? Mundy accepte le café, refuse le gâteau et propose un accord : un mois de congé sans solde pour Zara avec effet immédiat, et

Mundy subventionnera son remplacement temporaire à hauteur de 500 euros. Ils topent à 700.

D'une cabine publique, il appelle le médecin turc de Zara. Je me fais du souci pour Mustafa, lui dit-il. L'adolescence semble lui peser. Il marche bien à l'école, il ne sèche pas les cours, mais il est devenu solitaire, il dort dix heures par jour et il a le teint brouillé. « Ah, le crépuscule de la puberté », fait le médecin d'un air entendu. Alors, voilà ce que Mundy se demandait, docteur : si je trouve de quoi payer à Mustafa et sa mère un voyage en Turquie à l'occasion d'une grande fête familiale, est-ce que vous pourriez vous débrouiller pour lui fournir un certificat médical qui satisfera son école ?

Le brave médecin pense pouvoir s'arranger avec sa conscience.

Mundy appelle Linderhof et se fait encore porter pâle sous un prétexte fallacieux. Il est mal reçu, ce qui le contrarie, mais il ne voit pas d'autre solution. De retour à la maison, il laisse Zara dormir jusqu'à ce que Mustafa rentre de l'école, puis l'emmène par la main dans le minuscule salon où il a tout mis en scène. La douceur de sa paume l'étonnera toujours. Il a placé la photographie de sa sœur cadette en évidence sur le buffet, et la valise verte par terre devant avec la nouvelle robe et le foulard drapés sur un coin. Mustafa porte son blouson neuf. Les dents de devant de Zara sont réparées, mais, prise d'une certaine appréhension, elle passe la langue dessus pour s'assurer qu'elles sont bien là.

Mundy a déposé les billets côte à côte sur la table, ainsi que la décharge écrite en turc par le gérant du kebab. Zara s'assied comme une sage écolière sur la chaise du milieu, les bras le long du corps. Elle regarde les billets, puis Mundy. Elle lit la lettre de son employeur turc, et, impassible, la repose sur la table. Elle prend le billet le plus proche, qui se trouve être le sien. Elle l'étudie d'un air sévère, et son visage s'éclaire seulement quand elle constate qu'elle peut revenir dans trois semaines. Elle jette les bras autour de la taille de Mundy et colle son front sur sa hanche.

Mundy a un dernier atout à abattre : son propre billet, qui l'emmène en Turquie pour la dernière semaine de leur séjour et le ramène sur le même avion qu'eux. Le bonheur de Zara est total. L'après-midi, ils font passionnément l'amour et Zara pleure de honte à l'idée qu'elle ait pu douter de lui. La honte de Mundy est d'un autre ordre, mais atténuée par la certitude que Zara et Mustafa seront bientôt hors de danger.

En les conduisant à l'aéroport de Munich au petit matin, il s'inquiète du brouillard au sol, mais celui-ci se lève le temps qu'ils arrivent, et rares sont les retards annoncés. Dans la queue pour l'embarquement, Zara garde les yeux baissés et s'accroche si fort à Mundy qu'il a l'impression d'être son père et de l'envoyer contre son gré en pension. Mustafa lui tient l'autre bras et ils échangent des plaisanteries pour remonter le moral de Zara.

Au comptoir surgissent des difficultés posées par le chariot plein de cadeaux que Zara a achetés sur ses économies pour ses sœurs, frères et cousins. On trouve un conteneur, on remballe certains paquets. La diversion est bienvenue. Mundy a une dernière vision de Zara avant que se referment sur elle les portes du hall des départs. Elle est pliée en deux comme Rani sur le bord de la route, peinant à respirer sur ses bras croisés, et Mustafa essaie de la consoler.

*

Seul avec ses pensées sur l'Autobahn en direction du nord, isolé par un déluge de pluie, Mundy est ramené au moment présent par la sonnerie de son portable. Ce con de Rourke, suppose-t-il en le collant à son oreille, se préparant à être cassant quand, à sa stupéfaction, il entend Amory, en clair, sur une ligne non brouillée, qui lui parle comme si aucun d'eux n'avait le moindre souci au monde.

« Edward, très cher. Je vous ai tiré de votre sommeil ? demande-t-il, sachant très bien que non. J'ai reçu votre message, et bien sûr je serais ravi, dit-il du ton détaché d'un vieil ami de passage en ville. Aujourd'hui, ça vous irait ? »

Mundy envisage de lui demander où il se trouve, mais n'en voit pas l'utilité puisque Amory refuserait de le lui dire.

« C'est parfait, répond-il. A quelle heure ?

– Disons, vers 13 heures ?

– Très bien. Où ça ?

– Dans votre domaine ?

– A Heidelberg ?

– A l'école. Pourquoi pas ? »

Parce qu'elle est truffée de micros, voilà pourquoi. Parce qu'elle a été inspectée une journée entière par de jeunes hommes et femmes bien polis. Parce que Rourke pense qu'on la reconvertit en repaire terroriste pour euro-anarchistes cherchant à séparer l'Allemagne et l'Amérique.

« Notre ami est à Hambourg, c'est bien cela ? continue Amory en l'absence de réponse.

– Oui, en effet, répond Mundy, doutant toutefois qu'il soit toujours notre ami.

– Jusqu'à tard ce soir, exact ?

– A ce qu'il dit, oui.

– Et aujourd'hui, c'est samedi, pas vrai ?

– A ce qu'il paraît, oui.

– Donc il n'y a pas d'ouvriers en train de tout détruire là-bas.

– Non, dit Mundy, songeant qu'ils ne sont pas non plus en train de reconstruire.

– Alors, quel problème y aurait-il à ce qu'on se retrouve à l'école ?

– Aucun.

– La petite famille est bien partie ?

– Impeccable.

– Alors on se retrouve à l'heure du déjeuner. Je suis impatient de vous voir. On a des tonnes de choses à se dire. *Tschüss.* »

Une salve de pluie torrentielle fait trembler sa voiture. De grands éclairs de chaleur emplissent le ciel. La Coccinelle a besoin d'une pause, et Mundy aussi. Installé dans un restoroute, la tête sur la main, il s'emploie à déceler les signaux cachés dans le message d'Amory, ou, comme dirait Dimitri, les chiures de mouche dans le poivre. Lors de son laborieux dialogue avec la secrétaire électronique d'Amory, Mundy avait suggéré qu'ils se rencontrent dans une station-service isolée à quinze kilomètres de Heidelberg. Au lieu de quoi, ils vont organiser une joyeuse réunion sur les lieux du crime, avec Rourke qui écoutera la moindre de leurs paroles.

Alors, que m'a appris Amory, jusqu'à présent ? Amory qui ne dit jamais rien sans raison précise.

Qu'il parle pour la galerie, sur une ligne non brouillée, sans rien à cacher. Mais pour quelle galerie ?

Qu'il est tenu informé de mes faits et gestes, de ceux de Sasha, de ceux de ma famille. Mais par qui ?

Qu'il a des tonnes d'informations à me communiquer, mais seulement à portée d'oreille des gens qui les lui ont fournies. Comme Dimitri, Amory est un artiste de l'invisible. Mais là, il me dit qu'il est visible pour certains.

Mundy ramène ses pensées où elles en étaient avant qu'Amory les interrompe. Où est-elle, à présent ? Elle survole la Roumanie en direction de la mer Noire. Dieu merci, Mustafa est là. Jake lui manque, mais il ne peut pas l'atteindre, il n'a jamais pu.

*

De retour à son poste devant la fenêtre en saillie au premier étage de l'école, Mundy regarde l'allée de briques comme lorsqu'il guettait Sasha et sa livraison du fonds de bibliothèque. Il a garé sa Coccinelle devant la grille, il est 12 h 30 ce même samedi, et oui, Sasha est bien à Hambourg : étonnamment, il a appelé Mundy pour savoir s'il est toujours partant ou s'il préfère finalement qu'on lui trouve un remplaçant, parce que « tu comprends, Teddy, on est entre adultes, vois-tu ». Et Mundy, de son côté, l'a assuré qu'il est à cent pour cent impliqué dans le grand projet, qu'il y croit. Peut-être est-ce en partie vrai, puisqu'il n'a pas d'autre choix. Abandonner Sasha, c'est le laisser aux mains de Dimitri et de Rourke, quoi que cela signifie.

Tandis qu'il patientait, Mundy a fait toutes ces petites choses idiotes que font les *joes* en attendant leur officier traitant : il s'est rasé, a pris une douche, caché ses vêtements sales derrière un rideau, installé un coin où s'asseoir dans une des salles de classe, mis une serviette et un savon neuf près du lavabo et préparé une Thermos de café au cas où Amory ne boirait plus de scotch. Il a dû se retenir d'aller au jardin cueillir des fleurs sauvages pour les disposer dans un pot à confiture.

Et il passe toujours mentalement en revue ces ridicules attentions excessives, tout en imaginant l'accueil de Zara et Mustafa à l'aéroport d'Ankara par un vaste comité de réception composé de parents extatiques, lorsqu'il se rend compte qu'une BMW beige immatriculée à Francfort s'est garée derrière la Coccinelle et que Nick Amory, l'air bien trop jeune au vu des années écoulées, en émerge du côté conducteur, verrouille la voiture, ouvre la grille et se dirige vers la porte d'entrée.

Mundy l'entrevoit à peine avant de dévaler l'escalier, mais assez pour constater que Nick porte beau sa soixantaine approchante, que son allure débraillée est aujourd'hui empreinte d'une indiscutable autorité, et que son éternel sourire, à supposer que cela en fût jamais un, s'affiche par magie à l'instant où Mundy lui ouvre la porte, mais n'était pas accroché quand il a posé le pied sur l'allée.

L'autre chose qu'a remarquée et que remarque toujours Mundy alors qu'ils se préparent à se saluer est la casquette d'Amory, une casquette plate de chasseur en tweed vert, assurément de meilleure coupe que celles qu'arboraient le major quand il hurlait sur Mundy depuis la touche, Des quand il découpait le rôti de bœuf pour le déjeuner dominical ou Sasha quand il coiffait son *Tarnkappe*.

Mais quand même une casquette.

Et puisque Mundy n'a jamais vu Amory porter aucun couvre-chef, *a fortiori* un symbole si outrancier de la classe des gentlemans-farmers qu'il dit tant haïr (pour une bonne part, soupçonne Mundy, parce qu'il en est issu), elle ne peut manquer d'attirer son attention, même si sa politesse ou son entraînement à Édimbourg lui interdisent tout commentaire.

Plus étrange encore venant d'un tel expert en bonnes manières anglaises, Amory ne l'ôte pas en entrant dans la maison. Il tapote l'épaule de Mundy, lui lance un joyeux « Ça va, mon gars ? » à l'australienne, s'assure par une brève question que personne d'autre n'est là ou attendu, ajoute en guise de couverture : « Et si on est interrompus, je suis votre premier élève pour la rentrée de septembre », puis, comme Sasha, passe devant Mundy pour aller prendre une position stratégique sous la verrière Art nouveau, à un mètre de la pyramide de caisses recouverte par des housses qui, telle une statue attendant d'être dévoilée, occupe la place d'honneur dans le hall principal.

Mais sa casquette reste vissée sur son crâne, même quand Mundy lui fait faire à sa demande le tour du propriétaire. Et ce n'est pas qu'Amory a oublié qu'il la porte. Au contraire, il la tripote de temps à autre pour s'assurer qu'elle est toujours là, un peu comme Sasha avec son béret, la repousse vers l'avant pour en rectifier l'inclinaison, ou tire sur la visière pour se protéger du soleil, sauf qu'il n'y en a pas – la pluie s'est arrêtée, mais le ciel reste noir comme suie.

La visite guidée est sommaire. Peut-être Amory se sent-il aussi mal à l'aise d'être là que Mundy. Et à son habitude, même si on l'oublie entre deux retrouvailles, Amory ne dit rien sans une bonne raison.

« Notre ami ne vous a toujours pas expliqué ce qu'il fichait au Moyen-Orient ? demande-t-il avec un coup d'œil au tas de couvertures ayant servi de lit temporaire à Sasha.

– Pas vraiment. Conférencier itinérant. Vacations ponctuelles quand il manquait un professeur. Du coup par coup, à ce que j'ai pu comprendre.

– Pas vraiment un plein-temps, alors ?

– Il a fait dans l'humanitaire, aussi, ce qui n'était pas évident à cause de ses jambes. En gros, euh, le genre universitaire en goguette, d'après le peu qu'il m'a raconté.

– Universitaire en goguette *radical*, corrige Amory. Avec des potes *radicaux* pas forcément universitaires, peut-être. »

Sans chercher à tempérer cette affirmation, Mundy acquiesce mollement, ayant compris qu'Amory, pour des raisons inconnues, joue pour la galerie, et que son rôle à lui est de lui donner la réplique sans essayer de lui voler la vedette, comme avec Sasha quand ils faisaient leur numéro devant le sinistre Lothar ou le Professeur. Inutile que chaque réplique soit un chef-d'œuvre, se disait-il alors : joue naturellement et le public suivra. Il se le répète à présent.

« Alors là, c'est la bibliothèque, devine Amory, inspectant la longue pièce encombrée d'escabeaux et de seaux.

– En effet.

– L'autel à la vérité objective.

– Oui.

– Vous y croyez vraiment, à ces conneries ? »

Mundy s'est déjà posé la question des centaines de fois, et il n'est toujours pas plus près d'une réponse satisfaisante.

« Quand j'ai écouté Dimitri, j'y ai cru. Quand j'ai quitté la pièce, c'est devenu plus flou.

– Et quand vous écoutez Sasha ?

– Je fais de mon mieux.

– Et quand vous vous écoutez vous-même ?

– Ça me pose problème.

– Comme à nous tous, dit Amory alors qu'ils repassent dans le hall pour contempler la statue voilée que forment les livres destinés à la bibliothèque. Vous en avez ouvert ? demande-t-il en tripotant de nouveau sa casquette.

– J'ai lu certains des inventaires.

– Vous en avez un à portée de main ? »

Mundy soulève une des housses, décolle une pochette plastique du couvercle d'une caisse et la lui tend.

« Du classique, je vois, remarque Amory après inspection. Disponible dans n'importe quelle bibliothèque gauchisante.

– La force de la bibliothèque résidera dans son message global, dit Mundy, citant Sasha sans y croire, prêt à continuer son boniment quand Amory lui rend l'inventaire pour lui signifier qu'il en a assez vu.

– Ouais, ça pue, tout ça, annonce-t-il à la cantonade. C'est du toc, du vent, de l'arnaque. Le truc qui me gêne, c'est que vous bossiez pour ce glandeur de Jay Rourke au lieu d'un honnête agent du Renseignement comme moi. »

Puis il lui adresse un gros clin d'œil, lui redonne une claque sur l'épaule et propose qu'ils se tirent de là pour aller déjeuner dans un endroit scandaleusement cher.

« On prend ma voiture, si ça ne vous dérange pas, murmure-t-il alors qu'ils remontent l'allée. Elle est plus propre que la vôtre. »

Une fois dans la BMW, Amory garde sa casquette, mais la nonchalance qu'il affichait dans l'école le quitte et le déjeuner n'est plus son souci numéro un.

« Vous connaissez bien cette ville, Edward ?

– J'y ai habité pendant trois ans.

– Je raffole des châteaux médiévaux. Des murs bien épais, et peut-être un orchestre, avec un peu de chance. Je crois que j'en ai repéré un pas mal en venant. On s'achètera une *Wurst* en chemin. »

Ils se garent sur la vieille place de l'université. Aussi mystérieux que jamais, Amory s'est procuré un permis.

*

Pendant la moitié de son existence, Mundy a été exposé aux mimiques d'Amory. Il l'a connu résolument impassible sous la pression, résolument indifférent dans la victoire. Il a vu les volets se fermer quand il tentait de pénétrer dans sa vie privée : il ignore à ce jour si Amory est marié ou célibataire, s'il a des enfants. Une ou deux fois, prétendument en confidence, Amory a mentionné une épouse à la patience infinie et deux enfants brillants à l'université, mais Mundy le soupçonne là d'avoir plagié un livre de John Buchan. Sinon, Amory est toujours resté tel qu'il lui était apparu à son chevet à l'hôpital militaire de Berlin : le professionnel dévoué qui ne franchit jamais la ligne blanche et en attend autant de vous.

C'est donc avec un certain trouble que, se mêlant à la foule pour gravir la raide allée pavée menant aux ruines du château, Mundy décèle chez son vieux mentor des signes d'indécision. Rien ne l'a préparé à ce manque d'assurance du dernier adulte de son entourage. Il faut attendre qu'ils foulent le sol inégal en brique rouge de l'apothicairerie du château et se penchent sur une vitrine de *materia medica* pour qu'Amory ôte enfin sa casquette et, inspirant profondément par le nez, lèvres pincées, aborde le tout début de ce qui le tracasse.

« Mes instructions sont sans équivoque. Vous vous enrôlez avec Rourke. Vous continuez l'opération jusqu'au bout et au-delà. Vous travaillez pour Rourke exactement comme vous le feriez pour nous. Compris ? dit-il en reportant son attention sur l'effigie en bois de saint Roch le guérisseur et du chien qui lui apportait son pain quotidien tandis qu'un ange le guérissait de la peste.

– Non, réplique Mundy avec une fermeté qui le surprend lui-même en se penchant dûment près de lui. Je n'ai rien compris. Rien du tout.

– Moi non plus. Et, d'après ce que j'ai pu comprendre de ce qu'on ne m'a pas dit, personne dans le Service non plus. »

Il ne dit plus *la boutique*, ni *la firme*, *le bureau* ou *le bahut*. Amory parle peut-être à voix basse, mais pas en code.

« Alors, qui a donné l'ordre, si ce n'est pas le Service ? demande bêtement Mundy tandis qu'ils ressortent dans la cour bondée.

– Nos maîtres, qu'est-ce que vous croyez ? réplique Amory comme si c'était Mundy et non lui qui tenait des propos déplacés. Le conseiller du conseiller de la plus haute autorité du pays. Celui qui lui prépare sa tisane le soir. "Faites ce qu'on vous dit, bouclez-la et cette conversation n'a jamais eu lieu." Alors je fais ce qu'on me dit. »

Mais tu ne la boucles pas, songe Mundy en descendant un escalier de pierre assez raide derrière un groupe de Françaises rondouillardes.

« Vous ne connaîtriez pas le vrai nom du sieur Dimitri, par hasard ? » murmure Amory, presque à l'oreille de Mundy.

Ils ont atteint l'obscurité du Grand Tonneau, entourés par des groupes de touristes français, japonais et allemands, mais pas d'anglophones, apparemment. Les propos d'Amory sont couverts par des discussions multilingues.

« Non, je pensais que vous le connaîtriez peut-être, répond Mundy.

– Ce que je sais sur Dimitri ou tout autre aspect de cette prétendue opération tiendrait sur un tout petit timbre-poste.

– Enfin, Rourke doit bien connaître son nom, lui !

– Ben, on pourrait croire, oui, acquiesce Amory en levant des yeux admiratifs vers le ventre monstrueux du tonneau. En toute logique, il paraîtrait évident que quelqu'un qui traque nuit et jour l'ennemi public numéro un sache son nom.

– Alors, vous lui avez demandé ?

– Pas le droit. Je n'ai pas parlé à ce cher vieux Jay, eh bien, depuis qu'il est venu en visite d'État à Bedford Square. Il est bien trop secret, ces temps-ci. Tout dialogue avec ce cher homme doit passer par la voie hiérarchique.

– *Quelle* voie hiérarchique, bordel ? lance Mundy, surpris de l'irrespect d'Amory envers l'ancienne mystique, et par le sien aussi.

– Un petit génie de boy-scout à l'ambassade américaine de Londres qui se fait appeler Officier spécial de liaison à la Défense et ne s'abaisse même pas à parler à l'ambassadeur », répond Amory en une longue phrase bien balancée alors qu'ils remontent les marches et émergent au grand jour.

Mundy n'aurait jamais cru (forcément, puisque ce n'est jamais arrivé auparavant) que la perplexité d'Amory puisse dépasser la sienne. Ni que sa colère puisse un jour prendre le pas sur sa discrétion.

« Au cas où vous ne l'auriez pas remarqué, Edward, il y a un nouvel ordre mondial, annonce-t-il assez fort pour que quiconque le souhaite l'entende. Ça s'appelle la *naïveté unilatérale* et ça repose sur la conviction que le monde entier voudrait vivre à Dayton dans l'Ohio et croire à un même dieu, et celui qui devine de quel dieu il s'agit ne gagne rien.

– Où Dimitri trouve-t-il son argent ? demande Mundy, désespérément en quête de certitudes, alors qu'ils reprennent leur route vers la ville en contrebas.

– Mais, mon cher ami, chez tous ces vilains Arabes, tiens ! Il fait leur sale boulot en Europe, il rallie les euro-anarchistes au drapeau, alors il vaut bien jusqu'au dernier centime qu'ils lui donnent, répond nonchalamment Amory. Tiens, des écureuils roux, enchaîne-t-il en s'arrêtant pour contempler les branches d'un chêne. Quelle bonne surprise ! Je croyais que les gris les avaient tous bouffés.

– Je suis sûr que Sasha n'est pas au courant, affirme Mundy, perturbé au point d'en oublier le conventionnel *notre ami*. Et je ne crois pas non plus qu'il soit l'homme que Rourke pense qu'il est. A supposer qu'il ait changé, il s'est radouci. Il a mûri. Rourke crée une tempête dans un verre d'eau.

– Ah ça, Jay crée une sacrée tempête ! Elle balaie les couloirs de Whitehall et de Capitol Hill à vitesse grand V, dit Amory avant de s'interrompre à nouveau pour laisser passer bruyamment deux échalas en *Lederhosen*. Non, je ne crois pas que notre ami, votre ami, sache quoi que ce soit, le pauvre, reprend-il d'un ton pensif. Même à son meilleur, il n'a jamais eu un flair terrible, pas vrai ? Il a mordu à l'hameçon de Dimitri, il l'a même gobé avec le bouchon et le fil, à ce qu'on raconte. Et puis, il est trop occupé à recruter tous ces universitaires gauchisants et à monter le fonds des bibliothèques de la contre-culture. D'ailleurs, il y a beaucoup de livres intéressants dans le tas, Edward. Vous devriez y jeter un œil, à l'occasion. »

Ce qui, aux oreilles de Mundy, constitue un démenti cinglant du mépris antérieur d'Amory à leur endroit. Ils arrivent au Korn Markt. Au centre, une Madone en bronze exhibe fièrement son enfant, tout en foulant aux pieds la bête déchue du protestantisme.

« A propos, Rourke ne fait plus partie de l'Agence, je vous l'avais dit ? annonce Amory. Il y a quatre ans qu'il est au service d'un groupe politiquement actif de bâtisseurs d'empires industriels. Des magnats du pétrole, pour la plupart. Très liés à l'industrie de l'armement. Et tous très proches de Dieu. A l'époque, leur show était encore peu connu, mais aujourd'hui ils font salle comble. Des gens bien, attention. Exactement comme nous autres, impérialistes anglais acharnés, à une époque que j'espère révolue, dit-il, semblant reconnaître son chemin alors qu'ils approchent du centre-ville. Malheureusement, je ne me suis jamais vraiment intéressé à la politique, et maintenant c'est un peu tard, remarque-t-il derrière son immuable sourire. Mais bon, surtout ne vous laissez pas décourager par tout ça. Le fait que telle ou telle rumeur douteuse me soit revenue aux oreilles ne doit nous empêcher ni l'un ni l'autre de servir notre pays *exactement* comme on nous l'ordonne, affirme-t-il d'une voix sarcastique à l'extrême. Tout ce qui compte, pour nos seigneurs et maîtres de Washington ou de Downing Street, c'est que cette *magnifique* opération va grandement aider au rapprochement de l'Europe et des États-Unis dans notre monde unipolaire. Ils considèrent votre mission comme…, commence-t-il, cherchant en vain le superlatif adéquat.

– Alpha plus plus ? suggère Mundy.

– Oui, merci. Et si vous jouez votre rôle jusqu'au bout, ce dont je ne doute pas, leur bonté ne connaîtra aucune limite. Il y aura des primes *énormes* pour l'heureux gagnant. Médailles, titres honorifiques, postes d'administrateur, vous n'aurez qu'à demander. Connaissant depuis longtemps vos tendances mercenaires, je me sens obligé d'être très clair sur ce point.

– Rourke m'a aussi fait des offres mirobolantes, pour ne rien vous cacher.

– Ça ne m'étonne pas ! Et c'est bien justifié ! Un double jackpot, que demander de plus ? Allez-y, raflez toute la mise. Et tant qu'on parle de double jackpot… »

Amory baisse la voix. Ils sont côte à côte devant l'hôtel Ritter, à étudier sa magnifique façade baroque. Il pleut, et d'autres piétons se sont réfugiés sous des porches.

« Tant qu'on en parle, Edward, méditez donc l'hypothèse suivante : imaginez que Tonton Jay et Dimitri-qui-n'a-pas-d'autre-nom, malgré les apparences, au lieu d'être à couteaux tirés idéologiquement…, dit-il avant de s'interrompre une fois de plus pour laisser passer un groupe de nonnes. Vous me recevez ?

– J'essaie.

– Supposez que Dimitri et Jay, au lieu d'être des ennemis mortels, courent pour la même écurie. Ça vous paraît faire sens ?

– Non.

– Eh bien, pensez-y, Edward. Utilisez vos petites cellules grises, juste une fois. Vous êtes aussi bien placé que moi pour en juger, sinon mieux. Mentir au nom de son pays est une noble profession tant qu'on sait où se trouve la vérité, mais hélas, je ne le sais plus. Alors, à l'instar de nos maîtres, convenons que cette conversation n'a jamais eu lieu. Et servons tous deux aveuglément notre reine et notre patrie, malgré le fait que l'une comme l'autre sont des filiales détenues à cent pour cent par la seule hyperpuissance de l'univers. D'accord ? »

Mundy réserve sa réponse. Ils approchent de l'Universitätsplatz, où Amory a garé sa BMW.

« Cela dit, juste *au cas où* vous décideriez de partir le plus loin possible dans le délai le plus court possible, je vous ai apporté deux faux passeports, reprend Amory. Un pour vous et un pour notre ami, en remerciement des services rendus par ce petit salopiaud. Je suis désolé de ne pas avoir pu en obtenir un pour Zara aussi, mais au moins elle est hors de portée. Vous les trouverez dans le vide-poches de la portière passager de la BMW, emballés dans un numéro du *Süddeutsche*. Il y a aussi un peu d'argent, pas beaucoup parce que j'ai dû le voler dans la caisse noire, précise Amory, dont le visage défait accuse soudain son âge. Je suis vraiment désolé, dit-il simplement. Pour moi comme pour vous. La loyauté partagée, ça n'a jamais été mon truc. Ne dites pas à notre ami où vous les avez dénichés, d'accord ? On ne sait jamais par qui il se laissera séduire la prochaine fois. »

Quand ils atteignent la BMW, la pluie cesse, et Amory remet sa casquette.

*

Mundy a marché et il a bu un peu, pas beaucoup, juste assez pour se calmer les nerfs. Cherchant à renouer avec l'homme qu'il était, il a fait le tour de ses anciens bars préférés, mais les habitués ont changé et les bars aussi. Sur un banc dans un parc de la vieille ville, il a essayé de joindre Zara à Ankara, sans succès. Mais il s'y attendait à moitié. Ils sont en pleine fiesta de retrouvailles dans l'une des fermes voisines, enfin ! Ils vont la faire danser, non qu'elle ait besoin d'encouragement. Une aussi bonne danseuse qui s'amourache d'une girafe comme moi, c'est impensable.

Malgré quoi, du même banc, il a aussi appelé la compagnie aérienne pour apprendre que leur avion a bien atterri à destination, avec trois heures de retard.

C'est quand même curieux que le portable de Zara ne réponde pas. Mais il me semble avoir lu quelque part que les Américains bridaient les satellites – à cause de la puissance de frappe de Saddam qui menaçait le monde entier et, mystérieusement, ne s'est pas manifestée le jour J ?

Il marche de nouveau, se retenant de traverser le pont, remonter la colline et rentrer à l'école. Avec un regard d'enfant ébaubi, il contemple la flèche éternelle de l'église du Saint-Esprit qui se découpe sur le ciel nocturne. Qu'est-ce que ça ferait d'avoir une foi absolue, totale ? Comme Zara. Comme Mustafa. Comme les potes de Jay Rourke. De savoir, absolument et totalement, qu'il y a un être divin hors du temps et de l'espace qui connaît vos pensées mieux que vous ne les avez jamais connues et sans doute avant même que vous en ayez conscience ? De croire que c'est *Dieu* qui vous envoie en guerre, *Dieu* qui dévie la trajectoire des balles, *Dieu* qui décide lesquels de ses enfants vont mourir, avoir les jambes arrachées ou gagner quelques centaines de millions à Wall Street, selon le grand projet du jour ?

*

Finalement, il remonte la colline. Aucune excuse, il n'avait juste nulle part où aller. S'il savait par quel moyen Sasha revient de Hambourg, ce serait différent. Il pourrait essayer d'aller à sa rencontre à l'aéroport, la gare ferroviaire ou routière, et dire : Sasha, mon gars, il faut qu'on s'enfuie. Mais Sasha n'a pas besoin de savoir, juste de faire ce qu'on lui dit de faire.

S'enfuir, Teddy ? Tu me sembles un peu ridicule, pour tout dire. On a une grande mission à accomplir. Tu perds encore courage ? Peut-être que je devrais te trouver un remplaçant.

Il continue son ascension. Peut-être le Seigneur arrangera-t-il les choses, après tout. Ou alors Rourke. Ou Dimitri, maintenant qu'on les soupçonne de courir pour la même écurie. Entre-temps, mon boulot, c'est de retourner à l'école et attendre que Sasha se pointe. Après, on verra qui s'enfuit, quand, avec qui et pourquoi. Le *Süd-*

deutsche plié dans le sens de la longueur est rangé dans sa veste, avec un coin qui lui frotte le cou. Sacrée journée, mon petit Edward. A quelle heure tu t'es levé ? Je ne me suis pas levé. J'ai conduit Zara et Mustafa à l'aéroport de Munich dès l'aube et je n'ai pas arrêté une seconde depuis. Alors peut-être es-tu trop fatigué pour affronter les micros ce soir, Edward. Accorde-toi une pause, mon gars, et accroche une pancarte à la porte de l'école : « Au Blue Boar pour la soirée. Rejoins-moi. *Tschüss*, Teddy. »

Les faux passeports rangés dans le *Süddeutsche* pèsent très lourd, ainsi que l'argent volé dans la caisse noire – à ceci près que, si Mundy connaît bien son Amory, il l'a volé dans sa propre poche et pas dans la caisse noire. Les Amory de ce monde ne volent pas. Ils servent leur pays pour le meilleur et pour le pire, jusqu'au jour où, soudain confrontés à la vraie vie, ils voient leur droiture biaisée les abandonner, tombent le masque et se retrouvent avec un vrai visage perplexe, comme tout le monde. Encore une de tes divinités qui a dépassé sa date de péremption : le patriotisme éclairé, religion de Nick Amory jusqu'à cet après-midi.

Pas de lumière aux fenêtres, ce qui n'a rien d'étonnant vu que Mundy n'a pas laissé allumé. Les jeunes entrepreneurs auraient certes pu décider de passer reprendre quelques mesures, mais, dans ce cas, ils ont des lampes torches. La grille couine. A huiler. En toucher un mot à Stefan. Dans le noir, l'allée de briques danse devant ses yeux. Ses grands pieds ne cessent de s'en écarter pour fouler les hautes herbes. Je n'aurais pas dû boire ce dernier verre. Erreur. C'est bien calme ici. C'est toujours calme, d'ailleurs. Mais pas à ce point-là, quand même. Pas un samedi soir. Il doit y avoir un match de football important à la télé, sauf que je n'entends aucune télévision et que je ne vois aucune lumière bleutée vaciller aux fenêtres des voisins.

Il trouve la serrure du premier coup et, une fois dans le hall enténébré, essaie de se figurer où les électriciens ont installé les nouveaux interrupteurs. Pour m'orienter, je suis pire que Trotski, demandez donc à Sasha. Sous la lueur tombant de la verrière, la pyramide de livres voilée se dresse devant lui tel un grand inquisiteur fantomatique. *D'ailleurs, il y a beaucoup de livres intéressants dans le tas, Edward. Vous devriez y jeter un œil, à l'occasion.* Bonne idée, Nick. Maintenant que j'y pense, j'ai beaucoup de lecture en retard. Il tâtonne le long des murs, trouve l'interrupteur qui n'en est pas un, c'est un variateur. Rien n'est simple, de nos jours. La lumière l'éblouit. Il s'assoit sur la marche du bas, réessaie d'appeler Zara. Toujours pas de réponse. Il se sert un scotch avec de l'eau, s'installe sur un vieux canapé en cuir posé dans un coin du hall et fait défiler les numéros mémorisés sur son portable pour y repérer celui de la ferme de l'oncle de Zara, mais en vain. Et pas moyen de se rappeler ni le nom de l'oncle ni celui de la ferme. Trop de *c* cédille, une orthographe déroutante.

Bois un coup de scotch. Réfléchis. 22 h 35 au bracelet-montre en fer-blanc du major. A Ankara, il est une heure de plus. Mustafa doit s'éclater comme un fou dans son blouson bleu. Je me demande ce que fait ce vieux Jake, en ce moment. Il prend d'assaut le syndicat étudiant de Bristol ? Aux dernières nouvelles, il se présentait au poste de trésorier. Kate a dit qu'elle m'enverrait son numéro de portable. Elle ne l'a pas fait. Ça a dû se perdre dans la salle du courrier au ministère. Si elle avait écrit *secret* sur l'enveloppe, ils l'auraient peut-être envoyée plus vite. Santé.

« Et santé à tous nous auditeurs, ajoute-t-il à haute voix en levant son verre en l'honneur des murs. Tous des chic types. Et des chic typesses, évidemment. Soyez tous bénis. »

Cette pièce ferait une assez belle mosquée, se dit-il en se rappelant son apprentissage sous la férule de Mustafa. Pas d'antichambre, un mur faisant face à l'est. Elle pourrait convenir. On installe une petite vasque dans le coin pour les ablutions rituelles, on met le *mihrab* à l'emplacement de la cheminée, on s'assure qu'il est bien orienté vers La Mecque, un portique ici, une chaire là, on déniche des dalles à motif géométrique, des panneaux calligraphiés, une moquette imitation tapis de prières, quelques cartables d'enfants le long du mur, et on est bons – je m'en sors bien, Mustafa ?

Je ne l'ai jamais emmené nager. Zut. Je lui avais promis de le faire avant leur départ, et on a oublié tous les deux. Note perso : piscine dès notre retour.

Il affiche le numéro de Dina à Munich et l'appelle. Comment va cette vieille Mo, Dina ? *Très bien, Ted.* Et non, Dina n'a pas de nouvelles de Zara non plus. Mais elle n'en attendait pas, sauf problème. Ils doivent être en pleine fête à la ferme, suppose-t-elle. Mundy en convient, puis reporte ses pensées sur Sasha. Alors, où es-tu fourré, pauvre nain bituré ? En retard, Teddy. Je vais être en retard. J'ai beaucoup d'entretiens avec de brillants universitaires.

Oui, mais en retard de combien, bon Dieu ? Genre minuit ? Genre 3 heures du matin ? Pourquoi Sasha s'en soucierait-il ? Comment est-il censé savoir que je suis assis là comme une mère angoissée attendant que sa fille de quinze ans rentre de son premier rendez-vous galant ? *Dépêche-toi*, enfoiré. J'ai les passeports. *Dépêche-toi.*

Il se lève et, verre en main, monte les deux étages jusqu'au grenier au cas où, par miracle, Sasha serait finalement revenu plus tôt et serait allé se coucher sur son lit improvisé, mais pas de Sasha enfoui dans les coussins.

Bien dessaoulé à présent, il descend à pas prudents l'escalier chantourné, une main sur le whisky, l'autre sur le gouvernail, surveillé par la pyramide de caisses voilée. *Vous devriez y jeter un œil, à l'occasion.* Arrivé au rez-de-chaussée, il passe à la bibliothèque, où il repère une boîte à outils de menuisier parmi des échelles, des housses de protection et des pots de peinture. Pas de cadenas. Un camarade menuisier confiant. Brave type. Il choisit un marteau et ce que Des surnomme son Winston Churchill : une clé à fourche en V. Il retourne dans le hall, pose son whisky par terre à côté du canapé en cuir, ôte sa veste mais prend soin de la poser en travers sur le canapé pour que le *Süddeutsche* ne s'effeuille pas malencontreusement sous l'œil des caméras.

De façon résolue, presque vengeresse, il arrache les housses de sur la pyramide voilée, les roule et les balance dans un coin de la pièce. Et vlan. Marteau dans une main et Winston Churchill dans l'autre, il sélectionne une caisse et entreprend d'en disjoindre les lattes. Ce faisant, il croit entendre son public invisible pousser un cri inquiet, ou peut-être imagine-t-il une matinée pour enfants, qui hurlent tous : « Ne fais pas ça ! » ou : « Attention derrière toi ! »

Et de fait il regarde derrière lui, mais seulement vers la fenêtre au cas où le taxi de Sasha serait arrivé. Raté.

Il a arraché les lattes sur deux côtés. Des recommanderait un peu plus de technique, s'il vous plaît, Ted, mais Mundy se fout de la technique. Il a dénudé une couche de kraft épais fermé par du papier-cache adhésif. Le crissement produit quand il le déchire le prend par surprise. A l'intérieur, douze cartons empilés comme des briques. Chaque caisse contenant douze cartons et chaque carton douze livres, quel est l'âge du capitaine ? songe-t-il facétieusement.

Consulte l'inventaire, avait conseillé Sasha. Carton 1 : *La Société en réseaux* de Manuel Castells, en anglais. Carton 2 : le même en allemand. Carton 3 : le même en français. Mundy progresse lentement, carton par carton jusqu'au dernier, puis il choisit une autre caisse, qu'il ouvre avec fracas, puis une troisième. Notre grand gagnant du jour est *Les Damnés de la terre* de Frantz Fanon en neuf langues ; alors applaudissons bien fort notre ami Frantz qui est venu exprès de Berlin pour être parmi nous ce soir.

Mundy consulte la montre du major. Minuit. Le match de football doit avoir de très longues prolongations, parce que, depuis trois ans qu'il fréquente ce quartier, Mundy n'a jamais connu un tel silence.

Mais peut-être est-ce là aussi une simple illusion : quand on a les nerfs à vif, quand une partie de vous est épuisée et l'autre folle d'inquiétude, quand on se trouve dans une maison truffée de micros avec deux faux passeports en attendant l'arrivée d'un ami insupportable pour l'entraîner aussi loin que possible dans le délai le plus court possible, il est tout à fait normal que des bruits, ou plutôt leur absence assourdissante, revêtent une qualité surnaturelle.

*

Au début, il suppose qu'il s'agit juste d'une erreur stupide commise à l'emballage.

Ce n'est pas la première qu'il repère : deux Adam Smith qui se sont retrouvés dans le mauvais carton, des volumes de Thoreau mélangés à du Thorwald, du Doris Lessing avec du Gotthold Ephraïm Lessing.

Puis ses idées s'embrouillent et il subodore un revenez-y de Sasha, voire une farce, parce qu'il se souvient que, jadis, quand Sasha avait sorti son appareil photo miniaturisé des stocks d'accessoires de la Stasi, il avait aussi chipé un manuel de guérilla urbaine lui instruisant de mettre ses pellicules dans un préservatif et de les conserver dans des bacs de crème glacée.

Mais ce n'est pas ce manuel-là.

Et il n'y en a pas qu'un seul exemplaire.

Les livres susceptibles d'être très demandés sont fournis en plusieurs exemplaires, entend-il Sasha déclarer de sa voix du Parti.

Eh bien là, il y en a soixante exemplaires au bas mot. Et ils ne traitent pas de glace, par ailleurs, ni de photographie, miniaturisée ou autre. Leurs thèmes de prédilection couvrent la fabrication de bombes à partir de désherbant et les diverses façons d'assassiner son meilleur ami : avec une aiguille à tricoter, une bombe cachée dans sa voiture ou ses toilettes, en l'étranglant dans son lit, en le noyant dans son bain, en lui écrasant le larynx, ou en envoyant une boule de feu dans la cage d'ascenseur de son bureau.

Le choix du carton suivant est épineux pour Mundy. Il a le sentiment qu'il ne doit pas décevoir ses nombreux fans, tel un candidat dans une émission-jeu de qualité : foire ce coup-là et tu es éliminé.

Mais il se surprend à faire la chose la plus sage, c'est-à-dire ouvrir les cartons l'un après l'autre sans se soucier de savoir s'ils contiennent des œuvres fondatrices de la contre-culture, des manuels pour aspirants terroristes, de jolies rangées de grenades gris-vert de la taille d'une balle de cricket allongée, avec des indentations permettant une bonne prise malgré des mains moites, ou ce qu'il devine être des minuteurs pour bombes faites maison, parce que c'est ainsi que les décrivent les instructions jointes.

Il se retrouve donc bientôt assis tout seul par terre au milieu de tous les cartons et caisses ouverts sinon déballés, de papier d'emballage et de paille, l'air aussi perdu qu'un enfant n'ayant plus de cadeaux à ouvrir le jour de son anniversaire.

Dans ce silence irréel, il n'entend que le battement irrégulier de son cœur et, couvrant ses bourdonnements d'oreille, la voix désincarnée de Sasha qui pontifie. *Ils essaient de nous mettre tous dans le même sac. Progressistes, socialistes, trotskistes, communistes, anarchistes, antimondialistes, pacifistes : on est tous des* Sympis, *des rouges. On déteste tous les juifs et l'Amérique, et on idolâtre tous Oussama en secret.*

Et après le sermon de Sasha, il entend Rourke vanter les attraits de Heidelberg. *Si on veut faire voler en éclats la relation entre l'Amérique et l'Allemagne, Heidelberg n'est pas un mauvais endroit pour faire passer son message.*

Puis Sasha revient à l'assaut avec un argument encore meilleur : *La gauche progressiste sera démasquée comme ayant toujours été un ramassis de sales fascistes, et la petite bourgeoisie européenne ira supplier à genoux le grand frère américain de venir à son secours.*

Mais le mot de la fin revient sans conteste au Nick Amory fou furieux de cet après-midi. Et quand toutes ces sibylles ont dit leur réplique avant de se retirer en coulisses, Sasha fait une de ses entrées inimitables.

*

On ne saura jamais au juste ce qui a poussé Mundy à monter quatre à quatre jusqu'au grenier, où il se trouvait pourtant encore voici à peine une heure. Le crépitement d'armes automatiques dans la rue ? Ou bien le chaos immédiat dans la maison : les grenades paralysantes, la fumée, le verre brisé quand une douzaine d'hommes au moins ont fait irruption par toutes les portes et fenêtres en lui hurlant dessus en américain, en allemand et en arabe de ne plus bouger, de se coucher, de reculer contre le mur et de nous montrer vos putains de mains et tout le tremblement ?

Il est couramment admis que les victimes de ce genre d'attaque montent au lieu de descendre, alors peut-être Mundy reproduisait-il simplement le schéma classique. Ou bien s'est-il précipité en haut mû par une sorte d'instinct de nidation ? Ses souvenirs du squat berlinois, une pulsion soudaine d'y retourner, peut-être l'espoir confus que Sasha y serait déjà, ou du moins saurait où le trouver à son retour de chez son dernier gourou en date, à Francfort ou ailleurs, sauf que cette fois c'est Hambourg ?

Ou bien, tout bêtement, pour jeter un œil sur ce qui se passait dehors ?

Mundy ne saurait dire non plus avec certitude combien de temps il a passé assis par terre au milieu de ses jouets avant qu'éclate la fusillade et qu'il commence son ascension. Peut-être quelques minutes, peut-être quelques heures. Quand on est en train de démêler les fils des rets dans lesquels on est tombé, le temps ne compte guère. La pensée est bien plus cruciale. L'ignorance béate, comme aimait à le dire le Doktor Mandelbaum, n'est plus la solution acceptable, aussi dure que soit la confrontation avec la réalité.

Il entend les coups de feu, se redresse au ralenti et songe dans une semi-torpeur : Sasha, tu es dehors, c'est dangereux. Mais en y repensant, il conclut que la voiture a commencé à se garer avant que la fusillade n'éclate. C'était plutôt : voiture, fusillade, crissement de pneus. Ou alors en ordre inverse : fusillade, voiture qui se gare, crissement de pneus. Quoi qu'il en soit, il est bien obligé d'aller jeter un coup d'œil.

L'intérieur de l'école est à présent un enfer assourdissant de fumée, d'éclairs, d'explosions, de beuglements. Les noms de Mundy et de Sasha sont sur les lèvres de tous les assaillants. Et ce qui frappe l'oreille de Mundy, ce qui mérite un instant de réflexion hors de l'espace-temps, c'est qu'il a déjà entendu certaines de ces voix, quand des mains peu amènes l'embarquaient, yeux bandés, dans la camionnette puis dans l'hélicoptère et l'écrasaient à plat ventre sur le sol en fer avant de prendre forme humaine pour lui dispenser tendrement des tasses de café chaud, des Camel, des biscuits et des excuses abjectes en se faisant appeler Hank, Jeff, Art ou autres.

Et Mundy est-il devenu *totalement* fou, ou entend-il la voix de Jay Rourke hurler plus fort que les autres ? Difficile à dire, parce qu'il n'a jamais entendu Rourke crier auparavant, mais il parierait gros que sous cette combinaison d'envahisseur martien se cache ce même Jay Rourke dont le cher père est né à vingt-cinq kilomètres de chez ma mère à vol d'oiseau, si les oiseaux irlandais volent droit, ce dont Jay doute fort.

Et en parlant de ces voix dans la tempête que sont réputés entendre les marins qui se noient, Mundy en reconnaît une autre de son passé récent qu'il peine d'abord à identifier, pour finir par y arriver au prix d'un suprême effort mental : *Richard*. Le blond Richard, avec son blazer bleu et sa cravate de steward. Le Richard de Dimitri, qui donne mille dollars cash à tout employé potentiel juste pour le dérangement, que l'entretien débouche sur quelque chose ou non. Et qui se demande à haute voix ce qu'est l'argent, sinon un bel idéal.

Alors c'est ça, se dit Mundy, en revenant à l'affirmation embrouillée d'Amory cet après-midi : ils courent pour la même écurie, sauf que là ils enfoncent la porte. Mais il n'est pas resté inactif pendant ces réflexions. L'ancien deuxième ligne à longues jambes gravit tant bien que mal le grand escalier en chêne qu'il a toujours aimé, par bonds inégaux à la Sasha, parce qu'une de ses jambes le fait souffrir et qu'il a un poids d'une tonne sur l'épaule gauche où le plafond l'a heurtée, mais peut-être était-ce un objet volant ou une de ces balles dont on lui a parlé à Édimbourg, recommandées contre les avions ou autres situations délicates, qui vous mettent KO et vous enduisent d'une crêpe de plomb fondu, mais n'entameraient même pas la peau d'un grain de raisin.

Une fois au premier, il passe la porte de l'ancien escalier de service menant au grenier. Un déluge de balles, de plâtre, de fumée et d'invectives le poursuit, mais il a toute sa tête, il monte, il atteint le grenier et, quand il se retrouve agenouillé fesses en l'air comme à la mosquée, le visage entre ses mains couvertes de sang, il réussit à ramper jusqu'à la lucarne et se hisser pour voir par-dessus le rebord.

Et ce qu'il voit est véritablement hallucinant, le genre de son et lumière pour lequel on ferait des kilomètres. Il se rappelle très bien avoir emmené Jake à celui de Caernarvon – ou était-ce Carlisle ? Il y avait des canons, des piquiers, des hallebardiers, des hélépoles, des types qui déversaient de l'huile bouillante très réaliste depuis les remparts, et Jake s'était régalé : pour une fois, des vacances mémorables de père divorcé.

Mais, à sa façon, ce spectacle-ci est aussi impressionnant : spots, projecteurs, lampes à arc, poursuites, pharillons accrochés à des gaffes, gyrophares sur les fourgons de police, les *grüne Minnas* et les ambulances garés à chaque entrée du petit carré de gazon devant les grilles – des lumières partout, sauf aux fenêtres noires des maisons voisines, parce que les tireurs d'élite aiment l'intimité.

Et les costumes ? Eh bien, si le mélange ancien / contemporain ne vous gêne pas, formidables : des hommes-grenouilles au côté de croisés en passe-montagne, des Maures avec hache d'armes, gourdin et boîte magique accrochés à la ceinture, des policiers de Berlin-Ouest avec casque à pointe, des pompiers en uniforme de troupes d'assaut nazi, des ambulanciers avec casque et blouse blanche amidonnée ornée d'une croix rouge, et tout un tas d'elfes et de diablotins noirs et facétieux qui se glissent de porte en porte et cherchent à en découdre.

Et pour les effets sonores, au lieu de l'habituelle musique militaire et canonnade intermittente, nous avons le sergent-major du terrain de manœuvres de Murree, pas moins, qui aboie des ordres incompréhensibles en anglais, en allemand ou, pour ce que Mundy perçoit, en panjâbi. Et sur le côté de la placette où passe la route est garé un taxi blanc illuminé, toutes portières ouvertes, dont le chauffeur est agenouillé à côté et braqué par deux types portant des masques à gaz – le chauffeur étant ce même Herr Knau qui a déposé Sasha devant l'école voici deux jours. Mundy se souvenait d'un homme mince, mais ficelé comme ça il a l'air bien plus gros.

Pourtant, la vedette incontestable du spectacle, l'homme pour qui ce beau monde s'est déplacé, c'est Sasha, sans son *Tarnkappe* mais avec à la main sa mallette du Parti, qui sautille sur l'allée pavée. Il a perdu une basket et agite sa main libre en disant « non, non », comme une star de cinéma à des paparazzis, s'il vous plaît, les gars, pas aujourd'hui, je ne suis pas maquillé.

Paradoxalement, la perte de sa chaussure l'a rééquilibré. On ne devinerait pas qu'il boite, en le voyant faire des bonds de cabri comme un môme de Kreuzberg à la fin d'une partie de marelle. Les pavés sont-ils chauffés à blanc ? Le croire fait sans doute partie du jeu. Et soudain, il a dû courir trop vite ou se prendre les pieds, parce que notre champion est à terre, et il roule comme une poupée de chiffon sans que Mundy soit là pour le ramasser, et ses jambes et ses bras roulent avec lui, mais sans doute est-ce sous l'effet des balles plutôt que de ses propres efforts, parce qu'elles déchirent l'air tout autour de lui, le perforent, le défigurent, et, même quand il est bel et bien mort, ils semblent en douter et balancent une dernière salve tous-en-chœur-maintenant-les-gars, juste par sécurité.

*

Pendant ce temps, Mundy s'accroche au rebord de la fenêtre de ses deux mains ensanglantées, mais hélas il n'est plus seul dans le grenier. Deux hommes-grenouilles sont debout derrière lui, qui tirent rafale après rafale de mitraillette par la fenêtre ouverte en direction des maisons voisines enténébrées, aussi calmement que s'ils étaient au stand de tir d'Édimbourg. Et alors qu'ils sont visiblement surarmés, ils semblent tenir à utiliser toutes leurs armes, n'en ayant pas plus tôt fini avec une qu'ils la lâchent pour en prendre une autre et se servir de celle-ci.

S'est joint à la fête un troisième grand type qui, malgré tout son harnachement, ne peut pas dissimuler sa démarche bostonienne traînante. Il s'éloigne à reculons de Mundy comme s'il en avait peur et rengaine son pistolet dans sa ceinture. Mais ne nous y trompons pas, ce n'est pas le geste de qui se prépare à rassurer un blessé gisant à terre. Ce que cherche ce nonchalant commando antiterroriste masqué, c'est une arme plus puissante, en l'occurrence un genre de fusil sophistiqué avec un viseur si gros qu'un béotien allongé dans sa ligne de mire, comme Mundy, pourrait se demander par quel trou regarder pendant qu'il se fait tirer dessus. A l'évidence, ce n'est pas un souci pour le tireur, parce que, ayant reculé au maximum de ce que permet la pièce, s'étant de fait collé au mur, il épaule ce fusil et, avec une délibération calculée, tire trois balles à haute vélocité dans le corps de Mundy, une en plein front, puis deux au hasard dans le tronc, une dans l'abdomen et l'autre au cœur, quoique aucune des deux ne soit strictement nécessaire.

Mais pas avant que Mundy ait empli d'air ses poumons dans l'intention de hurler *Accroche-toi, ne t'inquiète pas, j'arrive* à son ami qui gît mort sur la place.

Chapitre 15

Le Siège de Heidelberg, comme les médias du monde entier le baptisèrent aussitôt, envoya une onde de choc dans toutes les cours de la Vieille Europe et de Washington, et un signal clair à tous les critiques de la politique américaine d'impérialisme démocratique conservateur.

Pendant cinq jours entiers, la presse écrite et la télévision furent obligées d'observer plus ou moins un silence confondu. Il y eut des gros titres à sensation, mais peu d'informations vérifiées, pour la bonne raison que les forces de sécurité avaient institué l'équivalent d'un embargo.

Tout un secteur de la ville avait été bouclé, ses habitants perplexes évacués vers des foyers au personnel recruté pour l'occasion, et gardés au secret pendant la durée de l'opération.

Aucun photographe, aucun journaliste de presse écrite ou télévisée ne fut admis sur les lieux du drame jusqu'à ce que les autorités se soient assurées que le moindre indice potentiel avait été relevé pour analyse.

Quand l'hélicoptère d'une chaîne d'informations télévisée entreprit de survoler la zone, il fut escorté hors du périmètre par des hélicos américains armés, et son pilote arrêté à l'atterrissage. Les journalistes qui protestèrent s'entendirent rappeler que le même contrôle de l'information s'était appliqué en Irak. « Et ce qui vaut pour les terroristes en Irak vaut aussi pour les terroristes de Heidelberg », déclara sous couvert d'anonymat un haut gradé de la Défense américaine.

La participation des forces spéciales américaines au Siège fut claironnée plutôt que démentie, malgré l'ire des constitutionnalistes allemands les plus éclairés. On rappela néanmoins aimablement aux journalistes que les États-Unis se réservaient le droit de « traquer leurs ennemis n'importe où et n'importe quand, avec ou sans la coopération de leurs amis et alliés ».

A titre de confirmation, les autorités allemandes affirmaient du bout des lèvres que « les frontières nationales artificielles s'effacent devant l'intérêt supérieur de la lutte commune ». Par lutte commune, entendre guerre contre le terrorisme.

Un commentateur allemand sceptique taxa l'implication des services de sécurité allemands de « coalition des presque volontaires tardifs ».

Quand l'école fut enfin ouverte à la presse, on y avait manifestement fait un sacré ménage, mais ce qui restait à photographier valait toujours le coup. Au total, deux cent sept balles tirées depuis le repaire des terroristes s'étaient fichées dans les bâtiments environnants déserts. L'absence de victimes dans les rangs des forces de sécurité fut considérée comme miraculeuse. Un commentateur de Fox News y vit même la main de Dieu.

« Nous avons eu de la chance cette fois-ci, déclara le même haut officiel de la Défense américaine qui souhaitait rester anonyme. Nous sommes allés faire ce que nous devions faire et nous nous en sommes sortis sans la moindre égratignure. Malheureusement, il y a toujours une autre fois. Alors ici, personne ne hurle de joie. »

Outre les impacts de balles, les taches de sang sur les pavés fournissaient de bons clichés, ayant échappé à l'attention des nettoyeurs ou laissées là par égard pour la presse. En les suivant à la trace, on reconstituait aisément les derniers instants du Terroriste A, à présent identifié comme un ancien sympathisant de la bande à Baader, un homme d'âge mûr connu sous le nom de Sasha, fils d'un honorable pasteur luthérien.

Des sources anonymes proches de la communauté du Renseignement américain révélèrent que ce Sasha avait œuvré dans les eaux les plus troubles du Renseignement est-allemand pendant la guerre froide. Ses activités d'espion pour les communistes avaient compris la mise à disposition de camps d'entraînement et autres à des groupes terroristes arabes.

Après la chute du mur de Berlin, Sasha avait tiré profit de ses anciens contacts en s'enrôlant dans un groupe dissident jusqu'alors inconnu de militants arabes suspectés d'avoir des liens avec Al-

Qaïda. Cette information fut fournie par bribes à la presse durant plusieurs jours, ce qui laissa le champ libre aux licences journalistiques.

Émergeaient aussi peu à peu les détails de la carrière opaque de Sasha et ses liens proches avec des membres de l'*establishment* radical allemand et français. Les documents retrouvés dans une mallette qu'il portait au moment de sa tentative de fuite étaient analysés par la police scientifique et des experts du Renseignement.

*

Mais ce fut bien sûr cette prétendue « École d'anglais commercial » qui fournit l'aperçu le plus effrayant des intentions des terroristes. Pendant plusieurs semaines (jusqu'à ce qu'il soit jugé dangereux et sommairement fermé sur ordre de la municipalité), le bâtiment dévasté offrit tous les attraits du musée des Horreurs de Scotland Yard. Les équipes de télévision s'en repaissaient puis revenaient pour du rab. Aucun bulletin d'informations n'était complet sans rediffusion des images préférées du public. Et où les caméras allaient, la presse écrite suivait dûment.

Certaines salles de classe étaient criblées de balles au point de ressembler à des râpes à fromage, pour reprendre la comparaison d'un journaliste. L'escalier principal semblait avoir été torpillé en eaux peu profondes. La bibliothèque, en pleine restauration au moment de l'assaut, avait été réduite en morceaux, sa cheminée de marbre pulvérisée, son plafond à moulures éventré et noirci par les explosions.

« Quand les méchants ouvrent le feu, c'est vrai qu'on s'énerve un peu », concéda le même officiel anonyme de la Défense américaine.

Cet énervement avait laissé des traces. Portes et fenêtres étaient des trous béants. La verrière Art nouveau, point d'entrée d'une des équipes d'assaut, n'était plus qu'un monceau d'échardes colorées.

De ces scènes de désolation, les caméras se portèrent amoureusement sur les pièces à conviction principales : l'atelier de fabrication des bombes, l'arsenal d'armes légères, mitraillettes et grenades, les cartons de produits chimiques du commerce, les manuels de guérilla urbaine, les caisses de livres pamphlétaires, les faux passeports et la liasse de billets pour deux terroristes qui n'iraient plus jamais nulle part. Et, mieux que tout, des cartes détaillées d'installations civiles et militaires américaines en Allemagne et en France, certaines cerclées de rouge de façon inquiétante, la plus belle pièce étant un plan du quartier général de l'armée américaine à Heidelberg, ainsi que des photographies volées de l'entrée et de l'enceinte.

*

Les estimations du nombre de terroristes présents dans l'école au moment de l'assaut variaient de six à huit. Les experts en balistique retrouvèrent les preuves que six armes distinctes avaient tiré vers la place. Pourtant, seuls deux hommes avaient été retrouvés, dont l'un n'avait jamais atteint le bâtiment. Alors, où étaient les autres ?

Les habitants vivant près de la zone évacuée témoignèrent du passage à toute vitesse de *grüne Minnas* devant leurs fenêtres, sirènes hurlantes et gyrophares en marche. D'autres parlaient d'ambulances sous escorte policière et de blindés. Pourtant, aucun hôpital local ne fit état de blessés VIP, aucune morgue ou prison locale ne déclara de nouvel arrivant. D'un autre côté, la concentration dans cette zone d'infrastructures militaires occupées par du personnel américain, protégées par des clôtures électrifiées depuis le 11 septembre, laissait ouverte la possibilité que victimes et prisonniers aient été emmenés là-bas.

Les ravages subis par le bâtiment rendaient virtuellement impossible toute reconstitution. Les ouvriers interrogés par les journalistes et la police ne se souvenaient d'aucun visiteur à l'école hormis des livreurs et le grand Anglais identifié depuis comme étant Mundy. Les éclats de vaisselle et reliefs de repas retrouvés parmi les décombres ne constituaient pas d'indices fiables. Les ouvriers aussi doivent manger. Et il est bien connu que les terroristes sont tout à fait capables de faire assiette commune.

Le communiqué officiel n'était guère rassurant : « La divulgation de toute autre information à ce stade de l'enquête pourrait compromettre des opérations en cours. Les autres personnes retrouvées sur les lieux sont en garde à vue. »

Quel genre de personnes ? Quel âge ? Quelle nationalité, quel sexe, quelle race ? Quelle garde à vue ? Ils sont déjà à Guantanamo ?

Nous n'avons rien d'autre à déclarer.

Un mystérieux personnage semblait susceptible d'apporter à l'affaire un éclairage nouveau : le conducteur d'une BMW beige de louage qui était venu chercher Mundy à l'école le jour du raid et que des témoins avaient vu visiter plusieurs sites touristiques de la ville en sa compagnie. L'inconnu était décrit comme *fesch* : élégant, athlétique, âgé de cinquante-cinq-soixante ans.

La BMW fut rapidement retrouvée. Elle avait été louée par un certain Hans Leppink, résident de Delft en Hollande, ce que confirmaient carte de crédit, passeport et permis de conduire, mais les autorités néerlandaises, niant toute connaissance de son existence, n'offrirent aucune explication sur la façon dont il avait pu obtenir des papiers néerlandais aussi convaincants. Rien d'autre à faire sinon se concentrer sur les deux desperados quinquagénaires décédés.

*

Sasha était à l'évidence le plus simple à cataloguer. Une armada de psychologues experts ès terrorisme descendirent de leurs obscurs perchoirs universitaires pour ce faire.

C'était un stéréotype d'Allemand : l'enfant du nazisme assoiffé d'absolus, le véhément philosophe du pauvre, tantôt anarchiste, tantôt communiste, tantôt visionnaire radical apatride en quête de moyens plus extrêmes d'assujettir la société à sa volonté.

Son handicap physique et le complexe d'infériorité en découlant appelèrent des comparaisons avec le Doktor Joseph Goebbels, ministre de la Propagande de Hitler. Sa haine des juifs allait de soi, quoique sans avoir jamais été corroborée par une quelconque preuve.

Sa brouille avec son père si pieux, la démence de sa mère et la longue agonie, aujourd'hui suspecte, de son frère aîné alors que Sasha restait insensible à son chevet furent toutes jugées révélatrices.

Y avait-il eu un moment précis de sa vie, spéculaient ces experts et expertes, où Sasha avait eu la révélation du chemin de la violence, de la *voie du mal*, s'ouvrant devant lui pour qu'il l'emprunte ?

Une éditorialiste du *New York Times* le savait mieux que quiconque. Elle disait tenir l'histoire sous le sceau du secret de la bouche même de l'intéressé, un professionnel du Renseignement américain aussi modeste que discret, le brillant cerveau à qui revenait tout le mérite de la fin méritée de Sasha et de son complice anglais. La journaliste élogieuse évitait toute description, physique ou autre, de cet excellent agent, sinon pour signaler qu'il était de grande taille, assez guindé et « le genre d'homme par lequel je *rêverais* d'être invitée à dîner ».

Sasha parlait souvent de sa *traversée du désert*, lui avait confié notre super-héros : « Vous allez me croire fou, Sally, mais j'ai l'intime conviction que, pendant sa "traversée du désert", Sasha a connu une sorte de conversion religieuse autosuggérée complètement perverse. D'accord, il était athée, mais il était aussi fils de révérend, et il a halluciné. Peut-être qu'il se droguait, mais je n'en ai aucune preuve tangible », ajouta-t-il en homme qui ne plaisante pas avec la vérité.

*

Mais ce fut Ted Mundy qui mit vraiment à l'épreuve leurs capacités d'analyse. Ce fut le joueur de cricket d'école privée, né au Pakistan, fils de soldat, étudiant défaillant à Oxford, anarchiste à Berlin, larbin au British Council, professeur raté et sympathisant musulman qui fut disséqué à l'envi. Un tabloïde alla jusqu'à traquer le chien baptisé Mo. MO ou MAO ? hurla-t-il en gros titre, et pendant quelques numéros Mo devint l'équivalent canin du Rosebud de *Citizen Kane*.

Une grande compassion discrète fut dévolue à l'ex-femme de Mundy, Kate, ambitieuse députée New Labour de Doncaster Trent, aujourd'hui heureuse épouse de l'une des principales éminences grises du parti, mais dont l'avenir brillant devenait soudain incertain.

« Notre mariage dura onze ans mais fut de courte durée, affirma Kate au bras de son second époux, affrontant les caméras avec réticence pour lire un communiqué. Il n'y a jamais eu de conflits ouverts. Ted était un mari aimant à sa façon, mais très secret. Pendant toute notre vie commune ou presque, ses pensées me sont restées un mystère total, comme elles le seront aujourd'hui pour beaucoup de gens dans le monde, je le crains. Je suis incapable d'expliquer comment il est devenu ce qu'il est apparemment devenu. Je ne l'ai jamais entendu parler de Sasha. J'ignorais tout de ses activités politiques à l'époque où il étudiait à Berlin. »

Debout à son côté, Jake fut encore plus bref. « Ma mère et moi sommes bouleversés, atterrés, déclara-t-il, en larmes. Nous vous demandons de respecter notre douleur face à cette tragédie et de nous laisser faire notre travail de deuil. » Puis il usa d'un solécisme grammatical qui dut faire se retourner Mundy dans sa tombe : « Restant mon père biologique, j'aurai toujours le sentiment qu'il y a un vide dans ma vie que je ne pourrai jamais combler. »

Mais peu à peu, sous le microscope des commentateurs, Mundy le terroriste secret fut extirpé de sa coquille.

Son obsession bien ancrée pour l'islam fut confirmée par ses camarades d'école : *Mundy s'entêtait à appeler la chapelle de l'école la mosquée*, déclara l'un d'entre eux.

De même que sa nature colérique. Un autre camarade mentionna la férocité presque maniaque de son lancer rapide au cricket : *Il était foutrement agressif* (source : *Daily Mail*).

Un troisième raconta sa passion maladive pour tout ce qui était allemand. *Il y avait un vieux prof de violoncelle et d'allemand. Il se faisait appeler Mallory. Certains des copains le soupçonnaient d'être un nazi en cavale. Ted lui a littéralement foncé dessus. Il nous assommait de poésie allemande jusqu'à ce qu'on lui demande de la boucler.*

Un rapport des Services secrets américains divulgué par une fuite révéla que pendant un séjour inexpliqué à Taos, au Nouveau-Mexique, Mundy s'était lié avec deux agents soviétiques actuellement derrière les barreaux : le tristement célèbre Bernie Luger, qui avait utilisé comme couverture son métier de peintre pour prendre des clichés d'installations militaires américaines dans le désert du Nevada, et sa complice cubaine, Nita.

Les spéculations sur le fait que le British Council avait pu engager un homme sans diplôme dont le casier judiciaire à Berlin-Ouest mentionnait de graves troubles à l'ordre public aboutirent à une demande d'enquête officielle.

Les rumeurs de liens secrets entretenus par Mundy avec les « attachés culturels » d'ambassades communistes à Londres ne furent pas clairement démenties par le porte-parole du British Council. POURQUOI N'A-T-IL PAS ÉTÉ RENVOYÉ ? s'offusqua un tabloïde, qui reproduisait ensuite la déclaration troublante de l'un des anciens collègues de Mundy : *Ted était un vrai fainéant. Aucun de nous n'a jamais compris comment il a pu garder son poste. Il ne fichait rien, sinon écumer les circuits culturels des pays communistes et traîner à la cantine en buvant un café.*

Le videur d'un strip-tease de Soho l'identifia sur photographie. *Je le reconnaîtrais entre mille. Un grand type tout maigre, du genre trop amical. Moi, je préfère les pervers en imperméable, je vous jure.*

*

Mais de l'avis général, pour avoir la dernière pièce de ce puzzle complexe, le monde devrait attendre que la fameuse Zara, ancienne prostituée devenue la compagne de Mundy à Munich, se laisse persuader de raconter son histoire. Des journalistes anglais armés de carnets de chèques faisaient déjà le siège de la prison près d'Ankara.

Zara, qui (fait révélateur) avait fui en Turquie avec son fils de onze ans le jour même du Siège, avait été arrêtée dès son arrivée et était actuellement interrogée. Certaines rumeurs prétendaient que, si les Américains l'avaient laissée rentrer chez elle, c'est que les méthodes d'interrogatoire des Turcs étaient notoirement musclées. Arrivée en Allemagne comme épouse d'un paysan turc purgeant à présent une peine de sept ans de prison à Berlin pour voies de fait aggravées, Zara était décrite comme pratiquante, intelligente, presque muette et têtue. L'imam de sa mosquée munichoise, retenu en garde à vue pour une durée indéterminée, soutenait qu'elle « n'avait rien d'une fanatique », opinion pourtant démentie par une de ses coreligionnaires souhaitant garder l'anonymat : *C'est le genre de croyante qu'il faut exclure de notre communauté à l'aube du XXIe siècle*. Il émergea par la suite que Zara lui avait emprunté un manteau mais ne le lui avait pas rendu avant son départ pour la Turquie.

Les derniers rapports de sources policières turques indiquaient que Zara, pourtant une vraie dure à cuire, commençait à saisir l'intérêt de coopérer avec les forces de la justice.

*

Il était donc inévitable, une fois que les grands médias des deux côtés de l'Atlantique se furent creusé les méninges pour comprendre comment l'Angleterre et l'Allemagne avaient pu réchauffer en leur sein deux individus aussi répugnants, que les habituelles voix discordantes aient leur insupportable jour de gloire.

La plus sonore s'exprima sur un site web à but non lucratif prônant la transparence en politique. L'article offensant s'intitulait LE DEUXIÈME INCENDIE DU REICHSTAG : LA CONSPIRATION DE LA DROITE AMÉRICAINE CONTRE LA DÉMOCRATIE, et son auteur était présenté comme un ancien agent de terrain du Renseignement britannique ayant récemment démissionné, et qui écrivait « au risque de perdre sa pension sinon de se faire poursuivre en justice ». La thèse centrale de l'article était que le Siège tout entier, comme l'incendie notoire du Reichstag décidé par Hitler, était un coup monté, perpétré par ce qu'il appelait les « putschistes d'une junte de théologiens néoconservateurs de Washington proches du trône présidentiel ». Les deux morts étaient aussi innocents de ces crimes fabriqués que ce pauvre Van der Lubbe, le prétendu pyromane du Reichstag.

Signant ARNOLD (sans qu'on sache si c'était un nom de famille, un prénom ou un nom d'emprunt, quoique l'emploi des capitales aille dans le sens de cette dernière hypothèse), l'auteur dénonçait « un ancien agent véreux de la CIA » comme le concepteur du coup monté, et Sasha et Mundy comme ses victimes sacrificielles. Cet individu, qu'ARNOLD désignait par l'initiale J et qualifiait de « néochrétien d'origine américano-irlandaise », était considéré par la communauté classique du Renseignement comme un dangereux franc-tireur.

Le complice contre nature de J dans ce « deuxième incendie » était un Russo-Géorgien tout aussi véreux connu sous le seul nom de DIMITRI, un agent provocateur et informateur professionnel avec des prétentions de poète et d'acteur raté. Ayant travaillé, parfois en parallèle, pour le KGB, la CIA et le Deuxième Bureau, il vivait actuellement dans le Montana grâce au programme de protection des témoins, en remerciement des informations fournies sur l'attentat contre une base de l'aviation américaine en Turquie dont il était lui-même l'instigateur.

ARNOLD affirmait ensuite que, si les officiels de Downing Street avaient préféré ne pas être informés à l'avance des détails du

« deuxième incendie », ils avaient clairement déclaré, lors de discussions secrètes avec leurs partenaires de Washington, qu'ils verraient d'un bon œil toute initiative susceptible de faire taire définitivement les attaques franco-allemandes contre la façon dont l'Amérique et, cela va sans dire, l'Angleterre menaient leur guerre contre le terrorisme.

Pour étayer cette affirmation, il mentionnait le prétendu « axe du mal Heidelberg-Sorbonne » dont la presse anglaise de droite faisait ses choux gras, et la chasse aux sorcières qui visait à confondre les intellectuels français et allemands « libres penseurs » figurant sur les listes aujourd'hui notoires d'« empoisonneurs spirituels » dressées par Sasha (source : *Daily Telegraph*), et s'étant portés volontaires, selon ce même journal, pour « endoctriner les esprits impressionnables dans les trois R du pseudo-progressisme : Radicalisme, Révolution et Revanche ».

Plus l'article avançait, plus les allégations d'ARNOLD se faisaient délirantes. Derrière ses airs de has-been du British Council, écrivait-il, Ted Mundy était en réalité un héros méconnu de la guerre froide, ainsi que son ami Sasha. Au fil des ans, tous deux avaient fourni à l'Alliance atlantique de précieux renseignements sur la menace communiste. ARNOLD soutenait même que Mundy avait été secrètement décoré par l'Angleterre pour sa bravoure, information rapidement démentie par des sources du Palais.

Et pour la bonne bouche, ARNOLD affirmait que J, grâce à un système sophistiqué de prête-noms, était le seul actionnaire d'une compagnie de sécurité spécialisée dans les véhicules blindés, la protection rapprochée et les conseils de survie dispensés à de riches Américains du show-business ou des affaires envisageant de voyager dans une Europe en proie au terrorisme. Cette même compagnie détenait les droits des seules images vidéo du Siège à avoir jamais été diffusées. On y voyait un commando de héros non identifiables en tenue de combat antiterroriste courir dans des nuages de fumée hollywoodienne sur le toit de l'école. A l'arrière-plan, tout juste visible entre deux cheminées, gît le corps de l'euroterroriste Sasha, abattu pendant sa tentative de fuite. Des ambulanciers courent vers lui sur les pavés. A côté de lui se trouve une mallette cabossée. Cette courte séquence vidéo, diffusée et rediffusée par les télévisions du monde entier, a rapporté des millions de dollars à son propriétaire.

*

Downing Street accorda à l'article d'ARNOLD tout le mépris qu'il méritait. Si ARNOLD existe, qu'il se montre et qu'on soumette ses allégations à examen. Selon toute vraisemblance, l'article offensant était l'œuvre d'éléments félons du Renseignement britannique ayant pour but évident de discréditer le New Labour et de saper la relation spéciale de la Grande-Bretagne avec les États-Unis. Le porte-parole de Downing Street exhortait les auditeurs à ne pas perdre de vue les grandes questions telles que les conséquences concrètes dans le monde, les changements par étapes et les indicateurs d'efficacité. Le *Daily Mail* publia une attaque cinglante contre « la dernière Cassandre en date à émerger des ombres du monde secret » et s'interrogea d'un ton grave sur les motivations secrètes des « saboteurs secrets de la réputation de notre pays qui s'en prétendent les protecteurs ».

Synthétisant cette sombre affaire, un officiel haut placé et fiable ayant accès aux plus hauts sommets de l'État déclara que, de nos jours, d'aucuns devenaient un peu trop dangereusement orwelliens. Il faisait évidemment référence, non à Downing Street ou Washington, mais aux espions.

*

Les conséquences politiques du Siège ne tardèrent pas à se manifester. Les prédictions de Sasha selon lesquelles un attentat euro-anarchiste d'inspiration islamiste sur leur territoire ferait courir les Allemands dans le giron du grand frère américain n'avaient rien d'exagéré. Le chancelier allemand social-démocrate sc montra d'abord assez grossier pour ne pas recevoir le message. Une première déclaration contestait même les *conclusions prématurées et tendancieuses* de la droite allemande, qui bénéficiait d'une forte avance dans les sondages depuis le soir du Siège. Comprenant qu'il prenait l'opinion publique à rebrousse-poil, il se vit contraint de changer son fusil d'épaule, d'abord en annonçant une enquête indépendante menée par des agences allemandes, puis en déplorant que son pays, hôte innocent de certains responsables du 11 septembre, ait *visiblement été choisi comme théâtre d'autres actes de violence aveugle contre nos amis américains.*

Ses critiques conservateurs jugèrent cette déclaration trop peu abjecte. Pourquoi laisser passer une semaine entière avant de réagir ? voulaient-ils savoir. Pourquoi s'encombrer d'une enquête indépendante quand les preuves étaient flagrantes ? Et qu'est-ce que c'est que ce *visiblement* minable qui s'est glissé dans le texte ? Mettez-vous à genoux, monsieur le chancelier ! Rampez ! Vous avez jeté un œil aux relevés bancaires de l'Allemagne, récemment ? Vous ne savez donc pas que l'Amérique ne fait des affaires qu'avec ses *amis* ? Vous ne vous rendez pas compte qu'ils nous en veulent toujours de nous être rangés au côté des Français et des Russes, pour l'Irak ? Et maintenant *ça*, nom de Dieu !

Mais, au bout du compte, tout fut bien qui finit bien. Le chancelier fit tout sauf apporter sa tête sur un plateau à Washington. Les partis d'opposition au Bundestag se rallièrent au chœur. Les atroces sanctions financières que brandissait le gouvernement américain furent suspendues, à condition que le gouvernement fédéral adopte une attitude plus constructive lors de « la prochaine étape de la guerre contre le terrorisme », c'est-à-dire l'Iran. L'autre condition, implicite, était que le gouvernement fédéral, avec l'aide de Dieu, serait entre-temps devenu conservateur.

Sasha avait également eu raison au sujet de la Bourse de Francfort qui, après une période noire, se ressaisit. Une éditorialiste jubilante de la puissante presse conservatrice allemande claironna que Günter Grass avait été plus visionnaire qu'il ne l'avait cru quand il avait déclaré que nous étions tous aujourd'hui des Américains.

*

Seule la France, avec sa truculence habituelle, refusa de se laisser émouvoir par le spectacle de l'autoflagellation de sa voisine. Un porte-parole anonyme du Renseignement français déclara que la liste d'universitaires français de gauche prétendument liés à « l'école d'euroterrorisme de Heidelberg » était « un fantasme anglo-saxon ». L'intégrité des célèbres intellectuels et universitaires français restait immaculée. Un communiqué de la porte-parole du président français déclarant que « toute cette affaire sentait la manipulation médiatique d'un amateurisme extrême » fut jugé scandaleusement arrogant. Des bouteilles de vin français furent de nouveau vidées dans les caniveaux américains, les frites anciennement appelées *French Fries* en anglais rebaptisées *Freedom Fries* et le drapeau tricolore solennellement brûlé dans les rues de Washington.

La rusée Russie, bien que croulant sous les difficultés économiques, gagna sur deux tableaux : l'étouffement des dernières voix d'opposition « antisociale » au gouvernement, que ce soit dans les médias ou à l'Assemblée, au motif que ces protestations irresponsables faisaient le lit du terrorisme ; et le soutien total de Washington à la poursuite, et même à l'accélération, de la guerre meurtrière contre le peuple de Tchétchénie.

*

Les deux terroristes décédés fournirent eux-mêmes le post-scriptum final. Il transpira que chacun avait rédigé un testament, comme peut-être tous les terroristes. Chacun avait exprimé le vœu d'être enterré au côté de sa mère : Sasha l'Allemand à Neubrandenbourg, et Mundy l'Anglais au Pakistan, sur une colline baignée de soleil. Une intrépide journaliste débusqua la dernière demeure de Mundy. Elle écrivit que le brouillard ne s'y lève jamais vraiment, mais que les tombes chrétiennes fracassées font du lieu un faux champ de bataille populaire auprès des enfants.

Cornouailles, 9 juin 2003

Remerciements

Je remercie Sandy Lean, Ann Martin, Tony McClenaghan et Raleigh Trevelyan pour leurs renseignements sur les Indes coloniales, l'imama Halima Krausen pour sa généreuse initiation aux rites islamiques, Anthony Barnett de openDemocracy.net et Judith Herrin pour leur tableau de l'Angleterre radicale des années 1960 et 1970, Timothy Garton Ash, Gunnar Schweer et Stephan Strobel pour les conseils historiques et éditoriaux qui sont allés bien au-delà de ce que pouvait attendre un ami, Konrad Paul pour son Weimar et Lothar Menne pour son Berlin et bien plus, Michael Buselmeier pour son Heidelberg et John Pilger pour ses sages paroles pendant notre dîner. Je dois aussi reconnaître ma dette immense envers le magnifique *Plain Tales From the Raj*, de Charles Allen.

Je présente mes excuses aux irréprochables administrateurs du Linderhof du roi Ludwig, qui, dans la vraie vie, n'emploient que les guides les mieux informés, n'ont pas de remise à plantes au sous-sol, et dont les visiteurs sont tous extrêmement cultivés et dignes.

Du même auteur

AUX ÉDITIONS GALLIMARD

Chandelles noires, *1963*

L'Espion qui venait du froid, *1964*

L'Appel du mort, *1973*

AUX ÉDITIONS ROBERT LAFFONT

Le Voyageur secret, *1991*

Une paix insoutenable (essai), *1991*

Le Directeur de nuit, *1993*

et en collection Bouquins

tome 1

L'Appel du mort

Chandelles noires

L'espion qui venait du froid

Le Miroir aux espions

La Taupe

Comme un collégien

tome 2

Les Gens de Smiley

Une petite ville en Allemagne

La Petite Fille au tambour

Le Bout du voyage (théâtre)

tome 3
Un amant naïf et sentimental
Un pur espion
Le Directeur de nuit

AUX ÉDITIONS DU SEUIL

Notre jeu, *1996*
et « Points », n° P 330

Le Tailleur de Panama, *1997*
et « Points », n° P 563

Single & Single, *1999*
et « Points », n° P 776

La Taupe, *2001*
nouvelle édition
et « Points », n° P 921

Comme un collégien, *2001*
nouvelle édition
et « Points », n° P 922

Les Gens de Smiley, *2001*
nouvelle édition
et « Points », n° P 923

Un pur espion, *2001*
nouvelle édition
et « Points », n° P 996

La Constance du jardinier, *2001*
et « Points », n° P 1024

Le Directeur de nuit, *2003*
nouvelle édition
et « Points », n° P 1024

La Maison Russie
nouvelle édition
2003

RÉALISATION : PAO ÉDITIONS DU SEUIL
IMPRESSION : S.N. FIRMIN-DIDOT AU MESNIL-SUR-L'ESTRÉE
DÉPÔT LÉGAL : AVRIL 2004. N° 63343 (67507)
IMPRIMÉ EN FRANCE